JN088995

人類史にかがやく古代都市はなぜ消滅したのか

チャタルヒュユク、ポンペイ、アンコール、カホキア

アナリー・ニューイッツ
森 夏樹 訳

FOUR LOST CITIES

A Secret History of the Urban Age

Annalee Newitz

青土社

人類史にかがやく古代都市はなぜ消滅したのか　目次

人類史にかがやく古代都市はなぜ消滅したのか

チャタルヒュユク、
ポンペイ、
アンコール、
カホキア

本書はイアソン、アセスコ、ヒュギエイア、パナケアに、
ささやかな供え物として贈られる。

しかし、最も重要なのは、生き残ったクリス・パーマーに、
愛を込めて捧げられていることだ。

はじめに――どのようにして都市は失われるのか?

私は西バライ(一〇〇〇年前に水利技術者によって作られた人造湖)の中心にある、完全な正方形をした島の崩れた跡に立っていた。浸食された砂岩の壁に太陽の光が当たっている。カンボジアは乾季だが、季節外れの雨が降ったために、地元農家が毎年行っている野焼きの煙が消えていた。遠くには、クメール王国の古都アンコールの驚異的な建築物、アンコール・トムとアンコール・ワットの塔が見える。アンコールは、最盛期には一〇〇万人近い人口を擁し、かつては世界で最も人口の多い都市だった。私はその中心部に立っている。足元には、スーリヤヴァルマン一世(在位一〇〇二―一〇五〇)の時代に建てられた一一世紀のヒンドゥー教寺院「西メボン」があり、寺院は西バライと呼ばれる巨大な貯水池の中央に位置していた。その日の朝、西バライの南岸には数隻のモーターボートが停泊していて、水先案内人が観光客を二ドルで西メボンに連れて行ってくれた。けっして短い旅ではない。長方形の西バライの長さは八キロで、一般的な空港のジェット機滑走路三本分に相当する。一〇〇〇年前、労働者たちが西バライを掘り終えたとき、その中心にある西メボン寺院は、周囲数キロにわたって唯一の乾いた土地だった。

西メボンは、石でできた華麗な門の後ろに、もうひとつの小さな貯水池を囲んでいた。この貯水池は、上陸を許された少数の人々以外には見えない。貯水池の中央には、長さ六メートルのヴィシュヌ神のブロンズ像が浮かんでいて、巨大な頭は四本の腕の一本に支えられていた。世界ができたときに、海から生命を生み出したヒンドゥー教の神に敬意を表するために、巡礼者たちは水の上を渡ってくる。西メボンは、水の霊的な力を示すモニュメントだと言えるかもしれない。またそれは、アンコール王朝の労働者たちが、毎年、モンスーンによる洪水を西バライのような大きな貯水池で抑え、乾季には、遠くの山の川から水を取り入れる運河システムで都市の渇きを癒す、彼らの創意工夫の証しでもあった。

寺院を発掘したときの風化したブロックときらめく水に囲まれながら、私は何世紀も前の西バライを想像し、はるかにあたりを見渡してみようと思った。クメールの地元民や隣国の要人たちが、花や香料の香しい束を手に、お祝いの舟に乗り込んでいる。それはきっと驚くべき光景だったにちがいない。しかし、この場所に対する私のロマンチックな幻想は長くは続かなかった。

ダミアン・エヴァンスは、西バライを見ながら、「これを台なしにしてしまうなんて信じられない」と、不満そうに身振り手振りで語った。エヴァンスは、フランス・アジア研究所の考古学者で、過去二〇年間の研究によって、アンコールの都市構造に関する理解を大きく変えた人物である。薄茶色の髪をしたオーストラリア人で、はにかんだ笑顔が印象的な彼は、何十年にもわたってクメール王国の洗練された姿について書いてきた。しかし、彼はクメール王国の失敗についてもよく知っている。

エヴァンスは、隣の木製の看板に描かれた色あせた地図を指差しながら、現在進行中の西メボンの復元に関する展示の一部を説明してくれた。標高を見ると、東西に長い長方形の西バライは風景に合わせて緩やかに傾斜していて、貯水池の東端が水で満たされ、西端は乾いたままになっていることがわかる。その結果、西バライは私が想像していたような、輝く長方形の湖のように見えることはほとんどなかった。むしろそれは、端がぼろぼろになって泥だらけになった深いプールのようなものだ。しかし、これはクメール人の技術者が無能だったからではない。「平らな場所に建てることもできたのですが、王は技術者に自分のグル（ヒンドゥー教の導師）が気に入る東西の方向に位置することを求めたのです」とエヴァンスは説明する。クメール人は、王の貯水池のような壮大な建造物は、太陽や星が天空を横切るのと同じ軌道を描くべきだと考えていた。言い換えれば、スーリヤヴァルマン一世は優れた水力工学よりも、縁起の良い占星術のサインを重視していたのだ。この貯水池は、古代の無駄遣いだったのである。しかし長期的に見れば、西バライはアンコール朝の都市計画の雛形となり、気候危機の激動期には、膨れ上がった人口にただ欠陥のある貯水システムを残すことになった。

もし「政治」という言葉を「占星術」に置き換えれば、エヴァンスの観察は、過去一〇〇〇年の間にいくつもの都市が設計されてきた理由を明らかにするだろう。都市の指導者たちは、政治的な（占星術的な）理由から美しいスペクタクルを作ることに資力を注ぎ込み、整備された道路や機能的な下水道、比較的安全な市場など、都市生活の基本的な快適さを提供することはしなかった。その結果、都市は畏敬の念を抱かせるような外観をしていても、嵐による洪水や干ばつなど、災害からの回復力《レジリエンス》は高くない。また、自然の猛威に苦しめられれば苦しめられるほど、その都市の政治的状況は悪化していく。そうなると、壊れたダムや家を修復するのはさらに難しくなる。こうした悪循環は、都市が存在する限り続いていく。その結果、このサイクルは、都市がより発展することで終わることもあるが、多くの場合は死で終わる。

アンコール王朝の最盛期(一〇世紀から一二世紀)には、王が何千人もの労働者を支配していた。彼らは、都市の宮殿や寺院、道路、整備の不十分な運河などを建設した人々だ。このような建築物の多くは、クメール王を讃えるためのものだったが、乾季でも農民として働くことのできる一般住民の助けにもなっていた。しかし、一五世紀初頭、この地域は干ばつに見舞われ、続いて壊滅的な(1)大洪水が発生し、アンコールの水関連のインフラは少なくとも二回破壊された。都市が崩壊し始めると、富裕層と貧困層間の溝が広がった。数十年のうちに、クメール王家はアンコールから海岸沿いの都市プノンペンに住居を移した。これがカンボジア、タイ、ベトナム、ラオスなど、東南アジアの広大な地域を何世紀にもわたって支配してきた王たちの都市の、終わりの始まりだった。一六世紀になると、都市の人口はアンコールの中心部から流出し、アンコールの崩壊した都市の周囲にあった小さな村や農場だけが残された。王の宮殿は放棄され、西バライは緑の森の中の窪地になっていた。そして、クメール王国の伝説的な寺院を守るために、わずかな僧侶たちが残った。

一九世紀、フランスの探検家アンリ・ムーオは、「失われた都市」アンコールを発見したと主張した。当時のヨーロッパの旅行者たちは、アンコール・ワットの寺院の囲いの中で、僧侶がまだ住んでいることを認めていたが、ムーオは、失われた文明に初めて遭遇したという旅行記を書いて人気を博した。何世紀もの間、人間が見たことのない、絵に描いたような不思議な世界（古代エジプトに匹敵するという）が広がっていると主張した。この神話を広めるのは簡単だった。冒険物語に飢えていた西洋人は、木の根っこに邪魔されて壁の石が崩れている劇的に崩壊した寺院の写真を見て、ムーオの言葉を信じようとした。失われた都市としてのアンコールは、あらゆる反対の証拠があるにもかかわらず、最初からメディアによって捏造されていたのである。

「失われた都市」は、西洋のファンタジーの中で繰り返し使われる表現で、アクアマン〔アメリカン・コミックスに登場する架空のスーパーヒーロー〕が巨大なタツノオトシゴと一緒に過ごすような、華やかな未発見の世界を連想させる。しかし、われわれが「失われた都市」を信じたいと思うのは、単に現実逃避的な物語が好きだからではない。われわれは、世界の人口のほとんどが都市に住み[2]、気候変動や貧困などの解決不可能と思われる問題に直面した時代に生きている。現代の大都市は決して永遠に生き続ける運命にあるわけではなく、過去八〇〇〇年の間に人々は何度も都市の放棄を選択したという歴史的証拠がある。人類のほとんどが、死ぬ運命にある場所で生きていることに気づくのは恐ろしいことだ。失われた都市の神話は、人々がどのようにして文明を破壊するのかという現実を曖昧にしている。

この本では、人類史上最も壮大な都市放棄の例から四つを選んで、その現実を探っていく。本書に登場する大都市は、それぞれが独自の結末を迎えているが、失敗のポイントは共通している。どの都市も、長期にわたる政情不安と環境危機に悩まされていた。アンコールのような人口密度の高い強力な都市でさえ、ダムの決壊と王宮の混乱という二重の打撃に耐えることができなかった。このような問題を抱えた場所では未来を築くことができず、都市に住む人々は自分の生活を捨て、家に背を向けた。四つの都市は、アトランティスのように突然水面下に滑り落ちて伝説の世界に消えたわけではない。行方不明になったわけでもない。人々は正当な理由があって、意図的に都市を放棄したのである。

本書で紹介する最初の都市、チャタルヒュユクは、今から約九〇〇〇年前の新石器時代、人類が何十万年もの間遊牧民として暮らした後で、農耕生活に落ち着いた時期に建設された。現在、その謎めいた遺跡は、トルコ中央部のアナトリア地方にある二つの低い丘の下に埋もれている。この遺跡は、現代の基準からすると小さく、人口も五〇〇〇人から二万人の間を一〇〇〇年単位で推移していたと思われるが、当時は巨大な都市だった。その頃、この地域に住んでいたほとんどの人は、二〇〇人程度以上の集落を見たことがなかった。泥と茅で作られたチャタルヒュユクは、相互につながった広大な住居群で、はしごや屋上の出入り口を使って内部に入ることができる。文字はなかったが、彼らは何千もの小さな像や絵画、象徴的な装飾が施された頭蓋骨などを残した。

紀元前六〇〇〇年紀の半ば頃、チャタルヒュユクの人々は賑やかで窮屈な歩道を後にして、この都市を離れた。レバント地方の干ばつ、社会組織の問題、都市のレイアウトの問題など、理由はさまざまだった。去っていった人々の多くは、新しいタイプの都市を見つけたわけではなく、村の生活や遊牧生活に戻っていった。それは、チャタルヒュユクだけでなく、都市生活そのものを否定しているかのようだった。時が経つにつれ、街や道路は砂の層に埋もれていった。二〇世紀になって、ヨーロッパの考古学者が都市を「発見」したときには、その都市文化はほとんど神話として地元の人々に知られていた。トルコの農民たちは、丘の下に実際の都市が埋もれていることを知っていた。彼らの鋤からは定期的に素晴らしい遺物が出てきたし、丘の上にはまだいくつかの城壁が突き出ていたからだ。しかし、そこに誰が住んでいたかについては、誰も多くを知らなかった。

チャタルヒュユクの何かが失われてしまった。研究者たちは、チャタルヒュユクの人々が、自分たちの世界について何を信じていたかを理解するのに苦労している。私が訪れたとき、考古学者たちは、ここに住んでいた人々が歴史の概念を持っていたのか、それとも信仰の概念を持っていたのか、あるいはその両方を持っていたのかについて、激しい議論をしていた。なぜ彼らは家の壁に黄土色のデザインを描いたのか？　玄関に牛の角を飾ったのはなぜか？　なぜ死者をベッドの下に埋めたのか？　われわれはいくつかのアイデア（考え）を持っているが、確実なものはない。何千年も前にこの地に住んでいた人々にとって、意味のある文化的背景は失われてしまった。しかし、住民たちが残したものは十分にあり、彼らの日常生活がどのようなものであったかは、都市生活を困難にした問題も含めて復元することができる。

次に紹介する都市は、その正確な位置が一時期失われてしまったようだが、決して忘れ去られることはなかった。地中海に面したローマの観光都市ポンペイは、七九年のヴェスヴィオ山の噴火によって火山灰の下に埋もれてしまった。目撃者や歴史家がその惨状を記録したが、ポンペイが組織的に発掘されたのは一八世紀になってからである。

ポンペイが放棄された原因は、いたってシンプルのようだ。何に例えようもない摂氏四八二度の火砕流が町を駆け抜けて、住民の誰もがことごとく一掃された。しかし、それだけではない。ポンペイは、地震（ヴェスヴィオ火山の噴火の一〇年以上前に起きた）による甚大な被害から立ち直るなど、過去にも自然災害を乗り越えてきた。住民たちは、ここが危険な場所であることを十分に知っていた。実際、噴火当日の朝には、住民の半数以上が避難した。爆発の数時間前に山が煙を上げ、地震が発生すると彼らは逃げ出している。

ローマ人は迷信と恐怖心から、埋葬された都市を避け、かつてあった場所をすぐに見失ってしまったというのが、この都市の滅亡に関する一般的な説明である。しかし、それは事実に反している。ポンペイの崩壊後、古代史上最大の救援活動が行われていた。ティトゥス帝は、噴火後二度にわたってポンペイを視察し、被害状況を確認した。その結果、かつての緑豊かな風景は、高温の火山灰に埋もれ、有毒なガスが立ち込めていることがわかった。ポンペイは修復不可能な状態だった。ティトゥスと、彼の後を継いだ弟のドミティアヌスは、広大な帝国の富を、家を失った人々の生活を再建するために使った。生存者にお金を配分し、労働者にお金を払って家を建てさせた。最近では、ナポリのような海岸沿いの新興都市に難民を移住させ、地域や道路を拡張して収容していたことが、考古学者の新たな発見によって明らかにされている。また、多くの貴族が財産を残して死亡したため、政府は解放奴隷に主人の財産を相続させた。その結果、解放された奴隷たちは豊かな生活を手に入れることができた。ポンペイは失われたが、ローマのアーバニズム（都市に特徴的な生活様式）は繁栄し続けたのである。

七九年にポンペイを包んだ火山灰のおかげで、われわれはローマ人が懸命に守ってきた、コスモポリタンな文化のありのままの姿を知ることができる。ポンペイが崩壊するまでの一世紀は、女性、奴隷、移民が権利を獲得して政治権力の中枢に入り込んだ、帝国にとって大きな変革の時代だった。庶民が落書きをしたり、タベルナ（居酒屋）で酔っぱらったり、浴場や悪名高い売春宿で社交したりと、ポンペイの町では、新しい種類のポリグロット（多言語的）な公共文化が生まれていた。それが来るべき何千年もの間、西洋の都市生活を形成し続けた。ポンペイの運命は、都市の崩壊とそれを維持した文化の崩壊が同じものではないことを証明している。

一五〇〇年後のアンコールは、ポンペイがたった一日で経験した大惨事のスローモーション版に見舞われた。一回の火山噴火ではなく、一世紀にわたる気候危機に襲われたのである。タイムスケールは違っても、結果は同じで、エヴァンスが西バライで語った洪水のような環境災害によって、都市の大半の人々が住めなくなってしまった。しかし、最終的な打撃は自然とは関係がない。アンコールの王は、都市の生命線である運河の再建のために、おおぜいの労働者を指揮することができなくなったのである。アンコールの都市計画で最も持続不可能だったのは、貯水池のシステムではなく、もっぱら強制労働に依存する柔軟性に欠けた社会的階層だった。

一方、アメリカ大陸では、中世の巨大都市が拡大と縮小を繰り返し、その運命の逆転が風景に刻まれていた。カホキアは、ヨーロッパ人が到着する前の北米最大の都市で、ミシシッピ川沿いの小さな村から、川の両岸にまたがる土地を持つ三万人以上の広大なメトロポリスに成長した。カホキア人は、現在のミズーリ州のセントルイス、イリノイ州のイーストセントルイスとコリンズビルに、そびえ立つ土のピラミッドと高架の歩道を建設した。彼らの家や農場は、祭りが執り行われる各セレモニー・センターを中心に広がっており、そこには南部の全域から人々が集まっていた。九〇〇年から一三〇〇年の間、カホキアは「ミシシッピ」文化の中心地であり、その文化はウィスコンシン州からルイジアナ州まで、大河沿いの町や村を結びつけた社会的・精神的な運動だった。

私は二年前の夏、カホキアの発掘調査に参加した。考古学者たちは、カホキア最大の儀式用ピラミッド、通称「モンクス・マウンド」の近くにある賑やかな住宅街の一部を発掘した。モンクス・マウンドは高さが三〇メートルもあるが、これは人々が粘土を籠に入れて近隣の「ボロー・ピット」から運んできたものである。墳丘はギザの大ピラミッドに匹敵するほどの大きさだ。しかし、考古学者のサラ・バイレスとメリッサ・バルタスは、ピラミッドの頂上に誰が住んでいたのかには興味を示さなかった。彼女たちが知りたかったのは、カホキアの普通の人々がどのような暮らしをしていたかということだった。

私は泥の中で手と膝をついて、足首はハエに刺され、首は太陽に焼かれながら、バルタスが言うところの「意図的な放棄」に直面した。カホキア人は構造物を使い終えると、ある儀式でその運命を封印した。木の柱でできた壁を引き抜いて、脇に置き、薪として使った。空いた穴には色とりどりの粘土を入れ、時にはその家で使われていた、壊れた陶器や道具の破片を入れることもある。ある建物の床で、バイレスとバルタスは、血のように赤いヘマタイト（赤鉄鉱）の破片が散りばめられた、巨大な杭穴《くいあな》を見つけた。カホキア人は時々、残った建物に火をつけて、家財道具を燃やしていた。火が消えると、住民は粘土の層で廃墟を「封印」し、その上に新しい建物を建てた。

時には、このような意図的な廃墟の儀式が、地域全体に及ぶこともあった。イーストセントルイスで発掘作業をしていた考古学者は、畑で家をかたどったものが、一度に何十も燃やされていた跡を発見した。家の壁はもちろん、供え物のトウモロコシや陶器、巧みに作られた尖頭器（先端を鋭く尖らせた打製の石器や骨器）なども燃やされていた。おそらく寿命がくると、ある日突然、街全体が閉鎖されるのだろう。もしそうだとしたら、カホキアは終焉を念頭に置いて設計された都市だったのかもしれない。墳丘が信じられないほどの高さになっても、その運命は封印されていた。

滅びるとわかっていながら、なぜ人はこれほどの労力をかけて街を作るのか。七年前、この本の取材を始めたときには、こんな疑問を考えたことは一度もなかった。チャタルヒュユクやカホキアには惹かれたが、作品の中では近代都市にこだわり、カサブランカやサスカトゥーン、あるいは東京やイスタンブールの街並みに人類の未来を垣間見ようとした。きちんとデザインすれば、明日の都市は永遠に続くことを書こうと思っていた。ところが、過去を調べたくなるような出来事が起こったのである。

コペンハーゲンでの一週間の調査から戻ると、いつも怒っている一匹狼で、疎遠になっていた父が自殺していた。父とはもう何年も話をしたことがなかった。私がデンマークで科学者やエンジニアと都市の未来について話している間、父は長い遺書を書いていた。その内容は、大切にしていた花畑の手入れの仕方から、敷地の端に生えていたセコイアを守るために市と争って負けたことへの怒りまで、多岐にわたっていた。検察医との電話で、私は茫然となった。彼が不幸であることはわかっていたが、きっと良くなるだろうと思っていた。いつの日にかわれわれも、普通の関係になることを願っていた。どのような死もそれなりに辛いものだが、自殺者の悲しみは、ひとつの痛切な疑問によっていっぱいになる。他に多くの選択肢があったのに、なぜ彼は死を選んだのか？

私は父の書類、六冊の未発表小説、メールなどを調べ、父が私から、そして世界から、完全に離れてしまった理由を説明するものを探した。何十もの答えがあったが、何ひとつなかったかもしれない。私は耐え切れなくなるまで、なぜ彼があの薬を飲んだのかと自問自答した。

全く別のことに目を向けようと、発掘の季節にチャタルヒュユクを訪れた。深い過去への旅によって、現在の悲しみから逃れられるかもしれないと思ったからだ。実際に行ってみると、私の周りには死者の生き方を研究することに精を出している人々がいて、お墓から古代の生活を学んでいた。私のような精神状態の人間には最悪だと思われるかもしれないが、それこそが私の必要としていたことだった。考古学に触発された私は、父がなぜ自殺したのかという疑問をようやく解消することができた。そして、さらに難しい問題に目を向けた。父はどのように生きたのか？　父が教えてくれたことから、私は何を得ることができるのか？　父が行った選択から何を学ぶことができるのか？　このような質問に答えることが、私の癒しへの第一歩だった。

それは、この本を作るきっかけにもなった。私は、すべての都市の死がミステリーのように感じられることに気づいた。それは、われわれが通常、その都市の終焉を単独で見るからだ。われわれは、劇的な消失の瞬間に焦点を当てることを急ぎ、人々が何世紀もかけて、都市をどのように維持するかについて、数多くの決定を行った長い都市の一生の歴史を忘れてしまう。都市生活者としての具体的な生き方を考えないと、なぜ人々が都市を死なせることを選んだのか、それを理解することはできないと思う。

それは、偽りのない基本的な質問をすることだ。なぜわれわれの祖先は、自由な土地を捨てて、人間の排泄物と終わりのない政治的ドラマに満ちた、窮屈で臭いゴチャゴチャとした地域に移ったのか？　どのような直感に反した決断が、彼らを定住させ、作物を簡単に育てることができない、人を飢え死にさせるような農場を作らせたのか？　何千人もの人々が肩を寄せ合って暮らし、協力して公共の場所や資源を作り、見知らぬ人々が楽しめるようにしたのはなぜなのか？　その答えを求めて、私はこの本に登場する廃墟となった都市の跡地を歩き回った。都市の一生の物語に没頭し、都市の文化的な複雑さの一部を解明するために何年もの調査を行った。なぜ人々は都市から逃げ出したのかを理解するためには、彼らがなぜ都市に来たのか、そして留まるためにどれほどの努力をしたのかを知る必要があった。私は、彼らが建てた家を捨てたときに、彼らが失ったものを理解したかったのである。

チャタルヒュユク、ポンペイ、アンコール、カホキアの歴史は劇的に異なっているが、いずれも何世紀にもわたって絶え間なく変化している。人々の生活に合わせて街並みも変化していった。これらの都市には、おいしい食べ物や専門的な仕事、娯楽、政治的な権力を得るチャンスなど、あらゆるものに惹かれて近隣や遠方から移民がやってきた。移民の中で最も重要なのは労働者階級であり、彼らが都市人口の三分の二以上を占めることもあった。都市を維持するのは、農作業や商店の経営、道路の建設など、一般の労働者たちである。産業革命以前は、経済的にも政治的にも、最も価値のある力は人間の労働力だった。しかし、その労働には様々な形があった。家事労働といってもそれは、家の中で何人かが家事をしたり、家畜の世話をしたり、料理をしたりするようなものだった。都市が発展すると、エリート階級は、人を奴隷にしたり、あるいは農奴にしたりして、労働を組織化した。都市を作るということは、多くの意味で労働力を組織することだった。通常は、この両方が組み合わさっていた。都市が政治的にも環境的にも不安定になると、労働者は誰よりも窮地に立たされる。残って腐敗を一掃するのか、それとも別の場所で再出発するかを決めなければならなかった。

『人類史にかがやく古代都市はなぜ消滅したのか』は、人類の過去の悲劇と、死をテーマにした作品だ。しかし、それは喪失感から回復することでもあり、これまでの経緯とそこに至るまでの決断を明確に見つめることでもある。現在、世界中の都市では、政治が腐敗によって蝕まれ、気候変動が迫るなど、都市に住んでいた祖先たちと同じ問題に直面している。人類の大半が都市に住むようになった今、賭けの対象はより大きくなってきた。アーバニズム（都市化）の運命は人類の運命と結びついている。二一世紀に過去の失敗を繰り返すと、地球全体の様相を一変させるような有害なアーバニズムが蔓延する危険性がある——そして、それは良い意味ではない。すでに都市は、水の汚染、食糧不足、パンデミック、ホームレス化を防ぐために奮闘している。われわれは、大都市が生き残れなくなる未来に向かって突進しているが、代替案はもっと悪いものになる。

都市の時代は、このような形で終わる必要はない。失われる前のチャタルヒュユク、ポンペイ、アンコール、カホキアには繁栄した文明があり、その暗い未来は決して運命的なものではなかった。私の願いは、この本で描かれた奥深いストーリーが、都市とそれを取り巻く自然環境を再生するためには、はたして、何が必要なのかを教えてくれることだ。結局のところわれわれは、失敗から最も多くのことを学ぶからである。

I

チャタルヒュユク

出入り口

1　定住生活の衝撃

世界最古の都市のひとつチャタルヒュユクへの旅は、トルコ中央部に位置する人口二〇〇万人の大都市コンヤから、エアコンの効いたバスに乗って始まった。雲ひとつない暑い朝、新鮮な卵やアップル社のコンピュータなど、ありとあらゆるものが売られている店を横目に、郊外の道路を走った。きらめく超高層のアパートが畑に変わっても、われわれは文明を捨てたわけではない。道端に整頓されたベドウィンのキャンプを通り過ぎ、ほぼすべてのブロックに新しい家が建っている小さな町を通り抜けた。約四五分後、バスは小さな砂利の駐車場に停車した。木造のキャビンや長くて低い建物が、天蓋付きのピクニックテーブルの置かれた心地よい中庭を囲んでいた。リトリートセンター〔仕事や人間関係で疲れた心や体を癒すことのできる施設〕か、あるいは小さな学校のようだ。

しかし、実はそこは遠い過去への扉だった。ピクニックテーブルから数百メートル先には、都市が存在する前に作られた都市、チャタルヒュユクがあった。そのほとんどは、風で滑らかになった低い台地であるイースト・マウンド（東の遺丘）の下に埋もれていた。上空から見ると、一三ヘクタールの東の遺丘は涙の形をしており、その輪郭は土の毛布のように九〇〇〇年前の都市の遺跡を覆っているが、人々は長い間、家の上に家を建てていたため、粘土レンガの層が丘を形成している。イースト・マウンドの先には新しいウエスト・マウンド（西の遺丘）があり、これは約八五〇〇年前に形成された小規模な地域である。この都市がまだ若かった頃、都市の丘の周りには川が流れ、近くのコンヤ平原には農場が点在していたが、今では、黄ばんだ草に覆われた乾いた土地となっている。私は暖かな埃っぽい空気を吸い込んだ。ここからすべてが始まったのだ。私が知っている世界——それはマンション、畜産場、コンピュータ、何千人もの人々が住む都市などであふれているが——は、このような場所で生まれた。

考古学者の中には、チャタルヒュユクのことを「メガサイト」（いくつかの小さな集落が合併してできた巨大な村）と呼ぶ人もいる。この都市は、中央集権的な計画や指示を受けることなく、有機的に成長したものと思われる。チャタルヒュユクの建築物は、これまでの地域で見られたものとは異なっていた。それぞれの家は、蜂の巣の細胞のように、隣の家とぴったりとくっついて建てられていて、それらを隔てる道路はほとんどなかった。街は地上一階分以上の高さがあり、屋根の上に歩道が張り巡らされ、天井には玄関が設けられていた。住民は屋根の上で料理をしたり、道具を作ったりして多くの時間を過ごし、しばしば外の粗末なシェルターの下で寝た。簡単な木製のはしごを使って、登っては街に出たり、家の中に降りたりしていた。

初期の建設が始まった頃、チャタルヒュユクに住む人の多くは、遊牧民から一、二世代しか経っていなかった。チャタルヒュユク以前にも小さな村はあったが、大多数の人々は旧石器時代の祖先が一〇万年以上にわたって行ってきたように、小さな集団で放浪していた。想像してみてほしい。

人々は少数の人や動物しかいない自然界を離れ、箱（何百人もの人がいる）の中に詰め込まれた定住生活を送るようになった。古い遊牧民のやり方しか知らない両親や祖父母は、子供や孫たちに前もって準備をして、都市生活の奇妙な複雑さに慣れさせることなどできなかっただろう。チャタルヒュユクの人々が、共同生活をするための最良の方法を見つけ出すのに苦労して、その過程で多くの致命的なミスを犯したのは当然のことだった。

これはおそらく、「あなたはどこから来ましたか?」という質問が、「あなたの先祖は誰ですか?」という質問と同じくらい重要になった、人類史上初めての出来事である。常に移動している遊牧民からすると、「どこから来たのか?」には答えにくい。重要なのは、自分の民族が誰なのかということだ。だからこそ、聖書をはじめとする西洋の多くの古文書では、英雄を紹介する際に、父親、祖父、曾祖父などの名前を延々と書き連ねているのである。文字通り、あなたはあなたの祖先の総体なのだ。しかし、生涯をひとつの都市で過ごすと、その場所が自分の感覚にとって、家系よりも重要になってくることがある。

人々がチャタルヒュユクの何千もの屋上の出入り口を通過するとき、人々は人間社会の新しい段階に入る。彼らは、自分たちのアイデンティティが、固定された場所に縛られている異質な未来にいることに気づいた。それは、まるでスローモーションのような衝撃で、何世代にもわたって響き渡っていたことだろう。生き延びるためには、気候が農業に適しているかどうかが重要であり、人々は干ばつや洪水でいつ死んでもおかしくない状況だった。この古代都市の物語で見られるように、定住生活があまりにも困難だったため、人類は都市生活の扉を永遠にほとんど閉めかけていた。

しかし、そうはならなかった。そして、それが数千年後に私をここに導き、われわれの祖先が一体、何をしていたのかを考えさせることになったのである。

インディ・ジョーンズとは正反対

私は、バスが降ろしてくれたチャタルヒュユク発掘ハウスに目を向けた。ここでは過去二五年間、何百人もの考古学者が住み、古代都市の秘密を解き明かそうとたゆまぬ努力を続けている。私が到着したのは、数十人の考古学者たちと一緒に、チャタルヒュユクの歴史と宗教に関する会議に参加するためだった。

われわれのグループは、東遺丘の頂上まで歩いて行った。そこでは、考古学者が丘の北側の表面を削って、チャタルヒュユクの都市グリッドを明らかにしていた。この劇的な発掘現場は、単に「4040」と呼ばれていて、現代の都市ブロック（街区）とほぼ同じ大きさである。4040は、東遺丘の上に弧を描く巨大なシェード構造物によって守られている。それは、木と不透明な白いプラスチックで作られた航空会社の格納庫のようだった。中に入ると、強烈な日差しが心地よい光に変換され、空気が冷やされていた。目の前には、黄金色の泥レンガで作られた何百もの部屋が連なっている。

少なくとも十数人の考古学者が、壁の横に身をかがめ、クリップボードにメモを取ったり、カメラで朝の発見物を撮影したりしている。土嚢はいたるところに積まれ、崩れかけた壁を支えていた。われわれのグループは、家の床と見られた部分から約一メートルの高さに立ち、九〇〇〇年前の住人のリビングルームを見下ろしている。厚い粘土質の壁には何層もの漆喰が付着して塊となっており、それが私に、築一〇〇年の家の木製のドア枠を削ったときに、パステルカラーの色が六層になっていたことを思い出させた。ところどころに、住民が描いた赤土の絵柄が残っていて、漆喰の明るい部分をジグザグに横切っていた。菱形の螺旋が繰り返されているものや、川をイメージしたように、小さな四角形が蛇行した線の間を流れているものなど様々だ。これらのデザインはすべて抽象的だが、精巧に作られていて、動きのある感覚を伝えている。それはまるで描いた者が、変化のない集落に、熱狂的な生命の息吹を与えたいと望んだかのようだった。

発掘現場では、床に楕円形の小さな穴が掘られていたが、これは墓から遺骨が取り出された痕跡だ。チャタルヒュユクの人々は、ベッドとなる高台の粘土のすぐ下に死者を隠していた。胎児のような姿勢で埋葬されていたため、死者を納める器は西洋でおなじみの細長い棺ではなく、丸い貯蔵容器のような形をしていた。ベッドの台の下には、二、三個の墓があるものもあれば、六個の墓があるものもあった。後で聞いた話では、ある墓には頭蓋骨は数個あったが、人骨は一体分しかなかったという。

一行を案内してくれたのは、スタンフォード大学の考古学者イアン・ホダーで、一九九三年からチャタルヒュユクの発掘を指揮しているロンドン出身の物腰の柔らかな人物だ。ホダーは、ハリウッドの冒険家インディ・ジョーンズとは正反対の人物である。彼は、古代の遺物を戦利品としてではなく、古代文化を理解するための鍵として扱う「コンテクスチュアル・アーケオロジー」（文脈的考古学）(1) と呼ばれる有力な学派の先駆者として有名だった。もしインディ・ジョーンズが文脈的考古学者であったら、『レイダース　失われたアーク』に登場する黄金の偶像を神殿に置いたままにして、あのような驚異的なブービートラップのあるモニュメントを造った人々の信念体系に、それ（偶像）がどのように当てはまるのかを理解しようとしただろう。ホダーがチャタルヒュユク地方で貴重な宝物を発見すれば――これまで彼は数多くの宝物の発見に関わってきたが――、その宝物がこの古代都市の社会的関係について、何を教えてくれるのかを知りたいと思うだろう。

ホダーは、キャンバス地の帽子を脱いで、家の床に掘られた深くて真四角な溝に入った。穴の片側は考古学者が「プロファイル」（断面）と呼ぶもので、この地域で何世紀にもわたって家の上に家が建てられてきたことを示す、すべての層の断面図である。一番下の層が最も古い床で、それより上の層はそれぞれ新しいものだ。そのため、少し紛らわしいのだが、考古学者は「より新しい」ものを「上」と呼ぶことがある。このような分析手法を「層序学」といい、地球の層を歴史的な文脈の中で研究することを指す。ホダーが指差した上層の地層は、薄茶色の粘土の間に黒い物質が挟まれ、その上に黒の層があり、さらにその上に骨の欠片のようなものがちりばめられた層があって、ゆるやかな波のようになっていた。それは高さが三メートルで、土でできていることを除けば、複雑なウィーンの層状ケーキのようだった。「われわれは、この街で何百年もの間、家で何が起こったのかを見ていました」とホダーは説明する。茶色い粘土の層は、チャタルヒュユクの家族が床を丁寧に手入れし、しばしば石膏で表面を覆ったためにできたものだ。また、黒い層は灰で、家が放棄された期間を表している。放置された家は、しばしば家財道具を燃やす儀式によって象徴的に「封印」されたことにより、独特の炭化物の層を残す。その後、家はゴミ捨て場となり、近所の人々がかまどの灰や他のゴミを入れていくこともあった。

最終的には、新しい家族が灰の上に粘土や漆喰を厚く塗り、古い建物のレイアウトを忠実に再現して、家を建て直すことになる。ホダーはチャタルヒュユクの家づくりを「反復的」と表現しているが、住民たちは建築物の流行が変わることを良しとしなかった。あるケースでは、四回建て替えられた家が出土したが、歴代の住人は全く同じ場所に鍋を置き、死者を埋葬していた。

ホダーが見せてくれた家の上層部では、灰に挟まれた三つの粘土の床が確認され、放棄と再建の特徴的な段階を表していた。下層部ではそれが不明瞭になっていたが、少なくとも八層の粘土と土の層が混在しているのが確認できた。ホダーは、これらの層は以前、多くの家が存在したこと、あるいは居住中に床を大規模に修復した少数の家が存在したことを表しているのではないかと推測した。いずれにしてもわれわれは、現在の都市にも共通する、都市現象の初期の姿を目撃した。私自身が一〇〇〇年前に住んでいた家の外壁を漆喰で塗り直し、壁の一部を作り直して新しい家を作ったように、チャタルヒュユクの人々は古い家から新しい家を作ったのである。

われわれは4040シェルターを出て、ホダーの案内で丘の上を南西に渡り、「サウス」と呼ばれる古い発掘現場に向かった。途中、小さな発掘現場を覆うキャンバス地のテントをいくつか通り過ぎながら、私はチャタルヒュユクの住民がこの同じ道を歩いて街を横切り、街の屋根の上を歩いている姿を想像した。現在の発掘調査は大規模なものであるが、都市そのものの五パーセントしか発見されていない。われわれの足元には、一〇〇〇年以上もの間、何千もの家が重なり合って建っていて、その宝物はまだ見つかっていない。

サウスの発掘現場は息を呑むような美しさだ。鉄とグラスファイバーでできた構造物の下に隠れているので、考古学者が少なくとも一〇メートル以上掘り下げて、都市のグリッドのより古い層を発見していることがわかった。木製の展望台に立って、私ははっきりと示された位層の断面を見た。はるか下には、人々が遊牧の道を歩む代わりに、年間を通してこの地に定住することを決めた、この都市の初期の部分が見えた。その頃、この土地は湿地帯で青々としていた。人々は都市の概念を持たずに建築を始めた。その場しのぎでどんどん建造物を増やしていき、粘土質の堆積物が粘土質の家になり、粘土質の家が粘土質の屋上の歩道になり、近所になり、アート作品になっていったのである。われわれは一五〇〇年以上の都市の歴史を一望できた。

ホダーが掘った場所の一番奥にある、鉄筋に取り付けられた旗を指して、「あれが乳製品の生産ラインなんですよ」と謎めいた笑いを浮かべながら教えてくれた。彼が見せてくれたのは、人々が乳製品を使って料理をしていた証拠を、科学者たちが初めて発見した層だった。土器に残っていたカスは、ヤギの乳やおそらくはチーズでコクのあるスープを作っていたことを物語っていた。マリア・サーニャやカルロス・トルネロ、それにミゲル・モリストたちは、これまでに新石器時代の羊の群れを研究してきた研究者だが、彼らは小さな羊の群れが、家族によって何世代にもわたって世話をされ(2)、羊乳や羊肉を手に入れるために飼育されていた証拠を発見した。しかし、乳製品の登場は、人間の食生活に極めて美味なものが加わったというだけではない。乳製品の出現は、人間の生活を変え、動物の生活を変え、そして人間の居住地周辺の土地を変えた。人間が自然の中で自分の居場所を探すことをやめ、自然を自分の都合のいいように変えていった痕跡が、乳製品の生産ラインにはある。

人類はどのようにして、自分自身を飼い慣らしたのか

一九二三年、オーストラリアの考古学者V・ゴードン・チャイルドは『文明の起源』という本を出版し、都市生活の進化について初めて説明した。人間の文明は経済革命によって変化するというマルクス主義の考え方に影響を受けたチャイルドは、チャタルヒュユクに定住した際に起こった一連の進展を「新石器革命」という言葉で表現した。そして、古代の産業革命を想像することで、すべての社会は農業を採用し、記号的なコミュニケーション〔送り手と受け手の間でメッセージを共有するコミュニケーション〕を発達させ、長距離交易を行い、高密度の集落を建設する際に、必然的に強烈で急速な変化の段階を経ると主張した。さらに、この新石器時代の一連の慣習が中東を急速に通り抜け、そこから世界に広がって、都市化の種を蒔いたと言う。

何十年もの間、人類学専攻の学生たちは「新石器革命」について学んできた。それは、放浪していた遊牧民の集団が、税金を納める都市化された人々になったという、突然の文化的な断絶だった。かつては多くの学者がこの説を信じていたが、今日の考古学者たちは、チャタルヒュユクのような新石器時代の社会から新しいデータを集めていて、その図式はより複雑になっている。遊牧民の生活から大衆都市社会への移行は、何千年もかけて、何度もストップ&スタートを繰り返しながら、非常に緩やかに行われたことがわかっている。またそれは、中東から始まって世界に放射状に広がっていったわけではない。新石器時代と呼ばれる一連の活動様式は、東南アジアからアメリカ大陸まで、複数の地域で独立して生まれた。新石器時代の技術や生活様式が、われわれの文明の流れを変えたことはまちがいない。そして、その移行は、特に旧来のやり方を捨て去る個人にとっては、

時に衝撃的だったにちがいない。しかし、産業革命は、チャタルヒュユクで見られる社会変化を表わす、適確な例えではない。二〇世紀初頭、電気や電話、自動車などの普及を目撃したのは、ある世代の人々だった。しかし、一万年以上前の新石器時代には、農業が発達するまでに何十世代もかかり、酪農にたどり着くまでにはさらに何十世代もかかった。ただし、新石器時代の人々は、ゆっくりとした歩みではあったものの、化石燃料や二酸化炭素を排出するエンジンを手に入れた遠い子孫たちと同じように、この新しい生活様式の導入によって、身の回りのあらゆるものを変化させることができた。

チャタルヒュユクが作られた頃、人類は独自のエコロジカル・フットプリント〔人間が生きていくために使用している自然環境（農地・牧場・漁獲海域・森林などの生態系リソース）の総面積、または総消費量〕を持っていた。ヤギ、羊、犬、果樹、数種類の小麦、大麦など、世界各地で飼育し栽培されている動物や植物が数多くあった。[3] それに加えて、ネズミ、カラス、ゾウムシなどの害虫や、ペストの原因となる微生物——居住地の狭い範囲で人間から人間、動物から人間へと簡単に飛び移る——など、想定していなかった生命体も集まってきている。人間の生態系は、好ましい生命体と好ましくない生命体が複雑に絡み合っており、それがわれわれの食べ物、排泄物、体、そしてシェルターに入り込む。

人間は、開拓地の生態系に入ってくるあらゆる生物を変化させた。食用の部分が早く熟して、より多くの人に食べてもらえるように植物を品種改良した結果、種子の大きい小麦や、実の詰まった果実が生まれた。犬、羊、ヤギ、豚などの家畜も、何千年にもわたる家畜化の過程で変化した。最もわかりやすい変化は「ネオテニー」〔幼形成熟。動物において、性的に成熟した個体でありながら非生殖器官に未成熟な、つまり幼生や幼体の性質が残る現象〕と呼ばれるもので、子供っぽくなっていく過程である。家畜は体が小さくなり、垂れた耳や短い鼻のような柔らかい顔つきになっていく傾向がある。また、豚の肋骨が一本増えるなど、劇的な変化も見られた。人間もこのプロセスから逃れることはできなかった。人間も自分自身を飼い慣らし始めたのである。

何世代にもわたって、柔らかい調理ずみの食品を食べてきた定住生活は、われわれの体にその痕跡を残した。ネオテニーにより、人間の顔はより繊細になり、体毛は薄くなった。顎が短くなり、丸みを帯びてきたことで、新しい音が言語に入ってきたのではないかと考えられている。(4) 具体的には、上の歯が下の唇を押すときに出る「v」や「f」の音は、下の顎が上顎の後ろで噛み合っている口の中でのみ可能だ。これは、農耕がもたらした新鮮な穀物のすりつぶしたものや煮込んだものを食べた結果であると考えられる。

また、新種の食品は、膨大な数の人類に対して、遺伝子レベルにおけるネオテニーを引き起こした。人間の赤ちゃんは、生乳に含まれる糖分の一種、乳糖《ラクトース》を消化する能力を持って生まれてくる。新石器時代以前の人類は、年齢を重ねるごとに乳糖不耐症になり、牛乳を飲んだりチーズを食べると激しい胃痛に襲われていた。しかし、西洋で乳製品が食卓に上るようになると、大人の乳糖耐性の遺伝子変異が人々の間に火のように広がっていった。これは劇的で広範な遺伝子の変化であり、定住生活への移行によって起こったものだ。都会の人工的な生態系の中では、ホモ・サピエンスも含めて、どんな生命体も変化しないものはなかった。

このような変化は、野生動物と家畜の区別を深く認識していたチャタルヒュユクの人々には明らかだったにちがいない。チャタルヒュユクの食を研究しているコチ大学の考古学者ラナ・エズバルは、チャタルヒュユクの人々は栽培した植物や、家畜の肉を使った食事を好んでいたと話してくれた。彼女が分析した保存容器、調理器具、ゴミの穴の残留化学物質から、人々はミルク、穀物、羊、ヤギなどの食品を食べていたことがわかっている。オーロックス（原牛）のような野生動物は、一般的には公共の場で催される宴会のような特別な時にしか食べられなかった。家畜化は自己強化的なプロセスであると考えられる。人間は食料としての家畜に惹かれ、それによって体が変化し、やがてその食べ物に適した体になり、そのことが食べ物をよりいっそう魅力的なものにした。

同時に、家畜化が変えたものは、人間の生物学的な面だけではなかった。それはまた、新しい種類の象徴的な構造物をもたらすことに結びついた。ホダーは、イタチやキツネの歯、クマの爪、イノシシの顎などが、チャタルヒュユクの多くの家で、漆喰壁に意図的に埋め込まれていたことを紹介している。オーロックスの頭蓋骨は、角を残して漆喰を厚く塗り、ドアの横に取り付けることがよくあった。家の中では、漆喰を塗ったオーロックスの頭を、柱の上で互いに重ねて、角でできた胸郭のように見せていた。また、ヒョウやオーロックス、鳥などの野生動物が主役の絵も描かれている。スタンフォード大学の考古学者リン・メスケルは、チャタルヒュユクで最も一般的な小像は、人間ではなく動物であると指摘している。[5] チャタルヒュユクで発見された数百個の小像のうち、人間や人間の体の一部を表しているものはごくわずかだ。

家畜化を好む社会が、必死になって捨てようとしている野生の世界に、なぜ人々はこれほどまでに魅了されるのか？　都会の人間は環境に適応しているとはいえ、壁のない生活をして、いつ捕食者になるかわからない動物に囲まれている遊牧民と、それほど違っていたわけではなかった。ホダーは、都会の人々にとって野生動物は精神的な畏怖の対象であり続け、人々はそのイメージを使って力を呼び起こしていたのではないかと推測している。(6)ホダーが気に入っている壁画のひとつに、二頭のヒョウが向かい合って立っており、その獰猛な顔をお互いにそむけて、絵を見る者を無慈悲に見つめている絵がある。別の壁画では、巨大なハゲワシが人々の頭を奪い去っているように見える。狩猟の場面では、棒線で描かれた小さな人間が、劇的に大きく描かれた雄牛やイノシシの前でちっぽけな姿を見せている。チャタルヒュユクでは、野生動物が人々の想像の中で大きな存在となっていたのである――ときには、まさしく文字通りに大きな存在に。

人間は必ずしも、野生の動物と対立するように描かれていたわけではない。チャタルヒュユクの芸術家たちが好んで描いたのは、人間と動物の混血種である「獣人」（セリアンスロウプ）だった。ある絵では、ハゲタカが人間の足を持っていた。多くの人間は、牛を狩っているときや、いたぶっているときに、ヒョウの斑点を付けた姿で描かれている。考古学者は、イタチなどの肉食動物の糞が人間の墓の中にわざわざ入れられているのを発見した。これは、人間が「自分はヒョウのように速い」「ハゲタカのように危険だ」「イタチのように血に飢えている」という、象徴的な力を誇示する方法のひとつだったのかもしれない。ホダーは、野生動物を過去の強力な祖先として扱い、彼らと関係を持つことで、現在の人が権威を得ていたのではないかと指摘している。別の言い方をすれば、獣人は初期の政治的駆け引きの形であり、人間以上の存在であることを主張することで、他の人々に対して権威を主張する方法だったのかもしれない。

　しかし、壁に描かれた野生動物は、彼らの祖先がベッドロール（丸めた毛布）やテント（つまりオーロックスの攻撃に耐えられないような薄っぺらい寝床）で寝ていた時代のことを、都会の人々に思い出させるためのものだったのかもしれない。そう考えると、野生動物のイメージは、人間の弱さを想起させるものでもあった。今では外敵を排除するために強固になった壁も、かつては脆かった。壁の向こうには大自然が潜んでいて、今にも壁を破ってやってきそうだった。RAAP考古学コンサルタントのマーク・バーホーベンは、チャタルヒュユクの壁を「隠すことと見せること」のための場所だと解釈している。未開の世界を招き入れるが、それも、その上に漆喰を塗ってそれを覆うためだ。結局のところ、自然の馴致（家畜化）とは自然を遮断することではない。むしろ、ある種の生命体を中に入れ、他の生命体を寄せ付けないようにするフィルターの役割を果たすことだった。家の中には家畜や植物、人間が住み、壁の中には自然が閉じ込められている。チャタルヒュユクの都市デザインは、家畜化された生活に適応できない社会を反映している。人々は、力を得るために野生の過去を保持していたが、それを封じ込め、遠ざけようとしていた。

　この古代都市の人々が遠ざけたかったものは、他にもあった。それは隣人たちだ。この点では、イスタンブールのきらびやかな高層ビルに住む人々は、新石器時代の先人たちと多くの共通点があるのだろう。チャタルヒュユクの人々は、毎日顔を合わせる人々との間に六〇センチほどの泥レンガを挟んだだけのスペースの中で、恒常的に詰め込まれ、プライバシーを保つのに苦労していた。人類学者のピーター・J・ウィルソンは、『ヒトという種の家畜化について』の中で、チャタルヒュクのような都市は、プライバシーという概念の黎明期に存在していたと書いている。[7] 遊牧民である人間には、一人の時間がほとんどなかった。空間は共有され、家は折りたたみ式で、現実に集団から離れているというよりは、礼儀上の壁が存在するだけだった。したがって、集団から離れて自分の道を進みたい人には、絶対的なプライバシーが保証されていた。もし、二つのグループが対立して解決できなかったとしても、同じ壁のどちらかに張り付く必要はない。別々の方向に歩けばいいのだ。

チャタルヒュユクは、この社会的公式を覆した。人々は家の中では完全に自分を隠し、隣人の目を気にすることなく行動することができた。しかし、多くの財産を手に入れた定住地では、集団から離れることは非常に難しい。その結果、家の入り口は、社会的・神秘的な力を持つ境界となったのである。ウィルソンは、誰かが家に入ることを求めるとき、それは家主が「自分のプライベートな領域の何かを隣人にさらけ出すこと、あるいは明らかにすること」[8]を要求していると書いている。都市社会には閉ざされたドアや隠し部屋がたくさんあり、人々は自分の一部だけをさらけ出して交流するという新しい方法を手に入れた。皮肉なことに、人々が群衆から離れて一人でいることを考えるようになったのは、都市が発明されてからだ。言い換えれば、プライバシーの概念が到来し、それに伴って公共の概念も到来したのである。

チャタルヒュユクのサウスの発掘シェルターで、私は都市の層をじっくりとのぞき込んだ。壁の上には壁、床の上には床があり、すべてが時間を遡る巨大な階段のように明らかになった。私は、この都市が単に物理的な構造物ではないことに気づいた。家とともに、住人たちは自分のアイデンティティを新たに構築していたのである。家の中では、誰も知らないようなことができる。壁の隙間から音が漏れたり、ゴシップネットワークが沈黙を破ったりするのは仕方がないが、人の中にいながら人から離れることができるという斬新な心理学的な感覚を持っていた。ドアを開けて外に出るということは、公的な顔を持つということであり、家の中での行動とは全く異なる行動をとることになる。公の世界は屋上の歩道に、私の世界は地下の土間に存在する。そしてその下には、公私混同を超えた空間として、埋葬された祖先や祭祀の痕跡の領域があった。つまり、家は社会的関係を考えるための手段だったのである。

ひとつの土地に長く住めば住むほど、その土地が自分の一部になっていく。「私はニューヨーカーです」や「私は大草原から来ました」などの言葉は、こうした感情が最初に芽生えたものだと言えるかもしれない。しかし、このような言葉は、自己の存在を固定した場所と結びつけていなければ意味がない。ホダーをはじめとする考古学者たちは、この考え方を「物質的な絡み合い」と表現している。それは、われわれのアイデンティティが、身の回りの物理的な物に結びついてしまうことだ。その物とは、儀式用の武器や愛する人からの贈り物、そして自分が生まれた丘などである。チャタルヒュユクでは、精神的にも実用的にも、家が物質的な絡み合いの最も明白な場となっている。壁には野生の魔法がちりばめられ、床には強力な歴史が刻まれ、倉庫には家族全員が生きていくのに十分な食料が保管されていて、誰もが安全で家庭的な領域である農地や家畜の群の外に出る必要がない。

人間は家を建てる技術を、本格的に住み始めるよりもずっと前から持っていた。つまり、技術的なブレークスルーがあったからといって、新しい考え方が生まれたわけではない。むしろ、その逆かもしれない。社会が複雑になるにつれ、自分自身について考えるために、より永続的な物が必要になったのである。

土地の所有を主張する

ベルリン自由大学の考古学者であるマリオン・ベンツは、自身のキャリアを通してこの問題に取り組んできた。彼女の話によると、定住生活はカルチャーショックをもたらし、それは今でも人類の文明に影響を与えている。それに対処するために、あるいはそれを表現するために、人々は何の変哲もない土地を幻想的な風景に変える記念碑的な建造物を作った。石の一枚岩、ピラミッドやジグラット、そして今日の超高層ビルも、人類を特定の特別な場所と結びつけたいという同じ衝動を表している。

ベンツは、人類の文明が転換期を迎え、コミュニティ形成の方法が次の段階に移ったときに、記念碑的な建築物が発生すると主張した。このパターンの最初の例は、チャタルヒュユクが都市になる何千年も前の新石器時代初期の建築に見られる。今からおよそ一万二〇〇〇年前、半遊牧民の人々は、今日ギョベクリ・テペとして知られる高原の丘の上に、信じられないような構造物を作った。チャタルヒュユクの東約三〇〇キロメートルに位置するこの遺跡には、T字型の石柱が二〇〇本以上も立っている。高さ五・五メートルのものもあり、ストーンヘンジを彷彿とさせるが、それよりもはるかに精巧だ。柱には危険な動物や毒を持った動物のレリーフや彫刻が施されている。

この遺跡には、定期的に人が住んでいたことを示す証拠（主に宴会や野営で出たゴミ）があり、西欧で最初に作られた人類の居住地のひとつである可能性がある。しかし、チャタルヒュユクのように一年中住む人はいなかった。この遺跡を訪れた人々は、山から細い道を辿ってたどり着き、おそらく石柱群のそばでキャンプをしたのだろう。近くで切り出された石柱は、入れ子状になった円形の壁の中にあり、その壁は曲がりくねった小道を挟んで、中央にベンチと最も高い二つの一枚岩が置かれていた。この建物にはおそらく屋根があり、暗い迷路のようになっていて、柱に描かれた動物の絵が松明の光で揺らめき、蠢《うごめ》く影の中で生きているかのように見えたことだろう。考古学者たちは、ここで彫刻や彩色が施された人間の頭蓋骨を発掘した。頭蓋骨には小さな穴が開けられており、革紐を通し、石に吊るすことができた(9)。

ギョベクリ・テペは、何千年もの間、人々が戻ってきては、堂々とした石造りの建造物に手を加えて、儀式や宴会を行ってきた忘れがたい場所だった。二〇〇〇年代にギョベクリ・テペの発掘を指揮した考古学者クラウス・シュミットは、ギョベクリ・テペは死者の崇拝を表す原始的な神殿であると考えていた(10)。しかしベンツは、この建造物の正確な目的よりも、人類が定住を始めた時期に、永続的で堂々とした建造物を作ったという事実の方が重要だと考えている。ベンツによれば、それは人間がその土地に対する主張を示し、人間のコミュニティを集団ではなく、場所に結びつける方法だったという(11)。

しかし、それは社会的な危機に対処するためのものでもあった。人々が遊牧民から離れて農業共同体を形成すると、人口は増加していく。それまでのように、顔見知りの大家族ではなく、二〇〇人の村や数千人の都市では、隣人であっても顔を合わせることはない。二〇〇人の村や数千人の都市では、隣人でさえも見知らぬ人になるかもしれない。そうなると、グループの一員だと感じるためには、個人的なつながりだけでは不十分だ。「集団としてのアイデンティティを常に意識させるために、巨大な記念碑的アートが必要でした」とベンツは教えてくれた。人々はお互いを識別することから、特別な共有の場所を識別するようになった、と言えるのかもしれない。文字通りにも感情的にも、象徴的な風景が遊牧民族に取って代わったのである。

ギョベクリ・テペの誕生から二〇〇〇年後、人々がチャタルヒュユクに定住した頃には、場所に対する人々の考え方が大きく変わっていた。この二〇〇〇年の間に、中東では定住社会が広がり、農耕生活への衝撃が薄れていった。ベンツは、この時代の美術品に描かれた動物の表現をたどることで、その変化の兆しを説明した。ギョベクリ・テペをはじめとする同時代の遺跡では、人間の姿はあっても、それを「野生動物の群れが取り囲む」という形で、人間と野生動物が等価である世界を表現している。ギョベクリ・テペでは、動物が人間を圧倒しているように見えることがある。T字型の石の中には、人間の下半身に加えて腕や腰布が彫られているが、顔がないものがある。その代わりに、上半身は動物や抽象的なデザインで覆われている。しかし、チャタルヒュユクでは、動物の周りを武器を持った人間が取り囲んでいる壁画があった。「狩人のグループが描かれています。……狩人たちが一緒になって野生動物を殺すことに成功している」とベンツは説明した。彼女はこの変化に「巨大な概念の変化」を感じている。ギョベクリ・テペの人々は荒野で新しい社会を築こうと奮闘していた。一方、チャタルヒュユクの人々は数千の「確立された、自信に満ちた共同体」

の一員だった。

ギョベクリ・テペの巨大な野生動物のレリーフや、公共の場で展示された彩飾された頭蓋骨は、チャタルヒュユクでは、人々の家の中に小さな規模で存在した。都市ではそれは、かまどや家庭を連想させるプライベートなもの、家庭的なものになったのである。これは、チャタルヒュユクの人々が、もはや、ひとつの場所との同一性を確立する必要性を感じていなかったことの表れかもしれない。都市の人々は物質的環境と密接に関わり合っており、人の手によって形成されていない地面に触れることなく、数ブロック歩くことができた。チャタルヒュユクでは、人間が環境を変え、遊牧民が目にしたものをはるかに凌駕する建造物の中で繁栄していることに、疑問を抱く者はいなかった。ベンツは、チャタルヒュユクの建築が「アンチ・モニュメント」である理由を、このように推測している。大きな家もなければ、高くそびえる一枚岩もない。何千もの家屋が連なり、周囲に広がる田畑が何世代にもわたって開発されている。チャタルヒュユクは、常に移り変わりの激しい場所であり、都市の未来への扉であると同時に、自然の中で暮らしていた遊牧民の過去を示す記念碑でもあった。

抽象化する

チャタルヒュユクでは、年月が経つにつれて、住民は街の中で信頼できる人々——信念や技術を共有する人々——とのネットワークを作り、大衆社会への適応を図ってきた。数千人の人口を抱えるこの都市では、こうしたネットワークに見知らぬ人が含まれる可能性があるため、人々は自分の所属先とともに、素早く簡単に身元を確認する方法を必要とした。そのため、チャタルヒュユク近郊の集落に住む人々は、考古学者が印章（スタンプ）と呼ぶ、装飾を施した小さな粘土の小片を持ち歩くようになった。通常、印章は名刺大の大きさで、片面に絵柄が浮き彫りになっている。あるものはペンダントとして身につけられたり、あるものは交換に使われた形跡があった。実際に印章として使われたものもある。また、印章に絵の具をつけて織物に型押ししたり、柔らかい粘土に押し付けて模様作りに使われたこともあった。

初期の印章は、ハゲタカ、ヒョウ、オーロックス、ヘビなど野生動物の、今ではおなじみの新石器時代のイメージで埋め尽くされていた。また、三角形の屋根を持つ二階建ての家屋が描かれているものもある。中東工科大学の考古学者チグデム・アタクマンは、この地域の印章を研究しているが、こうしたトークン（しるし）は携帯用の家のようなもので、人を場所や集団に結びつけるための象徴として使われていたのではないかと考えている。特定の家族、特定の村の人々はみんな、同じシンボルの印章を持っていたかもしれない。成人式の儀式では、新成人に特別な印章を与えて、大人になったことを示したのかもしれない。また農民やシャーマン、あるいは他のグループに属していることを示す印章もあった。どのようにして使われたのかはわからないが、この地域の集落には必ずあり、中には、作られた場所から何百キロも離れた場所で発見されたものもある。彼らは定住生活の象徴を再び遊牧の世界に持ち帰ったのである。

数百年の時を経て、印章のデザインはより抽象的になっていく。アタクマンは、特に男根（ファルス）のイメージの進化を指摘した。チャタルヒュユク、ギョベクリ・テペ、その他無数の新石器時代の遺跡に見られる野生動物のイメージには、勃起した陰茎が繰り返し登場する。人々が動物を狩る様子を描いたチャタルヒュユクの壁画では、雄牛や豚がしばしば勃起している。ギョベクリ・テペでは、肉体から分離した男根や、人間と思しい姿に備えつけられた男根が石に刻まれている。また、チャタルヒュユクから出土した小像の中には、肉体から切り離された男根と思われるものがあり、印章ではそれを再現した絵柄を再び見ることができる。このような男根は考古学者の間で様々な議論を呼んだ。男性の力を象徴しているのか？　豊穣？　興奮と暴力？　他の都市の男根のイメージを調査するときに明らかになることだが、男根は必ずしもペニスとは限らない。それは様々なものの象徴であり、その多くはセックスやジェンダーとは無関係である。そして、印章における男根のイメージの行く末は、社会が新しい局面を迎えつつある人々の物語を語っていた。

やがて、印章に描かれた男根はより抽象的になっていった、とアタクマンは説明する。初期の印章では、二つの楕円形の睾丸の上に紛れもない男根が描かれていたが、数十年経つと、円の上にとがった球根状の形が描かれ、さらに数世紀後には、単純な三角形が描かれるようになった。かつて男根だった三角形は、抽象的な家屋の表現にも使われるようになった。人類学者のジャネット・カルストンは、初期の都市生活者が人間の身体と家の間に精神的な結びつきを感じていたと述べている[12]。しかしそれだけでは、なぜ人々が抽象度を増したシンボルを作ったのかを説明できない[13]。アタクマンは、人々が記号で頻繁にコミュニケーションをとっていたため、速記法を発達させたのだと示唆した。彼らは、もはや何を表しているのかわからない絵の中に、意味を見出すことができたという。

チャタルヒュユクの人々が文字を発明したという証拠はないが、その印章から、彼らがまさにその最前線にいたことがわかる。文字は、新石器時代のファルス印章に見られるような抽象化のプロセスの延長線上にある。人々はいくつもの抽象的概念に言及することで自己確認をしていた。三角形を使う人々は、その形がもともと男根に由来するものであることにさえ気づかなかったかもしれない。むしろ、それは単に家の屋根であり、特定の場所とのつながりを象徴していた。つまりそれは、使う人のアイデンティティを人々に伝える、ユニークなシンボルのより大きな集合体の中に組み込まれていたのである。したがってそれは、彼らの出身地や職業を明らかにしたかもしれないし、彼らが大人になったことを証明するものだったかもしれない。

チャタルヒュユクの人口が数百人から数千人に増えるにつれ、人々は自己家畜化以上のことに慣れなければならなくなった。彼らは、親族関係、技術、信念体系が複雑で多様な人間文化のバブルの中で暮らしていた。新石器時代の初期には、人々は特定の場所に住む一族の出身であると自認していたかもしれない。しかし、チャタルヒュユクでは、動物に象徴される尊敬すべき共通の祖先の子孫であることもあって、血縁者ではない者たちと一緒に家に住むこともしばしばだった。他の人々が畑から食べ物を持ち込んで調理する一方で、彼らは一日の大半を石器作りに費やすこともあった。アイデンティティは代替可能で、共通のものだった。都市生活者が自分を説明し、集団に対する忠誠心を示すために印章を持ち歩いたのも不思議ではない。

時が経つにつれ、チャタルヒュユクの建築環境からは、さらに複雑な象徴的パターンが生まれ始める。ニューヨーク州立大学バッファロー校の人類学者ピーター・ビールは、私がこの地を訪れている間、「家を繰り返し建て直すという行為は、歴史の観念を生み出す最初のステップだ」と指摘した。おそらく、チャタルヒュユクの人々は、記憶を超えた歴史的思考を持つ、最初の文明のひとつに属しているのだろうと彼は考えた。歴史とは、一生涯を越えて続く「記憶の外在化」であると彼は言う。おそらく、場所に対する強い意識を持っていた人々には、そのような認識の枠組みを発達させる素地があったのだろう。

ビールの指摘は、宇宙論の誕生を説明しているのと同じだと言っているのは、ハーバード大学の人類学者オファー・バー＝ヨセフだ。彼は、何千年も前の後期旧石器時代の象徴的な洞窟壁画から、宇宙論が生まれたと見ている。チャタルヒュユクの人々は、自分たちの精神的な居場所を示すために、古代の都市に骨を飾ったのかもしれない。新石器時代の世界では、歴史と宇宙観を切り離すことはできないだろう、とバー＝ヨセフは思いを巡らせる。どちらも、人間関係をより大きなものの文脈で説明する抽象的な概念だ。新石器時代の都市文化には、過去と精神世界、魔法と科学の区別がほとんどなかったと想像しなければならない。

イアン・ホダーは、都市は多くの人々の小さな行為で始まり、それで終わると考えている。彼らは自分の家に「実用的かつ象徴的な重要性」をしみ込ませる。チャタルヒュユクにおける都市計画は、王や地方のリーダーによって作られた壮大な計画ではなかった。むしろ、拡大し続ける住居のスプロール現象から生まれたものであり、人間はそこで工芸品や道具、シンボルを開発し、それは多くの欠点があるにもかかわらず、今でも都市を魅力的なものにしている。「日常生活の割り振られたプロセスの中で、小さな行為が大きな結果をもたらすようになる」とホダーは書いている。(14) つまり、われわれが今日知っている壮大な都市は、慎ましやかな家庭生活の表現として始まったということである。都市の社会的関係もまた家庭生活から生まれ、コミュニティ、歴史、そして自然と共生していた過去との精神的なつながりなどについても、新しい考え方がそこから生まれた。

2　女神たちの真実

紀元前八〇〇〇年紀の中頃、チャタルヒュユクの女性が自宅のドアから足を踏み外し、転倒してしまった。体の左側を強く打ち、肋骨を数本骨折した。その後、彼女は体の右側を好んで使ってものを持ち上げたり、運んだり、働いたりするようになった。加齢とともに、こうした作業の繰り返しは、転倒のときと同じように、彼女の骨にはっきりとその跡を残した。右股関節は劇的に摩耗し、足首や足の指の関節にも負担の跡が残っていた。カリフォルニア大学バークレー校の考古学者ルース・トリンガムがこの女性の遺骨を発掘したとき、彼女は数千年ぶりに、その姿をあらわすことになった。夏の乾燥した暑さの中で、空っぽの眼窩とあいた顎についた砂を払いながら、トリンガムは突然、ヘンリー・パーセルのオペラ『ディドとアエネアス』でディドが歌った言葉を思い起こした。「私を忘れないで、でも私の運命は忘れて」。それから七年間、トリンガムは夏休みを利用してディドの家を発掘し、約三五〇〇世代も離れているこの女性を知ろうと努力した。

サンフランシスコの穏やかな午後、私はポルトガル菓子とおいしいコーヒーで知られるカフェでトリンガムに会った。彼女はカリフォルニアに住んでいたこともあるそうだが、今なお、イギリスやスコットランドで過ごした青春時代の英国訛りが残っている。トリンガムは、東欧やトルコの辺境で、いつでもトレンチ（溝）掘りができるようなスポーツマンらしい風貌をしている。現に彼女はそんな場所で、キャリアのほとんどを、古代の大衆を一人一人理解することに費やしてきた。

トリンガムがディドを発見したとき、この古代女性は、発掘現場「4040」の北部にある第三棟の「スケルトン8115」と名づけられた。トリンガムの目標は、匿名の番号表示を、豊かで個人的なものに変えることだった。「歴史は上から下への大きな流れではないので、私も発掘の際には個々の家庭の生活を見るようにしています」と彼女は微笑んだ。「下から上へと目を移すこと。小さな物語、小さな証拠を組み合わせることで、ダイナミックな歴史を見ることができるのです」。

トリンガムは、新石器時代の人々を生き生きと描き出すビデオや推論的な物語を制作し、発掘の過程と、人骨を生身の人間に戻す作業の両方を記録している。ホダーと同様、彼女は発掘品の文脈に関心を持っていた。ディドが家事をする日常生活の中で、何を感じ、何を嗅ぎ、何を見ていたかを知りたかった。チャタルヒュユクでは、新石器時代の最先端技術が、レンガから家を作り、料理をし、道具や芸術品を作るという、家庭生活に大きく関わっている。そのために、ひとつの家に注目することにより、都市全体について多くのことが明らかになると思ったからだ。トリンガムは、ディドのような女性の生活を想像することで、人々が何を求めてチャタルヒュユクに移り住んだのか、そしておそらくは、なぜそこを去っていったのかを知ることができると考えている。

新石器時代の目で見ると、この街はどのように見えたのだろう？　紀元前七〇〇〇年代半ば、沖積平野に位置するチャタルヒュユクには、曲がりくねった川によって分けられた二つの低い丘の頂上に、泥レンガの家々が立ち並んでいた。何百もの屋根から煙が立ち昇り、城壁を囲む小さな農地の上空を漂っている。長い間、空き家になっていた家は、近所の人々がゴミの山にした。壊れた鍋やかじり食べられた動物の骨、灰や糞などでいっぱいにして、粘土で塞いでしまった。ディドの家の周辺の都市景観を再現するには、修理中の崩れかけた家屋や、悪臭を放つゴミの穴が散乱している様子を思い描かなければならない。考古学者のカミラ・パヴウォフスカが控えめに書いているように、「新石器時代のチャタルヒュユクは、われわれが悪臭と考えるもので満ちみちていたようだ」[1]。

しかし、新石器時代の訪問者にとっては、その臭いは目立たないものだっただろう。この光景で最も驚くべきは人間である。何千人もの人々が、普通の人が一生で見るよりもはるかに多い数の人々が、ひとつの、果てしなく続くように見える村に一緒に住んでいた。それは、いかにも不安定な状態だった。家壁の柔らかいレンガにも、そして隣人との間にも、つねに致命的な亀裂が入りえたからだ。

ディドが住んでいたのは、太陽の熱で乾ききった土と木の梁で作った家で、内壁には白漆喰に赤褐色で抽象的な絵柄が描かれていた。彼女が生まれたとき、この家は少なくとも築四〇年、街はおよそ六〇〇年経っていた。ニューヨークやイスタンブールに住む現代の女性のように、ディドもときには、ここで子育てをした時代に思いを馳せることがあったかもしれない。しかし、たいていの日はもっと日常的なことに費やされていたことだろう。朝、かまどの手入れをした後は、梯子を登り、天井にある扉を開けると、そこには人の手によってまるごと作られた環境が広がっている。食料を取りに行ったり水を汲むために、ディドは屋上の作業場やヤギ小屋、日よけの天蓋、野外で調理するための小さな火鉢の間を歩き回った。人々は季節ごとに屋根の上で生活しているので、夜用の寝袋や食器がしまい込まれているのを見たかもしれない。やがて彼女は別の梯子を下りて街を離れ、ゆるやかな坂道を下って下を流れる川へ向かった。途中、湿地帯に点在する小さな農場を通り抜けた。羊の群れを飼ったり、川辺で粘土を掘って鍋やレンガを作る人々を見たかもしれない。[2]

水や穀物、羊乳、果物、木の実などを抱えて家に戻ると、ディドは、朝登ったのと同じ梯子をぎこちなく登ったり降りたりしなければならない。トリンガムは、そのとき彼女は梯子から足を踏みはずして、かまどの横に痛々しい音を立てて落ち、左脇腹をしたたか打ったと推測している。しかし、それはあくまでひとつの解釈に過ぎないと彼女は注意を促した。他にもトリンガムは、娘の誕生日に「月の下で盛大に祝った」ディドが、家屋の屋上から地上に転落したというささやかな架空の話を想像した。[3] いずれにせよ、ディドは骨が折れても生き延びて、新石器時代にしてはきわめて高齢の四〇代半ばまで生きた。

トリンガムは、ディドの生涯の主要な出来事を、彼女の家の特徴（現代の都市の住人にはさぞかし衝撃的なものだろう）を調べることによって再現した。ディドのベッドと床下には死体が埋まっている。しかし、これは古代の隠された殺人の現場から出た遺体ではない。4040の楕円形の墓穴を覗いたとき、私は自分の目で見たが、ディドの時代の人々は骸骨をタブー視したり、不浄なものとして扱ったりはしなかった。彼らは自分の愛する人々を家の真下に埋葬した。ディドの家では、部屋の南側のかまどのそばに幼児二人と小児一人が一緒に埋葬されていた。北側では、大人三人と子供一人が、かつては毛皮や敷物が積み重なっていた、白漆喰の高床式寝台の下に安置されていた。その他にも数人の遺体が横の部屋で発見されている。ディド自身は、基壇の下に埋葬された最後の一人であり、通常子供の埋葬にしか見られない、葦で編んだ籠で謎めいた埋葬をされていた。彼女の骨からは長い労働の日々がうかがわれ、胸腔内には煤が残っていたことから、風通しの悪い部屋でかまどを使った調理による黒肺病に罹っていたことが推測される。その後、彼女の横の基壇には壮年の男性が埋葬され、最後に幼い子供がディドの基壇に埋葬された。これらの遺骨からトリンガムは、ディドには幼くして亡くなった子供が何人かいて、その後、成人するまで生きた息子と娘がいたと推測している。年配の男性は彼女の子供の父親である可能性が高く、最後に埋葬された子供は孫かその他の近親者であった可能性がある。ディドは長く生きて、多くの子供たちが死ぬのを見た。それが彼女の人生に哀愁を添えている。

ディドは隣人たちと同様に、人骨とつねに触れ合い、日常的に人骨を掘り起こしては、何年も後に「二次埋葬」と呼ばれる方法で再び埋葬した。チャタルヒュユクの家の壁には、頭蓋骨の展示場所としてニッチ（壁龕《へきがん》）が設けられていた。頭蓋骨は漆喰や塗料で先祖や年長者の懐かしい顔を再現して、ひとつひとつ丁寧に保存されていた。科学者たちは、これらの頭蓋骨の摩耗や損傷を分析し、人々は家から家へと頭蓋骨を渡し、おそらく別の頭蓋骨と交換したと考えている。そして何十年か後に、親族ではない人々の遺骨と一緒に埋葬し直した。[4] したがって、ディドの家の遺体について考えるときには、この文化的背景について考えなければならない。遺体の中には、肉親のものではないものがあるかもしれない。また、彼女の家は彼女が死んだ後ですぐに放棄されたので、ディドの遺族は別の場所に家を構えたかもしれない。われわれが知っている限り、ディドは誇り高い家系の家長であり、その子供たちは何世代にもわたって、ディドと同じ農地や群れを世話しながら生きていた。

トリンガムたちは、儀式に使われた記念の品々（床に埋められていた）も発見した。その中には、イノシシの顎が二つと、三頭の羊の首の骨、貝のビーズと鳥のくちばしが入っていた。これはゴミではない。この遺跡に詳しい考古学者にとっては、[5] このコレクションは多くの人が楽しんだ宴会の貴重な残骸や、儀式用の宝石のように見える。もしかしたら、この家に住んでいた人の誕生や大きな転機を祝うためのものだったかもしれない。またある時は、床に赤鹿の骨を埋め、壁の一角に半焼けの鹿の角をレンガで埋め込んでいた。ディドもまた、この街の多くの人々と同じように、オーロックスの頭蓋骨を二つ、石膏で覆い、その鼻と角を真っ赤に塗ったものを持っていた。

トリンガムたちの発掘調査では、ディドの家で一四一個の土偶（粘土製の小像）が発見された。これは、考古学者が通常ひとつの住居で見るよりもはるかに多い。そのほとんどは動物をかたどっていた。しかし、中には、顔の表面が滑らかで誰だかわからないが、両腕を広げて両手で胸を包んだ、豊満な女性像もいくつかあった。これらの粘土製の女性は、時に神々や豊穣のシンボルと呼ばれ、まる一〇〇〇年の間に、チャタルヒュユクの至る所でつくられている。この地域では、他の遺跡でも同様の女性の像が見つかっており、チャタルヒュユクの都壁を越えて、遠くまで広がった信仰体系の一部であることがうかがえる。この女性像はチャタルヒュユクの最も象徴的なシンボルであり、また、この地に関する最も広範な疑似科学的な神話の基盤ともなっている。

裸の女性はときに裸の女性ではない

一九六〇年代初頭、イギリスの考古学者ジェームズ・メラートが、ヨーロッパ人として初めてチャタルヒュユクの発掘許可を得たのがすべての始まりだった。当時、この場所は、草地の上に古代都市の城壁の角ばった頂上部がかすかに残っている、絵のように美しい二つの塚として地元の人々に知られていた。[6] メラートたちは、新石器時代の職人技をうかがわせる土器や遺物を掘り出した地元の農民から話を聞いた。一九六一年、メラートは、何が起こるかわからないと興奮しながら、東側の墳丘を深く切り込んでいった。そこはディドの家があった場所から南へ約二〇〇メートル行った地点である。そして、多くの遺物の中から、数個の女性の土偶を発見した。その中で特に印象に残ったものがあった。それは椅子に座り、両手を二頭のヒョウの頭に置いている像だった。メラートは、彼女が玉座に座っているにちがいない、そして彼女の足首の間にある形の定かでない膨らみは、最近生まれたばかりの子供だと判断した。さらに発掘調査を進めると、この土偶は精巧に装飾された部屋から出土したものであることがわかり、彼はこの部屋を「神殿」と名付けた。メラートは、このわずかな証拠に基づいて、チャタルヒュユクの人々は豊穣の女神を崇拝する母系社会であると発表した。

この誤解は、一人の人間の過大な想像力の産物ではなかった。メラートはおそらく、ビクトリア朝後期の人類学者で、『金枝篇』の著者であるジェームズ・ジョージ・フレイザーが、キリスト教以前の社会が母なる女神を崇拝していた可能性を示唆したことから、インスピレーションを得たのだろう。ロバート・グレーヴスは一九四〇年代、フレイザーの研究を基に『白い女神』という本を出版し、ヨーロッパと中東の神話はすべて、誕生、愛、死を司る女神に捧げる原始的な崇拝に由来すると主張して、大流行となった。その結果、メラートと同世代の人々は、古代文明を女神崇拝というレンズを通して見るようになった。彼の解釈に疑問を呈する学者はほとんどいなかった。一方、都市史の権威であるルイス・マンフォードやジェーン・ジェイコブスは、人類が女性の力を否定する以前の時代に繁栄していた文明の遺跡を、メラートがついに発見したという考えをすぐに受け入れた。

メラートは、フレイザーやグレーヴスの女神崇拝の主張をはるかに超えて、チャタルヒュユクは女性が男性を支配する古代の母系制国家であったと示唆した。そしてその主張は、メラートのセックスに対する考えと関係があった。彼が発見した堂々とした裸婦像には、奇妙な点があった。性器がないように見える代わりに、彼女たちの身体は厚くて強い。そして獰猛な動物に囲まれている。それは、一九五〇年代から六〇年代にかけて、メラートが出会ったと思われる「紳士雑誌」の代表格、『プレイボーイ』の柔らかでエロティックな、中央見開きで載っているモデルとは対極にあるものだった。メラートは、男性優位の社会では、このような女性像が生まれることはまずないだろうと考えた。とてもこれでは、「男性の衝動や欲望[7]」に応えられないからだ。母系社会だけが、性的でない裸の女性の土偶を作ることができると彼は結論づけた。

メラートの仮説は、米国の雑誌『Archaeology』に数ページにわたる豪華な写真とともに掲載されると、ほとんど根拠がないにもかかわらず、一気に広まった。『デイリー・テレグラフ』や『イラストレイテッド・ロンドン・ニュース』も、彼の発見を熱狂的に取り上げた。アナトリアの未知の遺跡は、「失われた都市」のドラマチックな写真も手伝って、一大センセーションを巻き起こした。その住民は、女性が男性を支配していたほど奇妙な存在だった。それ以来、女神崇拝に関するメラートの根拠のない主張は、何十年も続いている。チャタルヒュユクについて人々が知っているのは、しばしばこの事実だけだった。トルコ中央部に失われた女神崇拝の文明があるという考えは、新時代の信仰やYouTubeの感動的なビデオにさえ入り込んできた。

しかし今日、考古学の世界では、メラートの考えは極めて懐疑的に受け止められている。チャタルヒュユクが豊かな考古学的資源であることを明らかにしたことは、たしかにメラートの功績だった。しかし、一九八〇年代以降に発見された多くの証拠は、彼の解釈と矛盾している。

もし、チャタルヒュユクが女神を崇拝する母系社会でなかったとしたら、これらの女性像はどのように解釈すればよいのだろうか？　スタンフォード大学の考古学者で、チャタルヒュユク遺跡の土偶を分析したリン・メスケルは、メラートと同時代の研究者たちは、遺跡全体を見ることによって得られる文脈を持たなかったために、これらの土偶を誤って解釈してしまったのだと考えている。二五年間にわたる継続的な発掘調査のデータが揃った今、このような女性の土偶はより複雑な物語を語っていることがわかった。まず、一般的に女性や人間の姿の土偶は、動物や体の部分に比べて数が少ない。例えばディドの家では、考古学者のキャロライン・ナカムラ(8)が一四一個の土偶を数えたが、そのうち五四個は動物の土偶で、完全な人間の像は五個だけだった。さらに二三個は手など体の一部を表現していた。市内の他の家でも同じような割合で、動物が人間よりも圧倒的に多い。何らかのシンボルがこのコミュニティを支配しているとすれば、それは女性よりもヒョウである可能性が高い。

もうひとつ、メラートが女性の土偶の重要性について誤解していたのは、土偶が日常生活でどのように使われていたかということだ。それは地元の粘土で手早く成形され、天日で乾かしたり、軽く焼いたりしたもので、明らかに鑑賞したり崇拝したりするために棚に並べるようなものではない[9]。そのために、このような土偶は、ポケットやバッグに入れて持ち運ばれていたようで、使い古されて欠けていた。考古学者は通常、ゴミの山や建物の壁の間からそれを見つけている。時には、ディドの家にあった形見の骨や貝殻のように、床に埋まっていることもあった。先祖の頭蓋骨は敬虔な気持ちで壁に飾られていたが、崇拝の対象物を壁に飾らずに、ぞんざいに捨ててしまうとは考えにくい。

メスケルは、これらの土偶は「『宗教』という独立した領域ではなく、むしろ日常生活の実践と交渉の中で機能していたのではないか[10]」と考察している。ディドの人々は、われわれが知っているような宗教という概念を持っていなかったかもしれない。したがって「豊穣の女神」を崇拝することもなかっただろう。その代わりに、ディドはアニミズムに見られるような、日常的で小さな精神的行為を行っていたかもしれない。それは、ひと握りの強力な神々ではなく、万物に霊魂が宿るという考え方である。土偶そのものは崇拝の対象ではなかったかもしれないが、それを作るという行為は魔術的な儀式だったのかもしれない。助言や幸運を求め、ディドは小麦を収穫する畑の横で、粘土から素早く土偶を作っていた。土偶が乾いたら、その力を奪うためにそれを儀式に使ったのかもしれない。そして、その土偶を昨日の食事から出たゴミと一緒に屋根から投げ捨てた。チャタルヒュユクの人々が、こんな風にして女性像を使ったのであれば、なぜ彼らが女性像を頻繁に捨てたのかは明らかだ。残すことより作ることの方が大事だったからである。

もうひとつの可能性は、このような土偶は村の長老として尊敬されている女性で、ディドが死んだときの年齢と同じくらい年配の女性を表していたということだ。メスケルの指摘によれば、全く同じ人物は二つとなく、ほとんどの人物の胸や腹が垂れ下がっていることから、豊穣というよりはむしろ年齢を重ねていることがうかがえる。おそらくディドやその周辺の人々は、こうした土偶を作るとき、抽象的な魔術の力ではなく、具体的な女性の祖先の力を借りていたのだろう。ディドの文化では、ある種の活動や行事が、強力な女性の助けを必要としていたのかもしれない。しかし、このような習慣は母系制を示唆するものではない。チャタルヒュユクにある漆喰の人間の頭蓋骨は、崇拝され、手から手へと受け継がれたが、男女の数がほぼ同じであったことがわかっている。[11]少なくとも頭蓋骨の保存方法を考慮すれば、一方の性別が他方より優遇されていたようには見えない。

カリフォルニア大学バークレー校の考古学者ローズマリー・ジョイスは、初期社会におけるジェンダーに関する研究でこの分野に革命をもたらしたが、女性の土偶が女性をグループとして表していると見なされていたとは言えないと主張する。彼女はこう書いている。

今日、われわれが「これは女性の像だ」と言うことができるような、細部まで作り込まれた土偶でさえ、もともとは生死を問わず特定の人物の像として、あるいは抽象概念の擬人化として（たとえば女性としての「自由」の表現として）、あるいは性的特徴（現代のアイデンティティにとって非常に重要だ）によって像を分けるときに見落とされる、年長者や若者といった人々の表現として、認識されていたかもしれないのである。[12]

ジョイスは、現代人が理解しているジェンダーを古代の人々に投影するのは簡単だと指摘している――つまりわれわれは常に、一方のジェンダーが他方を支配していたかもしれないという見方をしている。メラートがやったのはまさにそれである。そうではなく、チャタルヒュユクの人々が、若者と老人、農民と工具職人、野生と家畜、人間と非人間的動物などのような、われわれとは違うカテゴリーを用いて、社会を分割していたかもしれない、という可能性に目を向けなければならない。

家庭内の技術

チャタルヒュユクで女性たちがしていた仕事は、魔法のようなものではない。人類学者たちは、この都市から出土した資料や他の伝統的社会との比較から、女性が農業と家事を担当し、男性が狩猟と工芸を担当していたと考えている。もちろん、この二つの仕事の領域には多くの重複があり、与えられた役割に逆らう人もいただろう。ただ、どちらも楽な労働でなかったことは確かだ。ウェンディ・マシューズがディドの家の床で漆喰の微小な層を調査したとき、[13]彼女は床にたまった埃の量を測定し、掃除の典型的なパターンを推測することができた。ディドの家でも街中でも、掃除は欠かさず行われていて、かまどの灰は定期的にかき出され、壁や床はほぼ毎月、白い漆喰で塗り直されていた。漆喰を塗るたびに、精巧な黄土色の壁絵が再現される家もあった。チャタルヒュユクでは頻繁に塗り替えが行われたため、考古学者たちは内壁に一〇〇層もの塗り重ねを発見している。[14] 煙は天井のドアから逃すしか方法がなかったため、このような徹底的な掃除が必要だったのだろう。ディドの家の糞と薪で焚かれた火は、おそらく壁を煤だらけにし、彼女に黒肺病をもたらしたにちがいない。

しかし、こうしたメンテナンスは、新石器時代版の『KonMari―人生がときめく片付けの魔法』（近藤麻理恵）のためだけではない。窮屈な住居の中で専門的なスペースを確保するためでもあった。チャタルヒュユクでは、少なくとも二種類の漆喰を作り、床に塗っていた。家の北側は石灰を混ぜた明るい白色で、ベッドや埋葬の基壇があり、南側は赤褐色で、かまどや道具作り、織物などの家事に使われた。この南北のパターンは何百年もの間、街のいたるところで見られ、考古学者の中には、住民は家を「汚い」場所と「きれい」な場所に分けていたと推測する人もいる。

家事労働は工芸と工学の結合であり、家の中のものはすべて手作りしなければならなかった。床は葦で編んだ柔らかいマットで覆われていて、その複雑な模様は漆喰にはっきりと残っており、数千年後でも考古学者が見ることができた。考古学者がチャタルヒュユクの家で発見したネズミの巣穴の数から、彼らが有害生物に悩まされていたことがわかる。そのため、ディドの家族は飢えたネズミが穀物を食べないように、葦のかごを編んでいたのだろう。また、網や衣服も作っていた。革や植物で織物を作ることから始め、骨を削って針にし、縫製もしていた。羊の肋骨はへらとなり、料理鍋の土をならすのに使われた。屋上には火打石や黒曜石でナイフや尖頭器を作る工房があり、釣り針を彫った。レンガを積んだ石のかまどを作り、そこでは狩りや採集したものを調理していた。ちなみに、レンガも彼らが作った。このように家庭生活のあらゆる場面は、この一族に幅広い分野で専門家であることを要求していたのだろう。

道具を作るのはとても難しいので、ディドの家族はリサイクル（再生利用）をよくしていた。街中からは、何度も修理され、刃が研ぎ直されたナイフや斧が考古学者によって発見されている。ディドの家でも、多くの骨角器が壊れた後に作り直され、再利用されていた。そしてもちろん、一家は常に家を修理する必要があった。かまどは言うまでもない。少なくとも二回はかまどを作り直し、別の場所に移設している。動物の糞も燃料として再利用した。チャタルヒュユクは、現代人が「地球にやさしい」と呼ぶ材料でほぼ作られていた。実際、この都市はレンガ作りや漆喰の製造、そしてその日に必要な呪文を唱えるための土偶を作るのに最適な、柔らかい粘土が豊富にある湿地帯に建てられていた。

チャタルヒュユクで発達した粘土を使った技術の最高峰は、おそらく調理に使われたものだろう。都市が建設された当時、人々は熱した粘土の球をバスケットに入れて持ち運び、スープやシチュウと一緒に調理していた。球が冷えると料理人は、そのつど冷えた球を取り出して、かまどの火で熱した球と入れ替えなければならなかった。しかし、ディド一家が都会に住むようになると、職人たちは薄くて丈夫な鍋に最適な、焼き締め粘土を開発した。鍋を火にかけて煮るだけで、簡単に料理ができるようになった。もう、鍋に球を持ち運ぶ必要もない。ラナ・エズバルの言葉がある。「調理技術が変わるということは、突然車を手に入れたようなものです。社会的な関係が変わる。調理に携わる人が少なくなるのです。熱い球を移動させるのは手間がかかります。簡単ではありません。鍋をかまどに乗せれば、その間に他のことができるんです」。この技術革新により、一日のうちで壁画制作やボーンビーズ彫刻など、より創造的な仕事をする時間が生まれた。また、漆喰を何種類も作れるようになるなど、専門的な仕事をする機会にも恵まれた。

そのハイテク鍋のおかげで、ディドの家族の誰もが余分に仕事ができるようになったとすると、当然、さらに手の込んだ工芸品が作られることになる。手の空いた者が一人いれば、近くの採石場で黒曜石を採取するために、二日間かけて山へ行くことができる。黒曜石は新石器時代には贅沢品に近いもので、丈夫で鋭い切れ味と反射率の良さで珍重されていた。黒曜石をより多く採取することは、熟練した石工の原材料をより多く得ることを意味する。石工は、黒曜石と黒曜石を慎重に打ち合わせて、刃が出るまで少しずつ剥がしながらナイフを作る。

農民は農業の技術を完成させるために時間を必要としていた。チャタルヒュユクの二つの墳丘は沼地にそびえていて、その間の川は季節によって氾濫する。夏の雨季になると、都市は水たまりのある泥沼の中に浮かぶ島のように見えたことだろう。そのため、都市の農民は都市から少し離れた乾燥した土地に作物を植えなければならなかった。エズバルは、この街の人々が熟練した農民であったことはまちがいないと言う。倉庫には栽培された小麦や穀物が保管され、家畜の乳が鍋に残されていたことが証明されている。しかし、人々が「どこで」土地を耕し、家畜を飼っていたかはわからないと彼女は認めた。エズバルや他の研究者たちは、街から歩いて行けるほど近くの丘陵地だったかもしれないと推測している。農民はおそらく、一年の大半を畑の手入れのために家を離れ、おそらく交代制で働いていたのだろう。羊飼いやヤギ飼いも、街から遠く離れた場所で放浪していたことだろう。

農業もまた、多くの人口が集まれば可能になることのひとつだ。ディドの家族は、農地を耕し、家畜の世話をするために数人のメンバーを確保することができた。それは、家に十分な人数がいて、適切な製陶技術があったからだ。農業が都市を支え、都市が農業を可能にした。この相互関係から都市が生まれた。ディドは農業を都市と対立するものではなく、都市生活の一部と見なしていただろう。都市生活は農業とほぼ同時期に出現している。(15) 農園は本来、遊牧民が行う植物の採集を専門化したものである。

新石器時代の人々がチャタルヒュユクに集まってきたのは、都市での生活が労働集約的で、今まで人々が慣れ親しんできたものとは全く異なっていたにもかかわらず、都市では専門化による恩恵を受けられたからかもしれない。村人たちは、熟練した職人がたくさんいる社会に惹かれたのかもしれない。レンガ職人は長持ちするレンガを作り、ヤギ飼いは群れを大きくする。動物の土偶をいつも作っている人なら、細部まで作り込んだヒョウの像を作ることができる。有名な火打ち石職人になることを夢見て都会にやってきた遊牧民は、おそらくいなかっただろう。しかし、都市化によって、誰の家にも複雑な道具が並び、一〇〇人の村では手に入りにくかった食料も手に入るようになった。チャタルヒュユクが発展するにつれ、人が増えれば増えるほど、より質の高いものを共有したり交換したりすることができるようになり、豊かさを約束されることで新しい住民を惹きつけたのだろう。

商人が多かったとはいえ、チャタルヒュユクは資本主義社会の原型のようなものではなかった。確かに住民は多くの価値あるものを交換したが、この都市の相対的な豊かさは、一部の者のために他の者を犠牲にして、余剰品を生産することにはつながらなかった。チャタルヒュユクにはまだ貨幣がなく、ある家族が他の家族より多くの財産を持っていたという証拠もない。ほとんどの家は一部屋か二部屋で、だいたいディドの家のような大きさだった。チャタルヒュユクの人々には、必要以上の財産を蓄えるスペースはなく、ただ生きていくために必要なものを蓄えていたのである。チャタルヒュユクでは、少なくとも現代のわれわれが理解するような金持ちになる機会はなかったのである。「豊かさ」とは、飢えをしのぐのに十分な食料と、比較的安定した住居を持つことだった。チャタ

安心感だけでなく、文化的な豊かさも約束されていた。それは、考古学的な記録では間接的にしか測れない富の形である。チャタルヒュユクでは、どの家にも絵や土偶、手作りの家具があり、壁面芸術が至る所にあることから、その力をうかがい知ることができる。しかし、何千人もの人々が毎日交流していたこの都市の規模から、文化の複雑さを推測することもできる。遊牧民の集団の中では、土偶作りに長けていた人が、それに匹敵する能力を持つ人に出会うことはなかったかもしれない。しかし、チャタルヒュユクでは、何人もの人が、話をして情報を交換し、協力し合って、より高度な技術を開発していた。つまり、都市には家族を超えた愛着があったのである。都市に住む人々は、同じ趣味を持つ人々や、同じかまどを使う人々と交流する機会があった。

現代人が都市に魅力を感じるのは、家族を中心とした小さなコミュニティには存在しないサブカ

ルチャーやグループに親しみを感じるからだ。チャタルヒュユクも、同じような理由で新しい住民を引き寄せたのかもしれない。イアン・ホダーは、チャタルヒュユクの人々が行っていた不思議な慣習について述べている。それは家族以外の絆を記念するひとつの方法を示唆していた。ディドの隣人たちは、ホダーが「ヒストリーハウス」(歴史の家)と呼ぶものを建てた。この家の壁には、牛の頭や絵、骨などが通常より多く漆喰で塗られている。そして、このような住居は、何世紀にもわたって、全く同じ寸法で慎重に何度も建て直された。[16] また、以前のハウスの床に置かれていた骸骨を掘り出して埋め直すこともあり、考古学者がヒストリーハウスの床から数十体もの骸骨を発見することもある。博物館や図書館のように、ヒストリーハウスはチャタルヒュユクの人々にとって、文化的な記憶を共有する場所でもあった。

しかし、それはまた、人々が散歩道で出会い、一緒に黒曜石の技術を開発したり、川のそばでぶらぶらしながら、レンガに適した粘土を選んだりして形成したグループの物理的な具現化でもある。ヒストリーハウスは、火打ち石や精神的なものなど、共通の興味から生まれ、街そのものとつながっていたのかもしれない。新しくこの町に来た人々、特に身寄りのない人々にとっては、このような社会的グループのおかげで、この町に留まることができたのだろう。おそらくはまた、これがあったからこそ、都市は発展し続けることができたのだろう。今日、心理学者が「選ばれた家族」と呼ぶものに似たコミュニティがあると聞いて、人々はチャタルヒュユクに移り住んだのかもしれない。[17]

また、ヒストリーハウスは、新しく来た人、よそから来た人、死んだ人など、知らない人、すでにいない人を包含する抽象的な共同体の概念でもある。ヒストリーハウスに所属する人々は、自分の先祖を生物学上の親族とする必要はなく、ヒストリーハウスの壁にある頭蓋骨を見れば、自分もその血統の一部とみなすことができた。それは、遊牧民の部族で全員の顔を知っていることが共同体だと考えていた人々にとって、哲学的な飛躍だった。ヒストリーハウスは、何世代にもわたって生き続け、過去と現在の都市住民を結びつけ、彼らのアイデンティティをチャタルヒュユクという特別な場所と関わりを持たせるような存在だった。

しかし、ブルックリンに住む人がニューヨーカーを自称するように、チャタルヒュユクに住む人々が自分たちをチャタル人だと思っていたとは考えにくい。トリンガムは、この都市は、元々それぞれが独自のサブカルチャーを持つ、ゆるやかにつながった村の集合体のようなものだったと考えている。このような離れた村同士のつながりは、いくつかの村が合併して都市が形成された時代に生きたディドにとっては、遠い過去のことと思われたかもしれない。チャタルヒュユクが形成される前、コンヤ平原には多くの村が点在していたが、突然消滅し、それはまるで、ひとつの巨大な村に人口が移動したかのようだったとホダーは言う。街を歩いている人は、空き地で区切られた隣人たちのような集団を通過していたのかもしれない。言葉も食べ物も違う。それでも、彼らは共通の場所を共有しており、ディドのような人は、自分の家族とは全く違うように見える人々と出会い、親しくなることができた。

もちろん、ディドが信じていたこと、感じていたことを確信することはできない。しかし、彼女が住んでいた家には、多種多様な素材や技法で作られたものがたくさんあり、それらは多様な社会が生み出した、ある程度の専門技術の結実であることは確かだ。また、彼女を取り巻く象徴的な芸術やデザインは、抽象的な関係性への信仰を反映したものであったこともわかっている。同時に、チャタルヒュユク以外にはほとんど都市生活者がいなかった時代、都市生活がいかに根本的に奇妙であったかも評価されなければならない。特に、それまで存在しなかった共同体を形成することになるため、ディドとその隣人たちは漠然とした疎外感を感じていたにちがいない。また、隣人同士の争いが起きたときには、敵対関係を解決するための前例がほとんどない。そして、この街が終焉を迎えようとする頃、チャタルヒュユクには社会問題がシミのように広がっていた。しかし、多くの不幸に見舞われながら生き延びてきた都市の住民にとって、そのなかでもたえがたい苦労のひとつが、住民同士の付き合いであることがわかってきた。

3　歴史の中の歴史

イアン・ホダーと再会したのは、二〇一八年初頭、彼が二五年間にわたるチャタルヒュユクでの発掘調査の指揮を終えたばかりのときだった。スタンフォード大学の日当たりのよいオフィスで机に向かい、彼はその間に学んだことを話した。遺跡の各層における象徴の豊かさ以外に、彼が最も印象に残ったのは、これが「歴史の中の歴史」を表現していることだ。チャタルヒュユクは常に変化していて、九〇〇〇年前に人々が築いた都市と、その一〇〇〇年後に放棄した都市は劇的に異なっていた。「われわれは今、その大きな変化を認識しているのです」とホダーは言う。彼はこう続けた。

紀元前六五〇〇年頃のチャタルヒュユクには、遺跡全体に人々が密集して住んでいた時期があるんです。その層を掘ると、どこもかしこも住居が密集している。この時期は、平等主義を標榜していた社会が、ひずみを生じた危機的な時でもありました。何か劇的なことが起こり、建物の焼失や廃墟が多く見られました。その危機の後、五〇〇年もの間、定期的に焼失の儀式が行われていたこともわかっています。

この「儀式的焼却」は暴力や破壊行為ではなく、家を捨てる儀式の一部だった。それは、彼がチャタルヒュユクの家の床から出た灰の地層で私に示してくれたものだ。人々は故郷を離れることを決めたとき、しばしば儀式用の粘土層で土台を「封印」し、残った家財道具をわずかな供物とともに燃やしたのである。

ホダーは、紀元前六五〇〇年の「危機」の後、チャタルヒュユクは非常にゆっくりと放棄されたため、ディドのような住人が生きている間には、その変化はほとんど感知できなかっただろうと強調している。人々は何世紀もかけて東の遺丘を去り、次に西の遺丘を去った。しかし、人々が西の遺丘を放棄すると、チャタルヒュユク周辺の何もない土地に新しいコミュニティが誕生した、とホダーは言う。「コンヤ平原は遺跡で埋め尽くされた。まるでチャタルヒュユクが平野の他の集落に拡散していくかのようで、西遺丘はそのひとつに過ぎないのです」。彼は、チャタルヒュユクからの脱出は、墳丘上の「閉鎖的で支配的なシステム」から、人々が抜け出した新しい種類の自由を象徴していたのではないかと考えている。もうひとつの可能性は、食料需要の変化に応じて人々が移動したことだ。コンヤ平原の人々は、より集約的な穀物農業や羊の放牧に移行していたため、集落周辺により広い空間が必要だったのかもしれない。しかし、人々はチャタルヒュユクを「失った」わけではない。旧市街に人がいなくなっても、人々はそこを墓地として使っていた。「ある意味で、この地は決して見捨てられたわけではないのです」とホダーは言う。「ビザンツ時代やイスラム時代の初期（一一世紀）まで、ここでは膨大な数の埋葬が行われていたのです。人々は街を記憶し、利用していたのです」。ニューカッスル大学の考古学者ソフィー・ムーアは最近、チャタルヒュユクの墓地が約三〇〇〇年前まで定期的に使用されていた証拠を発見している。(1)

ホダーは、「失われた都市」や「文明の崩壊」といった言葉は、このようなケースで使うべき言葉ではないという、今日の考古学者の共通した信念を唱えている。(2) むしろ、都市が変遷していったと言った方が正確だ。実際、チャタルヒュユクがある種の文化的配置から次の文化的配置へと移行していない時期はなかった。それが都市研究の難しいところだ。都市は時間が経つにつれて変化しており、突然無に帰するような静的な存在ではない。都市は、どんな時でも多くの社会集団の複合体であり、おそらくそれ（社会集団）は都市生活をさまざまな方法で捉えている。そしてそれは時間とともに変化し、自分たちの世界観を反映するように都市の物理的・象徴的構造を変化させる――彼らが一緒に暮らしたいと思わなくなるまで。

しかし、チャタルヒュユクでそのようなことがあっても、誰も街を「失った」わけではない。コンヤ平原に人々が移住した後も、古代の先祖の骨でできた都市（チャタルヒュユク）は、新しい先祖の骨を迎え入れ続けたのである。人が去った後も、その場所は特別であり続けた。

紀元前六〇〇〇年頃までには、チャタルヒュユクには一〇〇〇年以上にわたって人々が住み続け、気まぐれに立ち去る者はいなかったという。一部の例外を除き、都市はホダーが言うように、もともと人が住んでいた場所と同じように放棄されるのが普通である。何千もの小さな行為が都市を空っぽにし、それぞれが困難な選択をしていく。現代社会では、心理学者によると、引っ越しは人が経験する最も困難な人生の変化のひとつであり、孤独感、喪失感、憂鬱感を引き起こす。[3]新石器時代の人々は、われわれと同じような「引っ越し」――ソファをトラックに積み込み、不動産投資の不安に駆られる――を経験していないことは明らかだが、その行為は心理的な犠牲を伴うものだっただろう。そして、物の移動や輸送という点でもはるかに困難だったにちがいない。引っ越しとは、運べるものを運び、飼うことのできる動物を連れて行くことである。新しい土地に着いたら、新しい家を建て、その土地の食料と水源を見つけなければならない。新石器時代の家づくりは、農業、料理、織物、家屋建築など、さまざまな技術が必要で、個人で行うのはほとんど不可能だった。

その上、新しい文化に同化しようとする姿を想像してみてほしい。二〇一一年、移民に関する米国大統領タスクフォース〔米国大統領によって任命された諮問委員会〕は、新しい言語や文化的規範を学ぶ難しさから、偏見や資源へのアクセスの欠如に至るまで、移民が共通して直面する多くの苦難を明らかにした。[4]われわれは、移民が何千年も前から変わっていないことを忘れがちだ。チャタルヒュユクから他の土地に移住した多くの人々は、言葉や文化の壁、そして農地へのアクセスについて、新しい隣人と交渉する際に起こりうる問題に対処していたのだろう。しかし、そのような困難にもかかわらず、多くの人々がこの都市を離れていった。

八・二Kの気候変動イベント

ディドが家の床に埋められてから数百年後、チャタルヒュユクは存在の最終局面を迎えていた。一〇〇〇年以上も同じ場所に存在した都市は、人々を土地になじませるという人工的な幻想が、外からも内からも崩壊しつつあった。古い建築物やゴミの山は、新たな高みに到達していた。紀元前六〇〇〇年代から五〇〇〇年代にかけて、その一〇〇〇年紀の変わり目の少し前から、人々はディドとその家族が住んでいた東の遺丘から少しずつ離れ始め、川を挟んで小さな集落を築き上げたのである。この新しい西の遺丘は、考古学者たちが「ウエスト・マウンド」と呼んでいるが、そこでは約三〇〇〇年間繁栄したコミュニティが存在した。東遺丘の家々は徐々に崩れていったが、誰もそれを引き取りには来なかった。

ルース・トリンガムに、なぜ西遺丘やその周辺に人々が流出したのかを尋ねると、彼女は「高い遺丘を水や食料を持って登るのが嫌になって、もう少し平らでアクセスしやすい場所を探したのでは」と冗談めかして言った。冗談はさておき、東遺丘の土地が魅力的でなくなるようなことが起こったという考えには、一抹の真実がある。多くの研究者は、紀元前六二〇〇年頃から始まる急激な気候変動の時期を大まかに考えている。(5) この時期、地球は氷河期に入り、「ローレンタイド氷床」と呼ばれる巨大な氷河がカナダとアメリカ北部を覆っていた。

広大なコンヤ平原の河川が流路を変え、干上がっていた形跡がある。気候も涼しくなり、少なくとも一度は干ばつに見舞われた。そして、気温の上昇とともにローレンタイド氷床が溶け始め、アガシ湖とオジブウェイ湖と呼ばれる氷点に近い温度の湖が生まれた。これらの湖は、後退する氷によってできた天然のダムの背後に閉じ込められ、現在のオンタリオ州とケベック州の広大な地域を覆うまでに拡大した。しかし、氷は長くは続かない。やがてローレンタイド氷床が崩壊し、アガシ湖とオジブウェイ湖は急速に水を失い、壊滅的な量の淡水が海に放出された。

その結果、海面が少なくとも三〇センチ、多いところでは四メートルも上昇したことが世界各地で明らかになった。さらに重要なことは、淡水が海の「熱塩循環」〔海水と淡水の複雑な相互作用によって海流を駆動する「海のベルトコンベアー」とも呼ばれる現象〕を阻害していることだ。熱塩循環が乱れると、暖かい海水が地球を横断できなくなり、ほとんどの海が冷たいままになってしまう。これが天候に影響を与える。チャタルヒュユク周辺では、平均気温が四度ほど下がり、降水量も減少したと思われる。温暖で湿潤な街並みに慣れ親しんだ人々にとっては、より涼しく、より乾燥した気候への明らかな変化が感じられただろう。その後、地球の平均気温は約四〇〇〇年間上昇することはなかった。

この気候変動は——八二〇〇年前に起こったことから、気候科学者の間では「八・二Kイベント」と呼ばれている——科学者によって広く記録され、気候変動の仕組みを示すモデルとして機能している。二〇〇三年、米国国防総省は、気候変動がもたらす安全保障上のリスクに関する研究を依頼し、それに対して研究者たちは、氷河の融解が環境や人間社会に与える影響の一例として、八・二Kイベントを挙げた。(6) もし、現在見られるような氷河の急速な融解によって、アガシ湖やオジブウェイ湖から流出したのと同じ量の氷の淡水が海に流れ込んだとしたら、(7) アジア、北米、北ヨーロッパの気温は華氏五度〔摂氏一五度〕以上下がると言われている。一方、オーストラリア、南米、アフリカ南部では気温が華氏四度〔摂氏約一五・六度〕上昇する。続いて干ばつが起こり、ヨーロッパと北米の農業に大打撃を与え、冬の嵐と風が、特に太平洋で強まる。そして、飢饉、山火事、洪水が続いて起こる。

このような状況は、現代社会では壊滅的な打撃を与えるだろう。しかし、寒くて乾燥した気候が、愛する故郷のチャタルヒュユクから人々を追い出すのに十分だったかどうかについて、考古学者の間では強い合意が得られていない。オファー・バー゠ヨセフは、五万年前の古代人の移住に気候変動が与えた影響を研究しており、氷河の崩壊によって東遺丘での生活は不可能になっただろうと考えている。そして彼は、涼しい気候が村全体を飢えさせ、二〇〇〇年の間に、人々をこの地域から完全に追い出しただろうと推測した。(8)彼が研究したレバントの村の中には、八・二Kのイベント中に完全に放棄され、天候が再び暖かくなった後で再建されたものもあった。彼は、チャタルヒュユクでも同じようなことが起こったかもしれないと示唆している。東の遺丘から離れたことは、人々が何世紀もの間この地域を放棄し、戻ってきたときに西の遺丘を築いた証拠だと、バー゠ヨセフは主張している。

他の学者は反対している。レディング大学の考古学者パスカル・フローアと彼女の同僚は、八・二Kイベントに対する世界の反応を追跡調査しており、気象変化の間にチャタルヒュユクが放棄された証拠はないと考えている。(9)実際、彼女たちは、この都市の人々が完全に撤退するのではなく、何とか踏みとどまって都市の構造を変えることができたのは、新石器時代の回復力《レジリエンス》の勝利であると考えている。フローアの見解は、この時代の食肉保存用ポットを化学分析することで、(10)人々が食生活を変え、牛よりも堅いヤギの肉を食べることが多くなったことを示した。また、動物の骨にはナイフの跡がたくさん残っており、肉を残らず削り取ったことがわかる。さらに、動物の脂肪の分子を分析したところ、干ばつで傷ついた植物を食べていたこともわかった。

都市に住む人々や家畜は苦労していたかもしれないが、少なくとも一部の人々は、環境の変化による苦難を乗り越えてきたようだ、とフローアは書いている。西遺丘が出現した後も、東遺丘に人が住み続けていた証拠はある。[11]社会の変化は八・二Kイベントと重なるが、それが原因ではない。都市の衰退を気候変動にどの程度まで起因させることができるか定かではないが、都市の寿命の後半にチャタルヒュユクで明らかな文化的変化があったことは、どの立場からも同意されるところだ。芸術的表現も、建築物も、食料源も、人口規模も変化した。人々は遺丘から遺丘へと移動し、またその地域から完全に離れていった。都市と村の間の移動も多くなった。そして、持てる者と持たざる者との間に、徐々に溝が生まれた。このことが、人々が都市から離れるきっかけとなったのかもしれない。

階層化問題

チャタルヒュユクの街並みの特徴のひとつに、似たような家並みがあることが挙げられる。現代的な都市を散策していると、あらゆる形や大きさの家、小さなワンルームや高層ペントハウス、汚い窓が歩道の上に突き出た地下室のようなアパートメントビルを目にすることができるだろう。また、光輝く企業のタワー、巨大な教会、堂々とした政府の建物、そしてあらゆる形状の何千もの店舗がある。今日の都市では、社会的、経済的な不平等が景観に組み込まれているのを見ることができる。しかし、チャタルヒュユクでは、何百年もの間、誰もがほぼ同じ形と同じ大きさの家に住んでいた。ディドと同じように、誰もがかまどや寝台を備えたメインルームを持ち、その脇には主に食料を保管するための小部屋があった。ヒストリーハウスの中には、漆喰の牛の頭を積み重ねたり、床にいくつもの頭蓋骨を置いたり、壁には狩猟や祝祭を描いた絵が描かれていたりして、他の家より凝った装飾が施されたものもある。しかし、このような派手な場所でも、隣の家と比べて大きくはない。さらに重要なことは、住居として機能しない建物が全くなかったことである。目的を持って建てられた寺院も、市場もなかったようだ。どんなに凝った部屋でも、かまどや寝台が備え付けられていた。

ホダーが言うように、都市のデザインには厳格な平等性がある。彼はこれを「積極的な平等主義」と呼び、私有財産を持ちすぎることをタブー視していた可能性を示唆した。王様や大ボスもいない。チャタルヒュユクでは、人々は賢明な長老たちに指導を仰いだり、地元のリーダーを任命したりしたかもしれないが、そのようなリーダーは、自分の権威を誇示することはしなかった。これが、考古学者たちに「チャタルヒュユクは都市というより巨大な村に似ている」と言わしめた理由のひとつだ。村のように、ほぼ同じ大きさの家が集まっていて、権力の中心がはっきりしない。もしかしたら、トリンガムが言ったように、いくつかの村が隣り合わせにあっただけなので、そのように見えたのかもしれない。

それが変わったのは、紀元前六〇〇〇年頃だ。西遺丘の最盛期に建てられた家屋は、東遺丘のディドの家よりもはるかに大きなものだった。ひと部屋だけのかまどのある住居から、広い部屋と壁に囲まれた中庭のある二階建ての住居に変わった。人々は低密度のコミュニティで生活していたが、食料貯蔵のためにはるかに大きな場所を作った。床に死者を埋めた形跡はなく、壁に骨や牛の頭蓋骨が埋め込まれることもない。土器はより精巧になって、装飾が施されるようになり、まるで来客のために豪華な食器を並べることを好んだかのようだ。同時に、遠方から運ばれてきた生活用品が多く見られるようになった。それは遠くから運ばれてきた材料で作られたものだったり、他の集落の人々が作ったものだったりした。

西遺丘の人々は、まだ家を大切にしていたようだが、彼らの芸術や象徴的シンボルは、もはや家の構造とは関係なく、壁から解放され、かつての頭蓋骨のように売買されるようになった。人々は同じように多くの物を持っていたが、それはすべて地元で生産されたものではなかった。

西遺丘の家屋が大型化し、交易が盛んになったのは、社会的なヒエラルキーが形成されたことを意味しているのだろう。二階建ての家を持ち、たくさんの倉庫を持つ人もいれば、かつて東遺丘で主流だった平屋建ての住居をまだ持っている人もいた。ノートルダム大学の考古学者イアン・カイトは、この建築の変化は、都市で長い間生じていた対立を明らかにするものだと考えている。[12] 彼は、チャタルヒュユクのような場所の人々は、コミュニティと精神性に関する考え方を、遊牧民の先祖から部分的に受け継いでいると説明する。遊牧民の生活では、生存のために集団内の全員が資源を共有する必要があるため、集団は非常にフラットな社会構造を強化する習慣や儀式を発達させた。誰かが資源をため込み過ぎると、グループ全体に悪影響が及ぶ。そのために、社会的な差異を誇示することを強く抑制するようになった。このことが、チャタルヒュユクの家屋が外見上は似ていても、密室のプライベートな空間では、明らかに異なる量の食物や象徴的な品物を所有していた理由のひとつかもしれない。

平等主義を求める社会的圧力は、隣人の生活が自分と結びついているような小さなコミュニティではうまく機能する。しかし、何千人もの人々が一緒に暮らすようになると、平等を維持することは難しくなる。都市に住む人々は、自分たちの利益を代弁してくれる代表や原始的な政治家、あるいは、例えば黒曜石の工具職人の特別なニーズを理解してくれる、貿易ギルドのリーダーを求めるかもしれない。見知らぬ人ばかりの都市で、すべての人と個人的なつながりを持つことは難しい。チャタルヒュユクに住む人々は、違いや上下関係を嫌う古い共同体主義的な慣習と、どちらも（差異や階層化）避けられない新しい都市的な慣習の間で引き裂かれていた。

伝統的な平等主義が硬直した適合性のように感じられるようになったとき、大きな対立が生じたのだろうとイアン・カイトは考えている。このような緊張状態が高まると、「隣人と違ってはいけない」という都市計画に基づいて作られた東遺丘から、人々は離れていったのかもしれない。西遺丘の人々は、離れた場所にさまざまな間取りで家を建てた。そしてそれは、自分の個性を公言する社会の到来を示すものだった。

しかし、建築的な改革だけでは、人々を引き留めることはできなかった。西遺丘に初めて居住の痕跡が現れてからおよそ三世紀後、東遺丘はむろん、西遺丘にもほとんど誰も住まなくなり、紀元前五五〇〇年頃にはチャタルヒュユクは完全に空っぽになっていた。カイトは、この都市の消滅を「新石器時代の実験の失敗」とし、紀元前五〇〇〇年代のレバント全域で新石器時代の巨大村が見捨てられた、多くの事例のそのひとつだったと論じている。ヘブライ大学の考古学者ヨセフ・ガーフィンケルが言うように、これは「公共圏の失敗」だったのかもしれない。人々は社会を構成する新しい方法に同意できず、滅びゆく伝統の象徴であるこの場所への愛着が薄れていったのである。しかし、チャタルヒュユクは一〇〇〇年以上も存続した。「新石器時代の行き止まり」とカイトが言うように、この都市は最終的に行き詰まったのだろうが、話はもっと複雑だ。

ホダーとカイトは、初期の都市のレイアウトが平等主義を示唆していると主張するが、ローズマリー・ジョイスはそうは考えない。彼女は、この都市の庶民が「フラット」な社会構造を享受していたことに納得していない。そこで私は、カリフォルニア大学バークレー校にあるジョイスのオフィスを訪ねた。

ジョイスは椅子の上に積まれた本を片付けて、私のために場所を空けてくれると、時をおかず、私が学んだことのすべてに疑問を投げかけてきた。彼女は、チャタルヒュユクの家々は基本的にすべて同じ形をしているという考え方に深く疑問を抱いている。トリンガムが行ったディドの家の発掘調査によって、チャタルヒュユクには決して一種類の「理想的な」家など存在しなかったことが明らかになった、とジョイスは考えている。私は、トリンガムと初めて会ったとき、彼女が発掘図にディドの家の部屋の輪郭を書き写しながらした説明を思い出した。ディドは、ホダーが言うところの「フラットな社会構造」の最盛期に住んでいたが、彼女の家族が単なる貯蔵以上の目的で部屋を増築したことを示す強い証拠があった。かまどの部屋から離れた所に、寝室か仕事部屋と思われる小さな部屋が二つある。トリンガムは、メインのかまど部屋とそれらの小部屋の間の出入り口が、家の寿命が尽きたある時点で、まるで住人が引っ越したか、死んだかのように壁で閉じられたと説明した。

当時、私はディドの家が街の他の家と似ていることに注目していた。しかし、ジョイスはその部屋数が刻々と変化することに目を留めている。おそらく、チャタルヒュユクではこのような可変性が普通だったのだろう。われわれは「平等主義」という仮説に夢中になりすぎて、目の前にある可変性の証拠を見逃してきたのだ、とジョイスは言った。私は、彼女が正しいかもしれないと認めざるを得なかった。私は五〇年前のジャーナリストたちが、メラートの提唱する女神崇拝の母系制という考えに熱中していたことを思い起こした。平等主義的な社会への憧れが、社会階級の証拠に目をつぶらせていたのかもしれない。さらにジョイスは、家の大きさだけが階層を測る方法ではないと続けた。チャタルヒュユクの精巧に装飾されたヒストリーハウスは、世帯間の不平等を示すサインかもしれない。「不平等は、たとえささやかなものであっても、その違いから生まれるのです。象徴的な媒体で埋め尽くされた家とそうでない家があります。これを不平等でないと言うのはおかしな話です」。彼女はひと息ついて、肩をすくめた。「申し訳ありませんが、このような家は平等な人々の家ではありません」。

ジョイスは、チャタルヒュユクの人々が社会的階層をどのように理解していたのか、根本的にはわからないと指摘した。もしかしたら社会階層は、穀物箱の数や漆喰に塗り込めた牛の頭の数とはあまり関係がないのかもしれない。もしかしたら、特殊なボディペイントを施したシャーマンがいたかもしれないし、彼は何千年も残ることのできない腐りやすい服を着ていたかもしれない。都市に住む誰もが、ある特定のシャーマンをリーダーとして認識していたかもしれないが、考古学的な記録では、必ずしもその地位が証明されていない。社会的地位が必ずしも物質的な豊かさにつながるとは限らない、とジョイスは言う。それは秘密や特別な場所、排他的な集まりへのアクセスを意味することもある。そして社会的地位は、家や骸骨の跡には見られないものなのだ。「社会階層とアクセスは、人の体に現れないもので測れるのです」と、彼女はつぶやいた。「建築的なサインがなくても、階層的な支配者を得ることがありますし」。ジョイスの視点は、チャタルヒュユクの解決しがたい対立に微妙な差異を与えるものだ。ひとつはフラットな社会構造を求める伝統主義者と、そうでない人々との間の対立。そしてもうひとつは新興エリートと下層階級との間の対立。

都市の寿命が終わりに近づくにつれ、この緊張は別の社会的変化によって悪化した、とホッダーは言った。都市の住民は、他の都市や原材料を採取する採石場まで長距離を移動するようになった。城壁の外にも選択肢があることに気づき始めた。新石器時代の人々がよく持っていた装飾された、粘土の印章（おそらく個人のアイデンティティを示すためのもの）は、携帯可能な工芸品としてだけでなかった。チャタルヒュユクの人々は、一〇〇キロ以上離れた近隣のコミュニティと交易し、宝石、籠、陶器、貝殻、それに黒曜石などの原材料、さらには刃物を作るための図などを交換し合っていた。このような交易ネットワークは、都市化が進むにしたがって、常に遠隔地のコミュニティとの社会的つながりを伴っていたことを示唆しているが、都市の終焉が近づくにつれて、このようなコミュニティ間の移動がより一般的になっていった。人々のアイデンティティ（帰属意識）は、特定の建築環境との結びつきが弱まり、交易品との結びつきが強まった。集落を行き来し、遠方から持ち込まれた多くの品々を目にするうちに、チャタルヒュユクが特別なものではなくなったのかもしれない。この場所は、その魅力を失いつつあった。

デスピット（死の穴）

「新石器革命」という言葉を生み出した人類学者V・ゴードン・チャイルドは、一九五〇年に都市の定義も作り、それは現在も考古学に影響を与え続けている。チャイルドは、都市であるためには、高密度の人口、記念碑的建築物、象徴的芸術、専門化、貨幣と課税、文字、長距離貿易、余剰財、複雑な社会階層などを持つ集落でなければならないと主張した。この定義に従えば、チャタルヒュユクはせいぜい原始都市である。貨幣も文字もモニュメントもなく、おそらく単純な階層構造しかなかったであろう。ホダーはこの遺跡を都市ではなく、街と呼ぶことに賛成している。「チャタルヒュユクは古典的な都市の定義には当てはまらない。特別な活動をする地域もないし、街のあちこちでいろいろなことをすることもない。儀式から経済生産まで、すべて家の中で行われていたのです」。

それでも、チャタルヒュユクを都市と考えるには十分な理由がある。UCLA（カリフォルニア大学ロサンゼルス校）の人類学者モニカ・スミスが書いているように、チャイルドの枠組みは「密集した人口の最も複雑なもの」[13]を相対的に定義することを意図している。チャタルヒュユクは当時にとっては都市であり、周辺のどの集落よりも複雑であったと言えるかもしれない。スミスは、今日の考古学者も、厳格な階層構造を持たない都市は可能だと考えている——その代わりに必要なのは、「目に見える労働力の投入と、その後の持続可能な社会ネットワーク」だと付け加えていた。

このスミスの指摘は、数千年後にレバント地方に出現したウルクのように、文字、税制、貨幣、巨大なジグラットを備えた都市になる前に、なぜ人々がチャタルヒュユクを去ったのかという謎を解くのにも役立つかもしれない。つまり、都市とその社会的ネットワークを維持するために必要な労働力が、もはや間に合わなくなったのである。これは、歴史学者ジョセフ・A・テインターが、著書『複雑な社会の崩壊』[14]で展開した壮大な理論のエッセンスをなすもので、大きな影響を与えた。彼は、ほとんどの社会は、人々が都市の物理的・社会的インフラへの投資に対して「減少する限界利益」〔限界利益とは売上から変動費を引いた時に残る利益〕を得たときに、その結合力を失うと主張している。ローズマリー・ジョイスは別の言い方をした。「都市に住んでいると、他人の家の壁が自分の上に落ちてくる。道に物が溜まって、それが自分に影響する。そして、多くの仕事を引き受けることになるのです。チャタルヒュユクは何世代にもわたって魅力的な投資先だった。そして、それが衰退するのを補うだけの魅力がなくなってしまったんです」と。終末期を迎えたチャタルヒュユクに住んでいた人々は、崩壊していく建造物にまちがいなく向き合っていたにちがいない。しかもそれを修繕する人々の数が少なくなっていく。その場から立ち去ることは大変なことだが、チャタルヒュユクを破壊しかねない問題を解決するより、それは簡単なことだった。

チャイルド以降の都市の定義で最も影響力があるのは、歴史家のウィリアム・クロノンで、彼は『自然の大都市』[15]の中で、都市はそれを支える農村や農業地域によって、ある程度までは定義されると主張した。クロノンはシカゴという工業都市について述べているが、彼の考えは、都市としてチャタルヒュユクを理解する上で極めて重要である。つまり、クロノンは農業の複雑性が都市化の重要な要素だと訴えた。チャタルヒュユクでは様々な作物を栽培し、動物を飼育していたことがわかっていて、農作物の取り入れには多くの時間がかかったことだろう。また、八・二Kイベントの気候変動によるトラブルや、河川の流路変更も大きな負担となったにちがいない。しかし、農業が立ち行かなくなったからといって、街が完全に見捨てられたわけではなく、食料不足のため、一部の家族がこの地を去ることになったという証拠は十分にある。

チャタルヒュユクは都市と原始都市の間のグレーゾーンを占めていたが、その放棄は都市史に繰り返し登場するパターンに合致する。気候の変化で農業が難しくなり、社会的・文化的な傷跡が残っているため、隣人同士が互いに離れればなれになっていく。廃屋が出るたびに、残された人々の仕事が増えていき、屋上の歩道が崩れないようにするために、彼らは必死で働く。やがて、個々の放棄が時間をかけて積み重なり、大規模な行動へと発展していった。しかし、このプロセスには何世紀もの時間がかかる。都市の歴史の後半を生きていた人々にとっては、この場所がいつの日にか、空っぽになるとは思ってもみなかったかもしれない。

コンヤ平原に点在する集落で、村の生活に戻るためにチャタルヒュユクを離れた人が多い一方、彼らが残したような都市に引き寄せられた人々もいる。イギリスの考古学者スチュアート・キャンベルは、そのうちのひとつの場所について恐ろしい話をしている。彼は、チャタルヒュユクから東に約一三〇キロ離れたドムズテペという遺跡で発掘調査をしていたとき、同僚とともに「死の穴《デスピット》」と呼ばれる残酷な儀式の跡を発見した。ドムズテペは、チャタルヒュユクが終焉を迎えようとしていた頃に建設されて、数千人の居住者を誇り、数世紀にわたって存続した。チャタルヒュユクの住民のほとんどが家を捨てた後で、大衆社会が栄えた場所のひとつであり、西遺丘文化との連続性を示す証拠を見ることができる。家屋は大きく、しばしば赤黄土で装飾されていたが、以前の東遺丘のように床に骸骨が埋まっていることはなかった。

実際、キャンベルと発掘調査チームは、約四〇人分の遺骨を収めた「死の穴」を発見するまで、ほとんど骸骨を発見していなかった。骨の多くは祖先と思われる古い骨格で、粉々に砕かれ、厚いセメント状の粘土に混ぜられて、数頭の牛や他の動物の残骸の上に重ねられていた。饗宴の後、人々は骨をちりばめた粘土で空洞の塚を作り、そこにさらに人骨を詰めた。この穴には、片側が潰れたような頭蓋骨を含む、亡くなったばかりの人々の骨が入れられていた。キャンベルらは、こうして頭蓋骨を砕いたのは、死後、直接脳をすくい取るためではないかと推測している。

ドムズテペの人々が「死の穴」を掘ったのは、彼らの街の中でも特別な場所、集落の中心を貫く七五メートルの「赤いテラス」の隣りだった。赤いテラスは、おそらく一メートル以上の高さがあり、高架歩道や儀式用の境界を作るために、ドムズテペの人々は何百年もかけて、輸入した赤土を白い漆喰で挟んだ層を使って作り上げた。赤と白の壁が街の一角を仕切り、街の景観の中でひときわ目を引いたことだろう。「死の穴」を掘るために、ドムズテペの住民は「赤いテラス」の一部をすくい取り、その下を掘らなければならなかった。そして、死骸を埋めた後、たき火をして灰の層を作った。キャンベルたちは、その火が遠くからでも見えただろうと推測している。巨大な炎は、人間の死体と粘土で作った構造物の上で轟々と燃えていて、街の力の象徴だったにちがいない。キャンベルは、この炎を、人々がいかにして場所とアイデンティティを結びつけたかの一例であり、われわれがチャタルヒュユクの家屋に見る習慣と呼応するものだと評した。

違いは、「死の穴」が大規模な公的儀式の一環として作られたことだ。これは、家庭の利益のために、家の床下に埋められた祖先の骨ではなく、都市のほぼ全域に広がる壁の横に埋められた、この日のために殺されたばかりの数多くの遺体である。ドムズテペの都市は、後期新石器時代の人々がチャタルヒュユクの世界を超えようとした例と考えることができるだろう。ここでは、境界壁は単に私的な領域を切り取るだけでなく、呪物的な造形で中央の公共モニュメントを形成し、差異とヒエラルキーへの憧れを示唆している。また、「死の穴」の儀式は、街をあげて多くの牛を焼く饗宴、祖先の儀式、生け贄を行うほどの権威を持った人物や集団が主導していたにちがいない。チャタルヒュユクで見られるような階層的な構造が、ドムズテペでも開花していたようだ。私はキャンベルの話を聞きながら、チャタルヒュユクに住む人々が、この都市のフラットな社会構造に不満を抱いていたことを考え続けていた。もしかしたら、そのうちの何人かはチャタルヒュユクを捨ててドムズテペの仲間になったかもしれない。

キャンベルは、「死の穴」に関する論文の中で[16]、骨と火を使った儀式は血なまぐさい暴力行為ではなかったと指摘している。むしろ、人々を土地に結びつける変幻自在の儀式だった。「死の穴」は、人間の遺骨を粘土のように扱う場所だった。人間の骨は都市の骨となる。キャンベルは、現代社会では生者と死者、生者と無生物を厳密に区別していると説明する。しかし、われわれの分類は「過去の信念を反映していないかもしれない」とキャンベルは書いている。もしかしたら、「死の穴」は、人間の血と骨が象徴的に都市を活性化させる、つまり、都市に生命を与える行為でもあったのかもしれない。

新石器時代の想像力では、家や都市は人間や社会と等価なのかもしれない。都市は生きている。

道具であり、祖先であり、コスモロジーであり、歴史である。われわれが都市を後にするとき、われわれ自身の一部もまた後に残される。しかし、次の場所の街路を歩くとき、良くも悪くも、再び自分自身を発見することができる。

II

ポンペイ

街路

4　アボンダンツァ通りの暴動

チャタルヒュユクの人口が、西遺丘から流出してから約五〇〇〇年後、ほぼ同じ人口の都市が六メートルの高温の火山灰の下に埋没した。徐々に、自ら進んで街を離れていったチャタルヒュユクの人々と違って、ポンペイの一万二〇〇〇人の住民は、突然の喪失に見舞われた。紀元七九年、ポンペイの人々は、恐ろしく激しい火山噴火によって、自分たちの街が消滅するのを目の当たりにし、一生その恐怖に悩まされたにちがいない。地震によって海岸線が城壁から一キロメートルも離れ、ヴェスヴィオ山は火山灰をまき散らし、肥沃な農園を不毛の荒れ地にしてしまった。災害後、ポンペイからの避難民は、近隣の海岸沿いの都市、クーマエ、ネアポリス（ナポリ）、プテオリ（ポッツオーリ）などに逃れた。この大惨事については、たった一人の人間の証言が記録されているだけだ。

一七〇〇年代になって、ナポリ王カルロ七世に仕えた技術者たちが、計画的に発掘を始めた。その場所は、固まった灰の下にそのまま保存されていたために驚きの連続だった。他のローマ遺跡は、浸食された大理石の山に埋もれたり、近代都市の下に埋もれたりしていた。しかし、ポンペイでは、神殿の豪華な供物から持ち帰り用の価格表まで、すべてが保存されていた。初期の調査者たちは、発見したものを丁寧に記録したが、金や宝石、貴重なモザイク画を略奪することにほとんどのエネルギーを注いだ。しかし今日、考古学者たちは、ローマ帝国最盛期の日常生活を垣間見るためにポンペイを訪れている。ローマやイスタンブールのように占領され続けた都市では、通常消去されてしまう風変わりな文化的痕跡が、この都市では時間の中で凍結され、あるいは焼かれていたのである。

チャタルヒュユクでは、まちがいなく家が生活の中心であったが、ポンペイでは通りですべてのことが起こった。店、浴場、タベルナ(居酒屋)で、人々は生活し、働き、計画を立て、新しい友人と出会った。ローマ人は街頭で、新しいタイプの公共生活(それは法律で規定され、社会的規範によって強制された)を発明した。セメントや土を固めて作った歩道では、あらゆる階層や経歴の人々が混在していた。超富裕層が所有する古い別荘《ヴィラ》が、解放奴隷の仕事仲間たちの近くへと広がり、三大陸からやってきた裕福な旅行者が、タベルナで町のバーテンダーと肩を並べている。富裕な女地主は、風俗嬢が自分の部屋から男に声をかけているのを横目で見ていた。ポンペイの街角の風景とそれに関連する娯楽ほど、ポンペイの日常生活を体現しているものはない。

ポンペイが消滅したのは、ローマ史の極めて重要な時期だった。それはちょうど、共和制の古い社会階層が崩れ去り、その代わりに急進的な新しい思想が生まれつつあった時代である。一般人たちが、ローマ貴族の支配に挑戦し、それに勝利することができた。噴火で空は灰に覆われたが、ポンペイの人々はゆっくりとした社会革命の真っ只中にいた。ポンペイの街は、バーや浴場、売春宿が立ち並び、汚い落書きで汚れていたが、そこには、こうした変化が残した足跡を見ることができる。

女神イシスとピグミー

ポンペイの歴史は、紀元前四世紀に始まる。[1] ナポリ湾に面した賑やかな港町は、ローマにとって不安な同盟相手であったサムニウム人に支配されていた。住民はオスキ語を話し、サムニウムの神々を祀る神殿を建て、近くのヴェスヴィオ山の斜面の肥沃な火山性の土壌を耕作していた。住民は湾で漁をし、地中海の都市と交易をした。経済的に豊かで、海と内陸の大きな河川網の結節点に位置するポンペイが、ローマ帝国の征服対象であることは明らかだった。しかし、少なくとも二世紀の間、ローマはポンペイを同盟国として扱い、ポンペイが戦争に兵士を提供する限りは満足していた。紀元前九一年、ポンペイと南イタリアのいくつかの町は、ローマとのいわゆる同盟市戦争に突入し、事実上の従属国家として数世紀にわたって仕えてきた後で、さらなる権利（ローマ市民権）を獲得しようとした。[2] 苦闘の末、紀元前八〇年、ルキウス・コルネリウス・スッラの率いるローマ軍がサムニウムの抵抗を鎮圧した。ポンペイは完全にローマの都市となり、スッラは何千人もの引退したローマ兵をそこに強制的に移住させた。ローマ化した新住民は、サムニウムの神殿をローマのものに改築し、[3] ポンペイの公用語はラテン語になった。

このような植民地時代の歴史が、ポンペイの多言語文化の基調となっていた。ローマ時代とはいえ、ポンペイにはサムニウムのコミュニティがあり、メフィティスのようなオスキの神々を公然と崇拝していた。ヴェスヴィオ火山が噴火する直前まで、人々はポンペイの壁にオスキ語で落書きをいる。
続けていた。また、移民文化も盛んで、ローマ帝国以外では北アフリカの王国の影響を強く受けて

夏の盛りにローマから列車を降りた私は、明らかに私と同じ目的で来たと思われる退屈そうな小学生たちと一緒にポンペイに到着した。現代のポンペイ（Pompei）市は――古代の二つの「ｉ」（Pompeii）ではなく、ひとつの「ｉ」で綴られる――主に遺跡に興味を持つ観光客の要求に応じている。ローマ時代の兜やジェラートなどの屋台を覗き、西側の海を見下ろす豪華なヴィラへと向かう人が多い。しかし私は、まず南部の静かな地区を歩き、北アフリカの影響を探った。ポンペイ人が行政機関や少なくとも十数棟の神殿を建てた、形式ばった市街地であるフォーラム（公共広場）のすぐ近くに行ってみる。このような記念碑的な建物の中に、私はエジプトの女神イシスの神殿の崩れかけた栄光を発見した。かつては色とりどりの柱が立っていた台座も、今では一様に灰色の石造りになっている。この豪華な隠れ家は、周りを囲う外壁だけが残っており、その広さは、神殿と神官の住居に注ぎ込まれた資金の大きさを語っていた。イシスの崇拝者たちの、ナイル川での生活を描いた豪華なフレスコ画は、現在、ナポリ考古学博物館に永久保存されている。一世紀、ポンペイではイシス信仰が大流行し、特に裕福なローマ女性はアフリカから導入されたこの女神に熱狂した。

イシス神殿の角を曲がると、スタビアーナ通りと呼ばれる大通りがある。通りは緩やかな坂道を下りながら、古代都市の主要な入り口のひとつであるスタビア門へと続いている。数千年前、この通りの両脇には二つの劇場、数十軒の酒場、そしていくつかの別荘が並んでいたことだろう。イシスを祀る祝日には、神殿を管理する女性たちが率いる、コスチュームを着てお祭り騒ぎをする人々

で、スタビアーナ通りは賑わったにちがいない。しかし、今日は発掘調査のために門が閉ざされ、歩けば歩くほど、街の名所を訪れる騒々しい観光客の声が聞こえなくなった。私は縁石に腰を下ろし、スタビア門からアーチ道を眺めた。私の背後では、どこにでもある茶色いレンガの壁が崩れ落ち、乾燥した雑草と丈夫な野草の茂る区画が広がっていた。三階建ての家の下層に作られた店先では、歩行者やラバが引く荷車、商人たちが商品を売り歩いている――そんな光景を想像していた。しかし、今、この通りは本当に見捨てられていて、生活もその背景もない。

するると、まるで魔法のように、ケンブリッジ大学の著名な考古学者アンドリュー・ウォレス＝ハドリルが姿を現した。腰の高さまで伸びた雑草が生い茂る住宅街の路地から、白い髪を後ろになでつけて、リネンのスーツを着た颯爽とした人物が現れたのである。まさに、その場にふさわしい登場だった。ウォレス＝ハドリルは、この遺跡の新しい調査方法を開拓した考古学者たちの間でも、特に有名だ。彼はフォーラムでのエリートの政治的駆け引きよりも、家屋での家庭生活に焦点を当てていた。[4] どうやら学会でこの街に来ていて、新しい発掘の様子を見に行くことにしたようだ。私は彼がローマ時代の家屋に興味があることは知っていた。アフリカがこれほどまでにフレスコ画に登場するのはなぜなのか、彼に尋ねてみた。フレスコ画といえばローマ神話やギリシャ神話が一般的だが、ポンペイの家ではアフリカの風景が多く描かれている。イシス神話のように崇拝的なものもあれば、古代ローマ時代の人種差別的なサンボ（黒人）風刺画のように、アフリカ人を風刺したり、屈辱的なポーズで描いたものもある。

ナポリの美術館で見た、いわゆる「医者の家」の絵が気になった。旧約聖書の名場面をピグミーが再演したものだ、と学芸員は説明している。ソロモン王は赤ん坊の母をめぐる争いを、「赤ん坊を半分に切って、それぞれの女性に平等に与える」と脅した。そして、王の脅しに応じて、赤ん坊を手放した女性が真の母親であることを明らかにした。フレスコ画では、漫画的に描かれたアフリカのピグミーがすべての役を演じるシーンが描かれている。剣闘士の兜をかぶり（それが彼の頭を小さく見せた）、もがき苦しむ赤ん坊に肉切り包丁を突きつけるソロモン。それを見ている二人の女性、色が濃い方は毒々しい笑みを浮かべ、色の薄い方は悲しげに目をそらしている。それはまるで、古代世界の人種差別的なユーモアのように見えた。

ウォレス＝ハドリルは、私の解釈に同意しながらも、聖書の一場面かもしれないという見方に、声を上げて笑った。「そう呼びたがるが、どこにもソロモンの裁きとは書かれていません」と彼は説明した。「エジプトの王についての神話である可能性が高いが、われわれは聖書を知っているので、それを『ソロモンの審判』と呼んでます」。ウォレス＝ハドリルによると、ローマ人がフレスコ画にピグミーを使って、エジプト文化を表現することはよくあることだという。ある絵では、ピグミーがペニスの形をした船に乗って、精子の川を泳いでいる。また他の絵では、ナイル川の華やかな風景に、リアルなアフリカの人々の仕事や儀式が描かれ、彼らに敬意を表しているものもある。イシス神殿が示すように、この街ではエジプトの神々が崇拝されていた。ポンペイに見られるこのような崇拝と憎悪の入り混じったイメージは、エジプトの政治権力に対する文化的な意識の高さを物語っている。ある者はそれを受け入れ、またある者は軽蔑した。しかし、誰もそれを無視することはできなかった。

また、ポンペイには、現在のチュニジア北部やアルジェリアを中心としたフェニキアから、アフリカが流入してきたとウォレス＝ハドリルは付け加えた。フェニキアの都市カルタゴは貿易の中心地であり、戦乱の多かった共和制時代には、この地域の支配権をめぐってローマにたびたび挑戦していた。ポンペイ人がフェニキア世界と多くの取引をしていたことは、ウォレス＝ハドリルが言うように、「ポンペイはエブスス（現在のイビサ）のコインを大量に使っている」ことからわかる。イビサ島は、現在のアルジェリアとスペイン（両地ともローマ帝国の魔の手に落ちていた）の間に位置するフェニキア領で、ポンペイ名物の発酵魚醬「ガルム」もフェニキアに由来する。また、ポンペイの建築もフェニキア時代の様式を取り入れていた。大きなブロックを小さな薄いレンガの間にT字型に並べるレンガ積みが一般的だが、これはフェニキア世界から直接借用したものだ。ローマ人の間では、このようなレンガの積み方を「アフリカヌム」（アフリカ風）と呼んでおり、その起源は明らかである。

ウォレス＝ハドリルに別れを告げて、私はスタビアーナ通りをイシス神殿まで引き返し、通り過ぎた壁の中にアフリカヌムを探した。突然私は自分が、何千年も保存されてきた古代ローマの純粋な、蒸留された様式の中にいるわけではないことに気がついた。ポンペイは北アフリカとローマの伝統を融合させ、独自のものを作り上げたのだ。そして、ニューヨーカーがみんな同じではないように、ポンペイの人々もみんな同じではなかった。

ユリア・フェリクスが築き上げたビジネス

ポンペイの住民のほぼ全員の名前が不明で、発掘者は建物から発見された美術品などから「悲劇詩人の家」「外科医の家」などと呼んでいる。同様に、街の通りも、長い年月をかけてさまざまな調査者たちがつけた現代的な名前で知られている。その中で、所有者の名前が残っている数少ない建物のひとつが「ユリア・フェリクスの家」である。街の最北東部に位置し、イシス神殿から街の向こう側にあって、一ブロックを占める広大な敷地だ。火山が噴火した日、その正面に描かれていたのは、店舗と共同住宅の賃貸広告だった。

スプリウスの娘ユリア・フェリクスの敷地内で、立派な人々のための優雅な浴場、上階に部屋のある店、および共同住宅を賃貸する。賃貸の期間は、来る八月一三日から六年後の八月一三日までの五年間。リース（賃貸借）契約は五年後に終了する。(5)

ユリア・フェリクスについて書かれた記録はこれだけである。ポンペイの東側にある彼女の家から、スタビアーナ通り近くの劇場や神殿のある地区までを貫く大通りのアボンダンツァ通りに、巨大な土地を所有していたのだから、彼女はさぞかし裕福だったにちがいない。また、ユリアの敷地は七九年までの間に大きく変化して、隣の敷地と合体するように拡大し、かつて両者の敷地を隔てていた路地を飲み込んでしまったこともわかっている。敷地内には大きな浴場や十数軒の居酒屋《タベルナ》も建てられ、地所はもっぱら商売に使われるようになっていったようだ。

かってはユリアや前の所有者の別荘（ローマ時代の邸宅に相当）だったかもしれないが、次第に高級クラブやスパのような施設に変化していった。古代ローマの浴場は体をきれいにするためのものではなかったが、たまには客も、少し小ぎれいになって出てくることがあった。浴場は本来社交場であり、人々は湯につかりながらビジネスやニュースについて語り合った。ユリアの浴場では、日陰の庭の噴水の横で、巻物（スキャンダラスな新しい詩が書かれている）を読んだり、近くの長椅子で午後の昼寝を楽しんだりすることができた。また、敷地内にあるタベルナで食事をすることもできた。

ユリアの浴場は、活気のあるアボンダンツァ通りに面しており、おそらく、地元の人々や観光客が多く訪れる場所だったのだろう。彼女の賃貸広告が示しているように、店を構えるには絶好の場所だった。この通りは、近くのサルノ門から入ってきて、パエレストラと呼ばれる野外の大きな体育館で剣闘士の練習を見たり、ユリアの所有地から道なりにある、巨大な円形競技場で試合や催しを見たりする観光客の足でごったがえしていた。ポンペイのホームチームの剣闘士と、近隣のヌケリア（現ノチェーラ）植民地の剣闘士との間で暴動が起こり、五九年には皇帝ネロが、ポンペイを「公共の脅威」と宣言したほど、この地域は騒がしいことで有名だった。騒動があまりに激しかったために、ネロはポンペイでの剣闘士競技を一〇年間禁止してしまった。

五九年の暴動の足跡をたどるため、私は南東から街に入り、円形競技場のすぐそばを通った。この場所は今でもコンサートで使われており、私はちょうどキング・クリムゾンの公演を見る機会を逸していた。かつては、ヌケリア人とポンペイ人が剣闘士の試合で殺し合った場所である。北に向かって歩くと、円形競技場と円柱（剣闘士の練習場を囲んでいる）の間を通って、ブドウ畑（街の最盛期には場違いな感じはなかった）に縁取られた路地に入った。

暴徒たちが背後にいることを想像しながら、アボンダンツァ通りを左折すると、そこはユリア・フェリクス宅の玄関先だった。通りから玄関まで太い階段が続いているが、訪問者は歩道を迂回することができ、歩道はそのまま庭園と浴場に通じている。門から中を覗いてみた。大理石の柱や造園をうかがわせるものはなくなり、「貸します」の看板もなくなっていたが、邸宅の風格はまだ感じられる。アボンダンツァ通りの一ブロックを占め、さらに角を曲がると「ジュリア・フェリーチェの小径」（ユリア・フェリクスの小径）が続く、巨大なL字型の敷地である。玄関を入ると、ユリア・フェリクスが来客を迎えたであろうアトリウムがあり、その向こうには庭園が広がっている。左手には、大理石のカウンターを備えた酒場と浴場がある。その角を曲がると、さらにバーや貸切の個室があった。ユリアの敷地は「インスラ」（島）と呼ばれ、正方形の一ブロックで、その半分以上が客人を迎えるために、青々とした果樹園と庭にあてられていた。

アボンダンツァ通りは狭いので、通りすがりの人が暴動に巻き込まれることは十分に想像できた。そんな時、ユリアの借家人たちは何をしていたのだろうかと思った。庭から外を眺めていたのだろうか？　ワインをがぶ飲みして、暴動に参加していたのだろうか？　もしユリアもここにいたとしたら、おそらく彼女は二階から見ていたはずだ。そこは人々が普通に生活している家の中でも、人目につきにくい場所だったから。彼女もまた剣闘士たちが殴り合うのを見たかもしれないし、タベルナを略奪するのを見たかもしれない。

五九年の暴動は、ユリアの家の近くでしばしば起こっていた、酔っ払いの大騒ぎを極端にしたものに過ぎない。この暴動に対処するため、ユリアはアボンダンツァ通りにある自宅の入り口を塞いだ。しかし、七九年、ユリアは新しい入り口をいくつか作り、浴場の常連客だけでなく、通りすがりの人々にもサービスが提供できるように、タベルナを増やすスペースを確保したのである。ユリアが手がけた豪華な施設は、疲れた歩行者や小銭を使う人々にとって、最高の隠れ家だったにちがいない。

ユリアの家はまた、一八世紀に始まった発掘調査で、この街で最初に発見された建造物でもある。ウェズリアン大学の考古学者クリストファー・パースローは、四〇年近くユリアの所有地を調査していて、彼によると、この建物が最初に姿を現したのは約三〇〇年前、農夫が自分の畑から突き出た大理石の柱の頂部を発見した時だったそうだ。当時ナポリ湾を支配していたスペインのブルボン家の王、カルロス三世は、すでに他の二つの灰に埋もれたローマ都市、ヘルクラネウムとスタビアエの発掘に資金を提供していた。啓蒙主義的な価値観で知られる国王は、古代史に魅了され、スイス人技師カール・ヤコブ・ウェーバーを派遣して、この農夫の発見を検証させた。ウェーバーはさらに掘り下げると、豪華な大理石の円柱の列――現在までにポンペイで見つかった唯一の大理石の円柱群――と、それを囲む印象的な建物を発見したのである。ユリアの広告によると、この建物にはかつて大きな上階があったらしいが、ウェーバーのつるはしとシャベルを使った、手間のかかる発掘技術によって、噴火後に残っていた上階がなくなってしまったようだ。しかし、それは王を説得するのに十分であり、さらに発掘は進められるべきだった。しかし、ユリア・フェリクス家はその後埋め戻され、二〇世紀になって再び発掘された。そして、ポンペイの遺跡が世界に注目されるきっかけとなったのが、他ならぬ彼女の建物だった。

しかし、この建物のオーナーだった女性のことは、まだほとんどわかっていない。パースローの話によると、噴火の日まで長い間、彼女がこの家に住んでいたと信じられていたそうだ。庭で宝石をつけた骸骨が発見され、それがユリアだと思われていた。「彼女がその骸骨だと私は思わないよ」とパースローは苦笑いしながら言った。「(骸骨が)女性かどうかもわからないんですから」。彼は彼女が敷地内に住んでいたとも思っていない。「彼女の家は個人の住宅に似たデザインですが、内部の空間がつながっているという点で、あまりにも公共性が高いのです。プライベートな家であるはずなのに、プライバシーがあまりにないんです」。もし彼女がこの家に住んでいたとしても「彼女の寝室はどこでしょう?」と彼は問いかける。来客の「往来が激しいので、寝室を作る場所がないのです」。彼は、ユリアは相当広い地所をどこか別の場所、おそらくポンペイの別の場所から管理していたのではないかと推測している。ユリア・フェリクス邸についてはどうなのか?「エンターテインメントのために作られたのだと思います」と彼は言った。「食事をしたり、「浴場で」もてなしをしたりするためのものです」。

しかし、ユリアは自分の土地に誰でもいいから入ってきてほしいとは思わなかっただろう。「そこはエレガントな雰囲気だった」とパースローは言う。大理石の柱だけでなく、敷地全体が芸術的に装飾され、庭には噴水の上に小さな橋がかかっているなど、細部に至るまで精巧な造園が施されていた。広告にあるように、ユリアは「立派な人々」を相手にすることでお金を稼いでいたのである。

ユリアがこの施設を所有するには、多くの障壁を乗り越えなければならなかった。彼女が生きていた頃のローマ法では、女性は「後見人」（通常は父親）を通して財産を管理しなければならないとされていた。[6] しかし、ユリアはそのような立場にはなかったようだ。借家広告から判断すると、女性は選挙に立候補も投票もできないが、財産を所有することはできる。起業家になることも、強力なカルトのパトロンになることも可能だった。イシス神殿とユリア・フェリクスの所有地が残した大きな足跡は、ポンペイにおける女性の権力と、女性がいかに町の景観を変えていたかを示すものだった。

ネロは実際に良いことをいくつかした

ユリア・フェリクスが街で自分の店を経営するまでには、少なくとも三世代の若者たちによってユリウス法は挑戦され、修正が施された。女性に対する規制は、大きくなったり小さくなったりしていた。特にネロ帝は、女性の慎み深さについて厳格な考えを強制することに消極的だったようだ。カルガリー大学古典学科教授のリサ・ヒューズは、この時期のポンペイの劇場を研究している。その話をするためにカフェに行ったとき、私は彼女が発した言葉に驚かされた。まとまりのない茶髪の髪を耳にかきあげながら、ヒューズははにかんだように笑う。「ネロ、大好き！」。

私は驚いてコーヒーをこぼし、あやうく、メモを取るために使っていたノートパソコンにコーヒーがかかりそうになった。彼女はナプキンで汚れを拭き取るのを手伝ってくれた。「ネロって、ふだんはそんな風に言われていませんよね」と私は笑った。

ヒューズは、よくそういう反応をするのか、肩をすくめた。「ネロは女性にとって素晴らしい存在だったんです」。

ネロは、強力な象徴的女性を輩出した長い家系の出身である。彼の母小アグリッピナは、兄カリグラ、夫クラウディウス、母大アグリッピナなど、自分の家族の歴史について人気のある回顧録を書き、悪名高い政治家となった。彼女はアウグストゥス帝の直系だったので〔ユリア・アウグスタ・アグリッピナと名乗った〕、父親の名前を無視したが、明確に自分が地所を所有して、借り手になる者とじかに交渉することを自ら取り決めていた。その理由として考えられるのは、紀元前一七年にアウグストゥス帝が女性の性行為や生殖行為を規定するために作った、いわゆる「ユリウス法」に由来する。ユリウス法の下では、ユリアのような自由の身に生まれた女性は、三人の子供を産めば、自分の財産を管理する権利を得ることができた。もしユリアが元奴隷で自由民だったなら、同じ地位を得るためには四人の子供を産まなければならなかっただろう。[7] ユリアが裕福な階級の出身であったと仮定すると、おそらく若い一〇代のうちに結婚し、二〇代になるまでに何人かの夫がいた可能性がある。戦争で若い花嫁が未亡人になることはよくあることだし、離婚もさまざまな理由で広く認められていた。したがって、ユリアはおそらく三人以上の子供を産み、死んだ夫の遺産を管理できる立場にあったことが推測される。

ユリウス法とは、現代から見ればとんでもない法律だが、ローマの指導者たちはこれを非常に重く受け止めていた。アウグストゥスは自らを社会改革者と称し、共和制末期の若者の退廃的な習慣を抑制しようとした。ユリウス法は、女性にできるだけ多くの子供を産ませることを奨励するとともに、「性的に乱れた」とみなされた女性には厳しい刑罰を科すものだった。有名な話だが、アウグストゥスは紀元二年、自分の娘（ユリア）が、古代世界の自由恋愛に相当する行為を公にやめることを拒んだために娘を追放した。同時に、この法律を通して、ローマ世界には奇妙な自由化が忍び込んでいた。結婚を奨励するためにアウグストゥスは、自由の身に生まれた男性が、奴隷から解放された自由民の女性と結婚することを初めて許可し、彼らの子供を正統なものと認めた。これで、奴隷として生まれた女性が解放されて市民の妻となり、その子供も自由民となれる可能性が出てきた。

ポンペイの建築環境は、女性によってどのように形成されたのか、そしてその理由は何だったのか。それを理解することなしには、ポンペイの建築環境を十分に評価することはできない。帝政初期の政治的暴力の中でネロが権力を握ると、女性は家庭的な領域から公的な領域へと移行していった。彼女たちは、良い女性は家で夫や父、息子のために布を織るというローマの伝統に挑戦したのである。

退廃的な暴君として悪名高いネロだが、演劇や音楽を愛する大衆的な人物でもあった。演劇に出演し、これまでの指導者ならフォーラムでしたような政治的主張を演劇で行った。ネロの手法は、正式な演説ではなく、ソーシャルメディアやテレビ広告を使って自分の考えを広める、現代アメリカの政治家の手法と比較するのもまんざらまちがいではないだろう。ヒューズは、ネロが在位中、劇場に資金を注ぎ込み、そのために劇団の興行はピークに達したと説明している。ほとんど意図しない結果として、「ネロのもとで、劇場は開放され、より多くの女性が公演の一座に参入するようになったんです」とヒューズは言う。女性の座員が一般的になっただけでなく、彼女たちはプロデューサーやパトロンとして演劇界に参入した。ポンペイの噴火を生き延びたローマの文人小プリニウスは、自分のパントマイム一座を所有するウミディア・クアドラティッラ(8)という裕福な女主人のことを、やや不愉快そうに書き記している。

ポンペイには二つの公共劇場があり、娯楽は観光客にとって大きな魅力だった。ヒューズは、一世紀のポンペイで行われていた公演の、あまり知られていないトレンドのひとつ、個人宅の裏庭劇場について研究している。ポンペイには一一の裏庭劇場があったという。ヒューズは、裕福な人々が屋外の夕食時に、友人、取引先、政治上の同盟者などの選ばれたグループを招待して、裏庭の劇場で特別な公演を行っていたのではないかと推測した。ヒューズによれば、この現象は、女性の役割に対する社会の認識がより大きく変化したほんの一例だという。それがウミディア・クアドラティッラのような、裏庭の劇場で上演していたパントマイム一座の女性たちに、おそらく、ビジネスチャンスを提供したのだろう。そして、演劇は女性たちに経済的自立以上のものを提供した。それは、ローマ人が性別の役割を再認識する場でもあった。

ヒューズによると、ユリアとウミディアがビジネスを展開していた数十年の間に、ヘラクレスとリディアの女王オンファレの物語が急激に流行したという。ポンペイでは少なくとも二軒の家が、ヘラクレスとオンファレの神話の重要な場面――ヘラクレスが酔っぱらってオンファレの服を着る場面――を描いた精巧なフレスコ画を誇らしげ飾っていた。女王もまた、ヘラクレスの服を着たり、彼の武器を身につけたりしている。「モンテネグロ王子の家」のフレスコ画では、女王が通常は男性が座るテーブルの最上部に座っていた。「彼女は『ドムス』、つまり男性のパトロンの役割を担っているのです」とヒューズは考えた。「これは、女性が興行を運営し、劇場を経営していることを表しているのです」。

オンファレ神話は、ジェンダーに関する考え方を覆しただけでなく、民族に関する考え方も覆した。オンファレは、現在のトルコ西部に位置する地域出身の外国人女王であった。ヒューズは、この神話が、ローマ帝国各地からの移民――ある者は奴隷として、ある者は自由人として――で賑わっていたポンペイのような町の、価値観の変化にぴったり合っていたと考えている。「このような神話のイメージが作られたという事実そのものが、それを受け入れ、楽しむ観客やコミュニティが存在したことを証明しているのです」とヒューズは言う。フレスコ画や裏庭の劇場公演の観客は、単に公のエリートではなく、これらの家庭空間で働く奴隷や自由民だった。元奴隷や女性が着々と公共の場に出てきていた時代に、ヒューズは「彼らは自分のアイデンティティを確立しようとしているが、エリートを模倣しているわけではない」と説明した。むしろ、彼らが雇用されていた家庭空間で見た芸術や演劇から、インスピレーションを得ていたのかもしれない。「演劇は社会変革を促すための重要な場です」とヒューズは言う。そして、ポンペイは演劇が大好きな街だったのである。

厨房の人々

ポンペイの劇場街から北へ歩くと、やがて市門をいくつかくぐり、コンソラーレ通りと呼ばれる道路に出る。広く、よく利用されているコンソラーレ通りは、街の碁盤の目を斜めに貫き、郊外の田園地帯へと出て、ローマの金持ちや有名人の巨大な別荘の前を通る。この通りは、ポンペイと近くのヘルクラネウムを結んでいた。ヘルクラネウムは、ヴェスヴィオ山の噴火で灰に埋もれた小さな海辺の町で、多くのエリートが住んでいた。考古学者の中には、有名な演説家キケロが、街が埋没する約一五〇年前にコンソラーレ通りに邸宅を構えていたと考えている人もいる。七九年にここで埋もれて保存された別荘は、キケロの時代と同じように、皇帝やエリートが住むのにふさわしい豪華なものだった。ある日の早朝、私はコンソラーレ通りを歩いていた。街区に広がる邸宅の崩れかけた跡を通り過ぎると、かつては立派だった石造りのアトリウム（広間）がむき出しになっていた。アトリウムの中心にはインプルウィウムと呼ばれるプールがあったが、今は崩れ落ちて空っぽになっている。インプルウィウムとは、訪問者を感動させるための豪華な水場だが、実用的な目的もあった。プールは、コンプルウィウムと呼ばれる天窓から落ちる雨水で満たされていた。ローマではほとんどの家にインプルウィウム／コンプルウィウムが設置されていたが、この道路沿いのセットは荘厳な別荘にふさわしく巨大だった。

また、コンソラーレ通りにも墓があり、親族がお金を出して、記念碑を建てることができる人にとっては追悼の場所となっている。ローマ人が城壁の外に墓を建てたのは、宗教的な理由の他に、訪問者が城門をくぐる前に、街の有力者一族について知ることができるようにするためでもあった。

二〇〇〇年前、この道はヘルクラネウムとポンペイを行き来する歩行者や荷車でごった返していたのだろう。多くの人が今、私が周りに見ているのと同じ建物に目を奪われていたにちがいない。

しかし、私はある特殊な建物を探していた。それはサンフランシスコ州立大学の考古学者マイケル・アンダーソンとそのチームが発掘している「モザイク円柱のある家」だ。アンダーソンは、この通りを人々がどのように利用していたかに焦点を当てた、長期的な調査である「ヴィア・コンソラーレ・プロジェクト」(9)を管理運営している。私は地図を見ながら、どの廃墟が「モザイク円柱のある家」なのか、何度も行き来した。公園内の他の建物とは違い、目立った目印や看板はない。ただ、生い茂った庭に続くアーチ型のトンネルの入り口を塞いでいる門があるだけだった。

「こんにちは」と私は声を掛けた。人の気配がないので、ここがその家とは思えなかった。しかし、まもなくアンダーソンがトンネルの奥の角から顔を出し、手を振ってくれた。ゲートの鎖を外し、二〇〇〇年前に客が通り抜けたと思われる入り口に案内してくれた。アーチ型の壁は精巧なフレスコ画で覆われ、通路は荷車が通れるほど広かった。壁に囲まれた庭に出ると、そこは考古学の研究室がまるごと入っているような広々とした空間だった。テーブル、パソコン、陶器の入った箱、そして整然と並んだヘルメットなど、その場しのぎの作業スペースが大きな日除けで覆われている。学生や他の研究者たちは、かつて別荘のあった場所に掘った溝に行くために、この庭を出たり入ったりしていた。庭では、陶磁器のカタログを作ったり、かつて貴族たちが、この場所の名前の由来となった複雑なモザイクの柱を楽しんだ場所で土を調べたりしていた。今は、コンクリートむき出しの偽物の柱が四本、崩れて斜めに傾いている。

「モザイクの柱は、ナポリ博物館に運ばれて、この奇妙で粗末なコンクリート製のものに取り替えられたんです」と、アンダーソンは苦笑いを浮かべながら説明した。朝から暑い中、バンダナで黒髪を束ねている。耳には日焼け止めクリームがたっぷりついていた。「なぜ、わざわざこのような偽物の柱を作ったのかわからない。サイズも合っていないし、正しい位置に置かれていません」。

それはポンペイ考古学の実情を知るレッスンだった。研究者たちはしばしば、都市そのものだけではなく、都市の過去の復元物を発掘することになる。アンダーソンによれば、一九世紀の展示ケースや建築物の偽物の断片が発見されたという。展示のケースは一九一〇年代や一九五〇年代にもあった。草むらの中に、棺桶のような形の錆びた金属製の籠が二つあるのを見せてくれたが、これは一九五〇年代に展示されたサムニウム人の墓の跡で、ローマ時代の別荘の下に横たわっている。「この別荘が一九五〇年代に見せ物になった瞬間があるんです。その時の写真があります。水道を引き直し、ここの庭に噴水が流れていたんです。木が植えられ、偽物の柱が立っていた。そして、あっという間に忘れ去られた」。別荘の出入り口を発掘すると、一九一〇年に置かれたまぐさ石が見つかった。「何事も用心するに越したことはないですよ」と彼は言った。

ヴィア・コンソラーレ・プロジェクトを一四年間運営してきたアンダーソンは、二つの謎に取り組んでいる。この別荘は、街の最盛期にはどのようなものだったのだろうか？　そして今、二〇世紀の観光客のために、以前の発掘はどのように外観を変えたのだろうか？　ポンペイはメタ考古学の遺跡であり、考古学という分野の歴史とともに、古代の歴史を明らかにしている。

以前の世代の考古学者は、この別荘の裕福な所有者に魅了されていたが、アンダーソンはウォレス＝ハドリルの影響を受けて、一般人の家庭生活に興味を持つ新しい研究者の一人である。そのため、彼はすぐに庭から扉を通って、奴隷や「リベルティ」と呼ばれる解放奴隷が働いていたと思われる邸宅の台所へと私を連れて行った。このような巨大な別荘にしても、なおそこは贅沢な空間だった。アンダーソンは、台所に四つの調理台があることに驚いた。普通の別荘はせいぜいあって二つだ。そして、この台所は、少なくとも一二人が快適に作業できる広さがあり、中央の作業スペースに隣接して十分な収納スペースが確保されていた。アンダーソンらは、この台所が一世紀の間に、鉛のパイプで配管し直されたことに気づいたとき、特に興奮した。そのパイプは、厨房の隅に設置された水源に通じていて、シェフたちに新鮮な水を無限に供給していた。アンダーソンは、「なぜ、この別荘の所有者はこのような設備を作ったのだろう」と不思議に思った。ひとつ考えられるのは、客人たちをたくさんのごちそうでもてなしたことだ。もうひとつは、この厨房が、道行く人に食べ物を売る商人たちによって使われていた可能性である。

庭の「考古学研究所」を抜けて、コンソラーレ通りに出ると、アンダーソンが七九年当時の様子を説明してくれた。アンダーソンは、まるで建築図を描くように、指を動かしながら説明した。「モザイク円柱のある家」は、庭の後ろに人工の丘を設けて造園したこともあり、通りから少なくとも三階分は上に建っていた。最上階には開放的な柱廊があり、美しい海の眺めを誇っていた。この最上階は少し張り出していて、下の列柱歩道に日陰を作るようになっている。また、この張り出しは、柱廊の中にいる人々の視線を遮る効果もあり、下の汚い風景を見ることなく海の眺めを楽しめた、とアンダーソンは述べている。

この別荘もユリア・フェリクスの物件と同様、一階は通りに面して店舗が建てられている。コンソラーレ通りから見ると、「モザイク円柱のある家」は、まるでストリップモール（小規模なショッピング・センター）のように小売店が長く並んでいて、店先の間には別荘の隠された庭や、台所へと続く入り口がいくつかあるように見えたことだろう。アンダーソンは、かつてブロンズ細工師の店があった場所を、屋台や酒場などと一緒に見せてくれた。「ここは、アボンダンツァ通りを除けば、街で最も長い区画の商店街なんですよ」と彼は言う。「だから、私はこの場所に惹かれたんです」と言って、彼はしばらく考え込んでしまった。私は鍛冶屋の火の煙で霞んだ歩道、オリーブオイルで魚を焼くクミンやコリアンダーの香りに包まれながら、周りの店が活気に満ちている様子を想像した。「この別荘は、こうしたビジネスによって金銭的にも支えられているのですが、文字通りの意味でも支えられている。別荘はそれ自体がメタファーなのです」と彼はつぶやいた。「それは、古代では失われてしまっていた連想ではないと思うのです」。

「確かに、底辺でそれを支えて暮らしている人々にとってはそうですね」と私は答えた。アンダーソンは苦笑してうなずいた。「私にとってそれは、ユリウス・カエサルや皇帝など、すでに知りすぎている人々のことではなく、われわれが何も知らない人々のことなんです。たとえ名前などわからなくても、その人の人生を少しでも再構築することは可能なんです」。

では、この別荘の所有者から店を借りていた人々は誰だったのだろう？　おそらくリベルティ（解放奴隷たち。複数形）と呼ばれる人々で、ローマの法律により元の所有者と生活をともにしていたのだろう。奴隷が解放されると、その主人はパトロンと呼ばれるようになり、パトロンは一般的に元奴隷の養父のような役割を担った。[10] リベルトゥス（男性の解放奴隷。女性の場合はリベルタ）は通常、解放された後も、かつて奴隷となっていた家族のもとにとどまり、独立した事業を営んだり、パトロンの財産管理を手伝ったりした。キケロは、彼の愛した解放奴隷のティロが、彼のすべての業務を管理していたと書いている。ローマの都市は奴隷と解放奴隷であふれかえっていた。荘園主は人的財産（奴隷）を失うが、家の財産と結びついた忠実な労働者を得ることができる。ローマ人の奴隷解放は、しばしば利益付きの奴隷制度だった。

キングスカレッジの歴史学者で『ローマ世界の解放自由民』の著者であるヘンリック・モーリツェンは、典型的なローマ人の家庭はおよそ半分が奴隷で、四分の一から三分の一がリベルティで構成されていたと推定している。[11] アンダーソンもこれに同意する。彼は、店を経営していた人々は「全員、奴隷か、元奴隷か、その遠い家族関係者かもしれない」と推測している。おそらくそのすべてだろう。家族のつながりはローマ人の生活にとって重要であり、四つの調理台を必要とする家庭はかなり大きく、多くの人間関係の組み合わせに満ちていたにちがいない。ポンペイでは、奴隷として生まれた人でも、運良く解放され、パトロンから良い地位を与えられれば、社会階層のほぼ頂点まで上り詰めることができた。

しかし、拡大するリベルティ階級は、政治的な権力を握ることを阻まれた。彼らは、アウグストゥスがビジネスや政治的なコネクションを得たいリベルティのために作った、「アウグスタレス」のような市民団体を通じて地位を得ることで、満足しなければならなかった。リベルトゥスは、自分の子供が選挙権を持つことを望んだかもしれない。だが、それは決してかなわなかった。社会階層は再構築されつつあったが、男性エリートとそれ以外の人々の間の力の差は歴然としていて、化膿した傷のようになおひりひりと痛んだ。

また、もっと微妙な階級闘争の兆候もあった。レディング大学古典学教授のアナリサ・マルツァーノは、ナポリ湾の浜辺へのアクセスをめぐる、持つ者と持たざる者の現代的ともいえる対立の証拠を発見した。金持ちの行楽客は、海岸線に巨大な別荘を建てた。その下層階にはタベルナを作らず、海に向かって養殖タンクを作った。[12] マルツァーノは、人工池に多くの魚を誘い込むためだと考えている。おそらく奴隷やリベルティが水槽の管理を担当し、客が食べなかった魚をポンペイやヘルクラネウムなど海岸沿いの市場で売っていたと思われる。このような別荘が普及するにつれて、地元の漁師たちは浜辺へのアクセスを阻まれ、その家族たちは生活の糧を奪われていった。

ヴェスヴィオ火山がポンペイを消滅させてから数十年後、緊張は頂点に達した。法律文書によると、二人の漁師がアントニウス・ピウス帝に、別荘の所有者が故郷の沖合での漁を妨げているので、彼らのために介入し、調停してほしいと嘆願したことが記されている。ピウスは、誰もが海にアクセスできるようにすることを宣言したが、ひとつだけ例外がある——別荘の近くでは誰も漁をすることが許されなかった。ポンペイの終焉は、貧富の差、男と女、移民とローマ人と先住民の対立が続いている真っ只中に起こった。ローマ人はアフリカヌムで建築し、女性起業家はアウグスタレスに資金を提供し、解放された奴隷の営むタベルナの上には、エリートの別荘が建っていたのである。

5　公の場で行うこと

ヴェスヴィオ火山が噴火したときには、ポンペイはすでに災害を引き寄せる存在になっていた。その一七年前、ナポリ湾は地震に見舞われ、ポンペイの街の大部分が破壊されて、近くのローマ港オスティアには津波が押し寄せた。ポンペイに住んでいた多くの人々は、地震で破壊された建物を残したまま戻らなかったので、七九年の時点でも、建物はまだ空家となっていた。ある意味、ポンペイの廃墟化は、この地震によって人口が減少し、別荘地としての魅力が損なわれたことから始まったとも言える。しかし、地震が収まった後もこの地に留まり、改修や改築に励んだ人々も数多くいた。ネロはその資金を援助し、レンガがむき出しになった壁には、今も大規模な修繕の跡が見られる。また、街の守護神である女神を祀るウェヌスの聖域では、七九年に技術者が地震に強いと信じて、厚い石壁で補強していた跡が発見されている(1)。現在、われわれが目にしているポンペイは建設中の都市だったのである。土地所有者は、軍事的征服よりも貿易に重点を置いた、より近代的なローマ人の感覚を反映させるために、自分の土地を再設計していた。

つまり、震災後のポンペイの都市景観は、ショッピングの方向に向いていたのだ。リベルティをはじめとする非エリートのグループは、ポンペイの大きな別荘や邸宅を複合施設に変え、かつては居住区だった場所に小売店が入り込むようになった。ユリア・フェリクスが、商業で賑わうアボンダンツァ通りに面して入り口を増設したのも、こうした流れの中にあったのだろう。この時期、街のあちこちで小売業が盛んになり、高級住宅のアトリウムや庭だった場所に、洗濯屋やパン屋が出現している。そして、ポンペイで最も一般的な小売店であったタベルナ（居酒屋）や酒場やレストランの姿も見られた。タベルナもカウンターがひとつあるだけの小さな店もあれば、多くの部屋と庭の座席を誇る店もあった。店主たちは、温かい料理や冷たい持ち帰り用の料理、様々な種類のワインを提供していた。ユリアの家、モザイク円柱のある家などにその跡が残っていたが、それはまだほんの始まりだった。

ポンペイの大きな通りには必ずタベルナがあり、大理石の天板を使ったL字型のカウンターが特徴的なので、私はすぐに見分けがつくようになった。このカウンターには必ず、深さ六〇センチほどの陶製の保存容器が内蔵されていて、その広く丸い口はカウンターと同じ高さになっている。蓋は木製のものが多かったと思うが、今はもうない。中を覗いてみると、内壁は滑らかで、穀物やナッツなどの乾物の陳列ケースとして使われていたようだ。現在は、壊れて小さく残っていて、カウンターの上に楕円形の飾りがついているような感じだ。しかし、当時のフレスコ画には、タベルナのカウンターに商品が積み上げられ、カウンターの上の天井からはハーブや果物、肉が吊り下げられている様子が描かれている。先のとがった脚のアンフォラ（ワインやオリーブオイルなどの液体を入れる細長い粘土製のカラフ）は壁に立てかけてある。鍋やかまど、スパイスやタンパク源となっていた食材など、食事に必要なあらゆる材料を生産していた新石器時代のチャタルヒュユクの人々にとっては、タベルナはまったく驚くべきものだっただろう。ポンペイでは、食事サービスを受けたいと思えば、外を歩くだけでよかった――あるいは、自宅で食事を作ろうと思えば、調理器具、油、肉、野菜の専門店を訪ねるだけでよかった。自分でお湯を沸かしたくない人のためには、お湯を売っている店まであった。

タベルナ巡り

ポンペイのタベルナについて話をするために、長年の共同研究者であるマサチューセッツ大学アマースト校のエリック・ポーラーやシンシナティ大学のスティーブン・エリスとビールを飲むことになった。エリスは、ローマ世界における小商いの台頭を描いた『ローマ時代の小売革命』(2)の著者である。彼は、北アフリカから中東まで、帝国内のタベルナを研究していて、ポンペイには一六〇軒以上のタベルナがあったと教えてくれた。「とんでもない数だ」と言った。そして、ポンペイの一部はまだ埋もれているので、おそらくその数字も低い見積もりだろうと付け加えた。ポーラーは、ナプキンの裏計算でこう続けた。「一万二〇〇〇人の人口に対して一六〇軒のタベルナがあったとしたら、人口の一〇分の一はタベルナを維持するために外食していたはずだ」。その人々とは？裕福な人々は、設備の整った別荘の台所で、奴隷の一団に食事を作らせたことだろう。しかし、街の庶民的な住居には台所がなかったので、一見するとタベルナは貧しい人々のためにあるように見える。しかし、それは証拠とも一致しない。水道のない狭い二階のアパートでも、小さな火鉢の上に鍋を置いて、ホットプレートを使うように調理することができたからだ。

エリスは、このタベルナを利用していたのは、彼が「ミドラー」(中間層)と呼ぶ、富裕層でも貧困層でもない人々だったと考えている。彼らは、タマネギや魚醤から織物や香水まで、あらゆるものを売る小さな店を経営していて、食事も同じブロックの屋外ですませていた。「中間層の人々はたいてい、食べ物やちょっとしたぜいたく品に使うお金を持っていた」とエリスは言う。中産階級というのは現代社会の用語だから、正確にいうと彼らはわれわれが中産階級と呼ぶ者たちとは違う。確かに、かなり裕福な人もいれば、解放されたばかりのリベルティで、何とか暮らしを立てている人々もいた。しかし、彼らはみんな、ローマのエリートと奴隷の間に広がる広大な経済的中間層の中に含まれる。そして、この中間層の人々を際立たせていたのは、彼らが商売や貿易でお金を稼いでいたことだ。このような仕事はエリートにはタブーだった。だが、もちろん、ローマの富裕層の多くは、リベルティや奴隷が働く店や農場によってお金を稼いでいた。「モザイク円柱のある家」でアンダーソンが指摘したように、別荘は文字通り、そして比喩的に、その最下階に建てられた店によって、支えられていたのである。

ポンペイで見られる新しい家屋は、富裕層もまた生活のために働いていたことを示している。「ステファヌスのフラリー」と呼ばれる建物は、地震後に再建されたもので、吹き抜けのあるエリートの住宅を「フラリー」、つまり羊毛加工場に改造したもののようだ。ステファヌスの名は、アボンダンツァ通りにあるフラリーの入り口付近に描かれた、選挙関連の看板で発見された(ステファヌスがそこに住んでいた羊毛加工職人の名前であるとは断定できないが、ここでは便宜上、そう仮定する)。

ステファヌスはこのパトリシアンハウス（貴族の住まい）を劇的に改造し、タイル張りの吹き抜け（アトリウム）を、桶や羊毛を処理する道具が置かれた、実用的で大きないくつもの部屋に作り変えたようである。しかし、彼は家庭生活のための部屋もかなり残していた。ライデン大学の考古学者で、古代のフラリーに関する本の著者であるミコ・フロールは、ステファヌスの所有地を調査し、宝石、化粧品、調理器具など、人々がそこで生活し、働いていた痕跡を発見している。ステファヌスは、「仕事場」を通りに面したストリップモールに隔離するのではなく、自宅と一体化させた。フロールはそこで、奴隷やリベルティが家族と一緒に暮らしていたことはまちがいないだろう。フロールは「基本的には、人々が住み、眠り、食べ、働くための家であり、彼らはそれを自分たちの住まいだと思っていたのだろう[3]」と書いている。

さらにアボンダンツァ通りを進むと、同じように再建されたばかりの「貞節な恋人たちの家」がある。この家では、貴族の別荘が再建され、その入り口は大きな風通しの良いパン屋に直接つながっている。かつては暇な貴族たちが、声をひそめて会話を交わす場であったこの空間には、かまどや石臼が置かれていた。パン屋にとっては、豪華な生活よりも、石臼を動かすラバの幸せの方が大事だった。彼は、かつて住人がトリクリニウム（食堂）――この食堂では奴隷が、食事用のベッドで寝そべっている主人に夕食を提供していた――として使っていた部屋の隣に馬小屋を建てた。ステファヌスの羊毛加工場と同様、このパン屋も仕事場と家庭の空間が一体となっていた。住宅とつながっていたが、所有者はパン屋の再建を優先し、そちらを先に完成させたとポーラーは言う。このパン屋を経営していた人々は裕福だったかもしれないが、ローマの貴族階級ではなかった。彼らは生活のために働き、労働は文字通り家事の一部だった。

ステファヌスや「貞節な恋人たちの家」に住んでいた匿名のパン職人たちは、おそらくポンペイの目まぐるしい数の酒場やレストランの主な客層であっただろう。エリスはこの時期をポンペイの「小売革命」と呼んでいる。帝国の内乱は収まり、ローマ人は稀に見る平和な時代を享受していた。エリスは、「この時期が繁栄したローマの始まりで、貿易の量が急増しています」と言う。「個人レベルの工芸品から、個人が工芸品産業に参加する規模に移行しているのです」。ポンペイは、人々が互いに売買するだけでなく、帝国全体からアフリカ、アジア、中東にまで広がる、広大な経済ネットワークの一部になっていた。エリスはスタビアーナ通りで、この新しいコスモポリタンの現実を反映したタベルナを確認した。貯蔵箱、汚水だめ、メニューなどの証拠から、あるタベルナでは、地元産の果物、穀物、野菜にチーズやソーセージを加えた非常にシンプルなメニューだったことがわかった。もう一方は、二軒隣のタベルナで、さらにバラエティに富んだ食品を扱っていた。「インドからはクミン、胡椒、キャラウェイが来ている」とエリスは言う。「料理は外国のスパイスで味付けされていました」。ポンペイのタベルナに行く中間層は、輸入された珍味か、地元の快適な食事か、どちらかを選ぶことができた。かつてはエリートにしか食べられなかった料理が、今ではより多くの人々の日常生活の一部になっていたのである。奴隷として生まれた人々も、いずれは自分の店を持ち、貴族たちのように食事をするようになるかもしれない。興味深いことに、現代のデータでは、ある地域にレストランが多いほど、その地域はより繁栄していると言われている。(4) 遠い昔もその通りだったようだ。

ポンペイで二〇年近くエリスと仕事をしてきたポーラーは、中間層がポンペイの都市景観をどのように変えたかを理解する上で、考古学者たちの間で変化が起きていると述べた。一世紀前、学者たちは、ステファヌスの羊毛加工場のような場所を、ローマ文化が衰退している兆候だと心配していたと彼は言う。彼らは、ポンペイのような街から、高貴で文化的な貴族たちが、汚れた下層階級の商人たちに押し出され、この変化が今度は礼節の崩壊を招くと考えたのである。この説はとりわけ、ほとんどの考古学者が上流階級であった時代に、労働者階級の人々に対するヴィクトリア朝の偏見から着想を得たものだった。しかしこれは、ローマ人自身の言葉からも導き出されている。ペトロニウスの『サテュリコン』は、ネロの時代に書かれたローマの下層を描いた小説だが、リベルトゥス（男性の解放奴隷）のトリマルキオ――『グレート・ギャツビー』レベルの低俗で人目を引く飲み食いに溺れた人物――が開く味気ない饗宴について長々と描写している。中間層の生活に関する記述はほとんどすべて、ペトロニウスのようなエリートによって書かれたもので、その多くは蔑視的である。

ポーラーはビールを一気飲みして、エリスと笑った。今日の考古学者は、『サテュリコン』のような虚構の物語には懐疑的で、おそらくそれは現実よりも偏見を正確に反映している。その代わり、彼とエリスは、この時代を、中間層の人々がチャンスを得てパワーバランスを変化させた、再生の時代とみなしている。

しかし、リベルティやその他の中間層が、帝国を破壊するような怪物でなかったということを、どのようにして証明するのだろうか？　彼らが何を考えていたかという記録が、ほとんど残されていない現状で。トリマルキオについてペトロニウスが口にした悪口にも、それに対する饒舌な反論はない。エウマキア（毛織物の守護神である巫女）の建物のような中間層のパワーの記念碑も、それがどのように使われたのかほとんどわからないので、曖昧なままである。エリスとポーラーは、中間層の生活を再現するために、データ考古学という新しい歴史調査の方法を採用した。注意深く観察することによって、多くの構造物や物に関する情報（例えば、何百もの酒場）を集約して、個人の典型的な習慣を把握するのである。それは、失われつつある公共生活のあり方を探るには最適の方法だった。

排水路のデータ

「ポンペイでは、考古学は往々にして大きなもの、力強いもの、珍しいものを探す傾向にあります」とエリスは言った。「しかし、われわれは普通のものを探しています。私は、街角で起こった最も一般的な出来事を探すし、ポーラーも、通りで何が起こっているのかを探しています」。

彼はそれを比喩的に言っているのではない。ポーラーは『ポンペイの交通システム』(5)という本の著者だが、彼の研究は文字通り、通りにしゃがみこんで、かつて肥料や下水道の排水、それに荷車の下に敷かれていた石を分析することに、多くの時間を費やしたものだ。たくさんの荷車があった。ポンペイのほとんどの通りには、馬車の車輪が石をすり減らした、深い溝の跡が二つ残っているほどである。このことからすぐにわかるのは、荷車のサイズ、少なくとも車台の車輪の間隔は、比較的標準化されていたということだ。そしてそれは、都市での運転に関する社会的規範が広く受け入れられていたことを示唆している。

ポーラーは、側溝を這いずり回って、交差点にある縁石が特徴のあるくさび形に削られていることにも気づいた。それを数え、位置を記録し、エンジニアと相談して、その原因を突き止めた。右側車線からの右折がうまくいかず、車の車輪が縁石にぶつかったり、縁石に乗り上げたりすることが何度もあったのだろう。交差点の左側には、同様の摩耗は見られず、左折が現在のアメリカの道路と同じように広く行われていたことが、それとなくわかる。左折するときには、どんなに下手なドライバーでも左の縁石にぶつかることはないだろう。これらのことから、ポンペイの人々の荷車は道路の右側を走っていたことが強く連想される。

私はアボンダンツァ通りから一ブロック先のノチェーラ通りの交差点に立っていた。荷車が私の前を行き交い、人々がタベルナに群がっている光景を想像しながら。ポンペイの道は深く、縁石が高く、横断歩道になっている三つの大きな平らな岩を飛び越えて渡った。石から石へと飛び移りながら、眼下に下水が流れる川の光景を想像していた。縁石に乗り上げた荷車が汚物を跳ね飛ばしながら下りてくると、ラテン語、古代カルタゴ語、オスク語の罵声が響く。これこそ、ポーラーとエリスがデータ考古学で実現した瞬間であり、その瞬間、ポンペイの過去が、皇帝が歩き、執政官が暮らした場所を知るよりも、もっと具体的に感じられるようになった。

横断歩道も、石と石の間隔が絶妙で、その間を二つの車輪の轍が通るようになっており、荷車が標準化されていたことをうかがわせる。また、当時の文献によると、歩行者の少ない夜間のみ、荷車の通行が許可されていたようだ。さらにローマでは、祝祭日には馬車は入れないという規則があり、それはイシス神殿からスタビアーナ通りを轟音とともに上ってくる車に、お祭り騒ぎをしていた人々が轢かれないようにという配慮でもあったようだ。

データ考古学は、ある意味では、歴史の民主化を象徴している。大衆が何をしていたかを調べ、その社会生活、さらには心理生活を再構築しようとするものだ。エリスはデータを使って、ローマ人の生活に関する先入観を取り除き、買い物や外食が好きな中間層が繁栄していたことを明らかにした。都市を見るときにエリスは、建材と人間の労働力の「体積マトリックス」として見ているのだという。「私はいつも思うんです。そのボリュームはどうやって生まれるのだろう？」それは古代世界において、巨大な材料の山を移動させるにはどうすればよいのか、という問いかけでもある。その答えは、先ほどの「欠落」、つまり二〇〇〇年前にわれわれがアボンダンツァ通りに立っていたとしたら、リベルティや奴隷の視点があったと思われる場所に残る「空白」に帰着する。

ポーラーは、「欠落から多くのことを学ぶことができる」と主張した。ポンペイで縁石が削られた跡を研究して、交通を復元した人物としては、納得のいく話だ。「私は、縁石の失われた部分に興味があるのです」と彼は言った。「すり減った形――それは人がやったことなんです」。特に、多くの人が同じようなことをしていた公共空間では、その傾向は顕著だ。「街中の縁石とのやりとりを一〇万回集計してみると、欠落については、何千人もの人が同じ決定を下しているということがわかります。そして今、突然、今まで証拠がゼロだったポンペイのような場所で、交通システムの絵が出来上がったのです」と言って、ポーラーはひと息ついた。私は自分が住んでいる街の、人が集まる場所で見つけることができる欠落について考えた。公園の芝生にできたハゲ跡、通勤客がバッグを何度も壁にぶつけてできた地下鉄の塗料のへこみ、車が急発進したり、サンフランシスコにたくさんある、急な坂の下にぶつかって跳ねたりしてできた道路の傷跡などだ。ポーラーは、こうした切り傷やひび割れに、歴史に名を残すことのない大衆の姿を垣間見ることができると考えている。

また、人々の生活を形成してきた社会階層が、街並みにどのように書き込まれているかも見ることができる。ローマ人にとって、舗装された道路は重要な技術であり、馬車による物資や人の運搬を容易にし、また歩くことをより快適にするものだった。しかし、都市の富裕層は、このすばらしい技術をみんなに提供するために、お金を払うことはなかった。アボンダンツァ通りのような大きな通りはもちろん、ほとんどの大通りは舗装されていた。しかし、東部の貧しい地域では、多くの道路が土でできていた。

震災後、西側の神殿付近の道路はすぐに整備されたが、質素な住宅に通じる脇道は整備されなかった。ポーラーは、北西部にある「おしゃれな住宅地」について語っている。そこでは、すべての道路が石で舗装されていたが、二つの道路だけは、踏み固められた土と灰で安普請の舗装だった。安普請の道路は別荘の裏口や、安価な家の表玄関へと通じていた。「この事実は、都市の一部の人々が舗装技術の利用を支配していたことを物語っており、彼らはみんなとそれを共有するつもりはなかったんです」とポーラーは言った。あの通りに関するかぎり、富裕層が下層階級の人々へ発したメッセージは明確だ。下層階級は、裕福な人々の家の裏通りを共有する程度の存在なのだ。ポンペイの舗装システムは、都市のインフラの細部にまで及んでいるように見えるかもしれないが、それはローマ都市における隣人同士の付き合い方について、多くのことを教えてくれている。

リベルティ（解放奴隷たち）の台頭

ローマ帝国の人口の何パーセントがリベルティだったのか、それが研究者によって明らかにされたのはごく最近のことである。ヘンリック・モーリツェンは、ローマと帝国の主要な場所にある、墓碑に記載された名前をすべてまとめた資料を丹念に調べ、その人数を推定した。このリストには、予測可能なデータパターンが埋め込まれていた。ローマのパトロンは、奴隷に外国人名、特にギリシャ人名をつけることを好んだ。それは奴隷の異質さと劣等感を強調する方法だった。奴隷は解放されても、その奴隷名は一生ついて回る。ローマ政府の役人はリベルトゥス（男性の解放奴隷）を指定するために、前の主人の姓を新しい解放自由民の名前に組み込むという特別な命名法を用いていた。時には公的な記録に、解放自由民の名前の隣にリベルトゥス（libertus）の「L」を付けて、この人物がかつて自分の所有物であったことをはっきりと示していることもあった。リベルティの墓を見つけるためにモーリツェンは、このLを数えるとともに、ギリシャ語や外国語の名前にローマ人の名字がつけられている者の人数も数えた。

学者たちもまた政府の文書を調べることで、リベルティの人口を洗い出した。アウグストゥスは、リベルティを「穀物ドール」〔ローマ市の最貧困層の住民に穀物、後にはパンを無償または補助金で配る政府のプログラム〕から追い出す法律を制定した。(6) この法律により、リベルティが排除されたときにドール名簿がどれだけ縮小したかを、学者たちは数えることができるようになった。このような数字と墓碑銘から、研究者は都市の自由民の四分の三までが元奴隷かその子孫だったと推定している。『ローマの奴隷たち』の著者サンドラ・ジョシェルは、同様の方法で奴隷の数を測定し、都市に住む全人口のおよそ三〇パーセントが奴隷だったと推定した。もちろん、奴隷とリベルティの記録はほとんど残っていないので、正確な数字を出すことはできない。しかし、ローマの奴隷制度と奴隷解放はごくありふれたことであり、リベルティが一世紀のローマの都市生活の新しい顔であったことは否定できない。

ポンペイでは、リベルティ特有の不安感が建築の形を作り変えているのを見ることができる。自分たちに対する否定的な固定観念を痛感していた新中間層は、しばしば、実際よりも豪華に見せることで、裕福な近隣に溶け込めるような家を建てようとした。私が「悲劇詩人の家」で見たのは、室内をより広く見せるという戦略だった。この有名な邸宅の所有者たちは、ユリア・フェリクスと同じように、大理石の柱列に囲まれた広い中庭があると近所の人に思わせようとした。そこで彼らは、ささやかな庭に数本の柱を巧妙な角度で配置し、通りを行き交う人々に、もっと大きな柱廊の一部を見たかのように見せかけたのである。このような別荘風の装飾は、現代人が背の高い鏡や鮮やかに塗られたアクセントウォール（部屋の中で、他の壁とは明らかに異なるスタイルを持つ壁）を使って、小さな部屋を広く見せようとした、もっとも早い時期の方法のように思える。

中間層の中には、上流階級の高尚な趣味を取り入れ、それに同化しようとする者もいた。その最も刺激的で心に残る例のひとつが、スタビアーナ通りにある「テレンティウス・ネオの家」と呼ばれる重厚な邸宅のフレスコ画である（その名は、所有者の名前ではなく、テレンティウス・ネオに投票するよう通行人に呼びかける選挙ポスターに由来する)。この絵の中で夫婦は、街のエリート別荘のあちこちにある家族の肖像画で描かれているような、貴族然としたポーズで立っている。しかし、この二人は反抗的なまでに中間層である。パン職人の男は市民のトーガを着ており、貴族でも奴隷でもない。女は帳簿係の道具であるペンと蝋の書字板(蝋板)を持っている。簿記は女性奴隷が一般的にする仕事だったから、これは彼女がリベルタ(女性の解放奴隷)であることを示すものだろう。この夫婦は、エリート的な画風を選びながらも、かつての奴隷の痕跡を隠すことなく、美しく、反抗的な態度を示している。それは、リベルタも自由民の女性と同じように優秀であることを主張する、さりげなくも力強い方法だった。

他のリベルティたちは、階級的な不安を解消するために、家の外に派手なディスプレイをして、嫌う者たちを鼻であしらうかのように楽しんでいた。「ヴェッティの家」ほどそれが顕著な場所はない。リベルティのワイン商人、おそらく兄弟である二人のヴェッティは、街の北西部のおしゃれな地域に宮殿のような別荘を所有していた。玄関の横には、プリアーポス〔ギリシア神話の羊飼い、庭園および果樹園の守護神。生殖と豊穣を司る男性の生殖力の神〕が勃起した巨大なペニスを、こっけいなまでに傾いた秤で量っている絵が描かれている。古代ローマでは、プリアーポスの巨大なペニスの勃起は富の象徴であり、男性の裸体は卑猥なものとは考えられていなかったことを忘れてはならない。にもかかわらず、この絵は低俗な風刺、つまり、柱廊ではなく側溝にふさわしい下品なジョークとして見られうるものだった。まるで兄弟が、自分たちの下層階級の出自と、それにもかかわらず経済的に驚くべき成功を収めていることを、貴族の隣人たちに思い出させたかったかのようにで

ある。(7)

リベルティの生活の痕跡を求めて私は、ヴェッティの家の数ブロック南にあるスタビアーナ通りで、考古学者のソフィー・ヘイと出会った。ヘイは、アマラントゥスというリベルトゥスが所有していた近くのタベルナと隣接する別荘を何年もかけて発掘していた。その日は暑くて、昼間の日差しは強烈だった。肩まである金髪を少し乱して、喉をカラカラに乾かしたヘイがやってきた。われわれは古代ローマ人のように道の端に腰を下ろし、ポンペイの噴水に立つキューピッドの口から冷たい水をボトルに汲んで、それを互いに飲み交わした。ヘイが話すと、二〇〇〇年前にアマラントゥスが住んでいた労働者階級の地域が浮かび上がってきた。

スタビアーナ通りからアボンダンツァ通りへ右折し、さらに右折してチタリスタという細い脇道に入ると、少し先にアマラントゥスの酒場がある。リベルティがここに店を構えたとき、酒場に併設された築数百年の別荘は、長年の放置と最近の地震によって、修理が必要なひどい状態になっていた。アマラントゥスは、この酒場を立派に作り直したいと思ったが、どうやら彼は、できるだけ安く済ませることを望んだようだ。職人たちは、家の奥のフレスコ画がある美しいダイニングルームを修復した。しかし、アマラントゥスがアトリウム（吹き抜け）をどうしたかという話になると、ヘイは口をつぐんだ。「屋根がひどいんです」と彼女は言う。「葦を石灰で固めただけなんです」。インプルウィウム（水盤）は、実際に水を溜めることができないプールの形をした、ただの床の型枠に過ぎなかった。実際、アトリウムの大部分は、タベルナで使うワインを詰めた、何十個ものアンフォラを置く埃っぽい保管場所として使われていた。アマラントゥスは、アトリウムの脇にあった立派な寝室はそのままにして、そこにはラバや犬を置いていた。ヘイはそこで、灰が降ったときに横になっていた動物の遺体を発掘している。アマラントゥスは、かつて地元の名士たちが商談や政治的な駆け引きに使っていたアトリウムを、今では工房が埋め尽くしている通りにある、パン屋や羊毛加工場のスタイルを真似て作り変えたのかもしれない。しかし、この酒場のオーナーは、自分の家にかつての別荘のようなオーラを残したかったようだ。そうでなければ、なぜわざわざ倉庫の真ん中に偽の水盤を作ったのだろう?

アマラントゥスが上昇志向を装ったとしても、彼の客は、彼のようなリベルティか中間層だったにちがいない。「たぶん、高級な酒場ではなかったんでしょうね」と、ヘイがにっこり笑った。「職人や工房で働く人々のための酒場だったんです。この界隈には、少なくとも二、三軒のペンキ屋とガルム(魚醤)製造所がある。商業活動が盛んで、彼の店の向かいにはもう一軒酒場があったんです。地元の人々に食事や水を提供していたのでしょう」。ヘイの同僚は、その酒場のメニューをいくつか解明した。タベルナの調理鍋に残っていた食べ物の残骸や、アマラントゥスの客がトイレの肥溜めに残した大量の排泄物を分析した結果、アマラントゥスのタベルナでは、魚やナッツ、イチジクといった主食を出していたことが判明した。ヘイによると、そこで出された食べ物は豊富で質が高かったという。ポンペイは階級闘争に明け暮れたが、周辺の農場は豊かで、貧富の差に関係なく豊かな食糧を提供していた。アマラントゥスは輸入ワインも試しに出している。クレタ島のワインが入った六〇のアンフォラの中から、ヘイが見つけたのはガザのワインのアンフォラだった。「ポンペイで発見されたガザ産のワインはこれだけです」と、彼女は驚嘆した。「私は、彼が顧客に何かいつもと違うものを提供しようとしていたと思いたいです」。

アマラントゥスは、リベルティの隣人たちと同じように、地元の政治にも参加していた。考古学者が最初にアマラントゥスの名前――ギリシャ語の名前をラテン語にしたもので、元奴隷にふさわしい――を発見したのは、彼の店の外にあった手書きの看板で、お客に彼の好きな候補者に投票するようにと呼びかけていたからである。残念なことに、この看板書きはアマラントゥスの名前も候補者の名前もまちがえて書いてしまった。「これを描いた人は、ちょっと酔っ払っていたのかもしれませんね」とヘイは言う。アマラントゥスの家の隣に看板屋があったので、アマラントゥスが隣人の筆の腕前とワインを交換したのだろうと、彼女は推測した。しかし、この看板は、アマラントゥスがこの街の政治に深く関わっていたことを示す有力な証拠となった――それはちょうど、テレンティウス・ネオに投票するようにと人々に呼びかけたパン屋夫妻のようなものだ。確かに、アマラントゥスはほとんどの時間を酒場で働いていた。しかし、彼はまた、彼の客（中間層）がどのように票を投じるべきかについて、熱烈な意見を持っていた。

フェラチオの女王

アマラントゥスのバーから北へ七ブロック、城壁に近い木陰の脇道を散歩していると、勘のいい人はまったく違った選挙の看板に出会う。そこでは、誰かがスペルミスの落書きをしていた。「Isadorum aed / optimus cun lincet.」大雑把に訳すと、こうなる。「私は、イサドルスに投票するようお願いします。彼は、ヴァギナを舐めるのが一番上手[8]」。きっと、皮肉な褒め言葉だったのだろう。

イサドルスは自分の性的能力の高さで名前を挙げられたことに、誇りを感じたかもしれないが、ローマ人は一般的に、オーラルセックスは奴隷や女性の下等な仕事とみなしていた。しかし、この風刺的な選挙公報は珍しいものではない。ポンペイには性的な落書きやイメージが溢れていた。一八世紀から一九世紀にかけて、ポンペイを発掘した考古学者たちは、高級住宅の壁に描かれた大量のエロチックな絵や、広場、店先、歩道にまで飾られたペニス（肉体から切り離されている）の絵に衝撃を受けたという。豊穣の神プリアーポスとその驚くほど大きなペニスは、ヴェッティ家だけに描かれていたわけではなかった。プリアーポスはポンペイ全域で人気のアイコンだった。この街はおそらく、考古学的な宝庫であると同時に、汚い絵でも知られていたのかもしれない。

しかし、そもそもこのようなペニスの絵は、実はポンペイを考古学上の宝庫にさせている要素のひとつなのである。現代の西洋人にとってそれは、キリスト教以前のローマ文化と、それ以後の文化との間の急激な文化的断絶を示す、最も衝撃的な例と言えるかもしれない。だが、ポンペイの人々にとって、ヴェッティ兄弟のプリアーポスの絵は、彼らの経済的な成功を示す乱暴な方法として、すぐに読み取れるものだったにちがいない。ペニスの形をした風鈴や彫刻は縁起が良いとされ、現代の店主がウィンドウに可愛い招き猫を飾るのと同じ理由で、多くの店に飾られていた。古代ローマでは性的なイメージはあまりタブー視されておらず、それはキリスト教圏で禁忌とされた性や性器をことさらタブーとして扱わなかった文化を反映している。

二〇世紀後半から二一世紀初頭にかけて、性に対する考え方が変化したにもかかわらず、ポンペイとその隣のヘルクラネウムで発見された性器は、ナポリ博物館の「秘密のキャビネット」という特別なエリアで保管されている。そこでは好奇心旺盛な歴史の研究家たちが、籠いっぱいの粘土のペニスに畏敬の念を抱いたり、足や羽や小さな自身のペニスを持った、炭化したペニスの立像に感嘆したりすることができる（そう、ペニスにはペニスがある。というのも、そうしておけば運が尽きることはないからだ）。さらにそこには、さまざまな動物や人とセックスをする神々の優雅な彫像もある。

ルパナル（女狼の巣窟）と呼ばれるポンペイの売春宿には、この禁断の歴史の魅力に惹かれて、多くの観光客が訪れている。それはアボンダンツァ通りから外れて、アマラントゥスの近くの交差点にある、三角形をした二階建ての平凡な建物だ。ルパナルは二〇〇〇年前も、今と同じようにセンセーショナルだったようだが、その理由は全く異なる。今日、学校でラテン語を強制的に教えられた観光客は、われわれの文化を形成した偉大な人々が、壁に汚い絵が描かれ、作り付けの漆喰のベッドがある場所でセックスをしていたという考えに興奮する。アマラントゥスの時代には、ワシントン大学の考古学者サラ・レヴィン＝リチャードソンが「専用売春宿」(9)と呼ぶところで、セックスを買うのは特別な楽しみだったのだろう。彼女が「専用」という言葉を使ったのは、そこが専門店であったことを強調するためである。性欲を持て余したローマ人は、娯楽があればどこででもセックスを買うことができた。売春婦は通常、彼女たちの主人の別荘に建てられた、タベルナの部屋や店の前庭で仕事をしていた。また、フォーラムのような繁華街で働く者もいた。したがって、店全体を性風俗のために割くというのは、異例のことだったのだろう。このような風俗店は、チョコレートを使った料理だけを出すレストランのようなもので、まさに、珍しい施設だった。だから、ポンペイのルパナルは、考古学者がこれまでに発見したことのない、ローマ世界で唯一の売春を専門に行う店だったのだろう。

私が訪れた日、ルパナルは遺跡公園内で最も混雑したスポットだった。観光客がひっきりなしに玄関から入ってきて、ベッドを組み込んだ部屋の入り口がある廊下をすばやく通り、別のドアから次の通りへ出ていく。イタリア語、日本語、英語のガイドに案内されながら、玄関の上のパネルに描かれたエロチックなフレスコ画を見上げると、男女がさまざまなグループや体位で淫らに戯れている。まるで、アダルトサイトへの入り口の、レンガとモルタルでできたバージョンのような雰囲気だった。3Pはこちらをクリック、ゲイはこちら、バックはこちらを。インターネット・ポルノで育った私にとって、枕を敷いたベッドに半裸で寝ている色あせた画像は、大学の寮を舞台にしたセックス・コメディのようで、比較的おとなしい印象を受けた。今でこそ風通しの良い開放的な空間だが、全盛期には狭くて暗い部屋も多かった。

リベルティがセックスワーカーになるのはよくあることだが、ここで働く人々の中には、自分の行動を選択できない奴隷のような人々もいた。それでも、レヴィン＝リチャードソンは、ルパナルの女性たちが、『侍女の物語』〔カナダの作家マーガレット・アトウッドのディストピア小説〕に出て来る女性のような恐ろしい目には遭わなかったという証拠を見つけている。彼女たちの多くは自分の仕事に反抗的な誇りを抱いていた。レヴィン＝リチャードソンは、従業員がどのようなものであったかを知る手がかりを得るために、この街の専用売春宿を何年もかけて研究した。彼女は、「ヴァギナ舐め」を言いふらす、いんちきな選挙ポスターのような薄汚い落書きの中に、その答えのいくつかを見出している。ルパナルの落書きの多くは男性が書いたと考えられてきたが、レヴィン＝リチャードソンは、その多くが明らかに女性によって書かれたものだと指摘している。ポンペイでは女性の識字率が高く、テレンティウス・ネオの家の肖像画に描かれているリベルタのように、識字力のある奴隷が主人の家計簿をつけるのを手伝っていた。少なくとも、ルパナルのセックスワーカーの何人かは識字能力があったはずだ。なぜならレヴィン＝リチャードソンは、自分を女性だと認識している人間が書いた落書きを見つけたからだ。ルパナルの壁に書かれたシンプルな一文にはこうある。「fututa sum hic」。意味は「私（女性）はここでセックスされた[10]」だ。

また、女性たちが自分の性的能力を誇らしげに主張する落書きもある。何人かの女性は自らを「フェラトリクス」または「フェラトリス」と名乗っている。これは「吸う」という動詞の女性名詞バージョンである。訳すと「フェラチオの女王」ということになるだろうか。特に魅力的なのは、売春宿の廊下に書かれた「ムルティス・フェラトリス」というフレーズだ。中点付きの様式化された文字は、フォーラムの壁に書かれた著名人の名前や称号を模倣したものである。フェラチオの女王であったムルティスは、自分の名前を属州総督（レクトル・プロウィンキアエ）と同じように書き、娼婦というあまり重要でない役割を、総督のように高貴なものに変えてしまった。他の女性たちは、動詞futuere（積極的な役割でセックスする、貫通する）を名詞化し、「ファックトレス」「ファックミストレス」（淫らなことが大好きな女）と訳される「fututrix」を名乗るようになった。「フトゥトリクス」と名乗る女性たちは、ムルティスのように政治的な称号のアイデアをもてあそんでいただけではない。彼女たちは、支配的な社会的役割も主張していた。ローマ文化では、男性はセックスの際に挿入する側と挿入される側を強く区別し、挿入される側は女性や奴隷のように身分が低いと見なされていた。フトゥトリクスとして、女性は挿入者であり、従って彼女の顧客は従属的だった。ルパナルの中を行き交う人の流れから出て、今はむき出しの漆喰のベッドがある一室に足を踏み入れた。七〇年代には、毛布や枕が積まれ、ランプが灯り、ペンキで塗られたばかりの落書きがあり、その部屋は、そこに住む女性が、彼女を所有する男性に劣らないエリートであることを宣言していた場所だった。富裕層の書き物だけでなく、裏通りや奴隷居住区に目を向けると、ローマ社会の厳格な社会的役割が、文字通り根底から塗り替えられた証拠が見つかる。アマラントゥスやヴェッティ兄弟のような元奴隷は、富と影響力を得ることができた。ユリア・フェリクスのような女性は、資産家になることができた。そして、ムルティスのようなセックスワーカーの名前は何千年にもわたって記憶され、彼女の顧客の名前は塵と化すのである。

しかし、二世紀以上にわたって、研究者たちがポンペイを発掘してきたにもかかわらず、最近までムルティスやアマラントゥスが住んでいた世界を理解している人はほとんどいなかった。理解する人が増えた理由のひとつは、データ考古学が非エリートの生活を探るための新しいツールを提供してくれたことにある。しかし、これは歴史の研究方法に関する、より根本的な問題にも起因している。一九世紀から二〇世紀の人々はポンペイを大切にし、何度も足を運んで発掘を繰り返したが、その文化には触れたくない部分もあった。性器の彫刻や汚れた落書きを見つけても、「秘密のキャビネット」に閉じ込めてしまった。二〇〇〇年になってようやく、ナポリ博物館の「秘密のキャビネット」が一般に公開された。ローマ人の性愛は、西欧の現代人の感覚とはあまりに異質で、事実上、判読不能だった。前世紀の博物館の学芸員は、幸運のペニスのお守りをポルノのように扱い、歴史家は娼婦を研究に値するとは考えなかった。

しかし、ローマ文化のこの部分を理解することから目を背けると、ポンペイのように、プライベートが文字通りパブリックになっている場所の社会構造を十分に理解することができなくなる。

ローマのトイレマナー

私は、フォーラム内のアーチや台座にはほとんど日もくれなかった。私が探していたのは、このエリート政治家たちのための神聖な殿堂の北東にある無名の部屋である。その部屋は、高い壁の目線よりはるかに上に窓がひとつあるだけで、それを目印にようやく見つけることができた。中では、壁際の樋に土や雑草が詰まっている。街中にある数少ないトイレのひとつで、そのデザインは、店先のドアの横に、切り離されたペニスが描かれているのと同じくらい違和感があった。今では、トイレの形を確認することは難しい。かつては、悪臭を逃がすために高い位置に窓があり、かなり暗く閉ざされていた空間だった。しかし、ポンペイの下水道について詳しく研究しているブランダイス大学の古典学者、オルガ・コロスキー＝オストローの助けを借りて、[11]私はそれを理解することができた。壁に沿って深い溝があり、かつては下水道へと向かう湧き水でいっぱいだった。壁から突き出た石のブロックは、そこにU字型の穴が等間隔に並んだベンチがあったことを示していた。フォーラムで働く偉い人々がはそこで服（トーガ）を脱いで、用を足したのだろう。「座席と座席の間は三〇センチほどです」とコロスキー＝オストローは教えてくれた。「それはかなり画一化されていて、よほど太っていない限り、隣の人と太ももが触れることはありません」。

しかし、現在のトイレのように、トイレとトイレの間にプライバシーを守るような壁はない。みんなが頬と頬を寄せ合うようにしてベンチに座っていた。しかも、トイレットペーパーを置くスペースもない。フォーラムに来る人――このような公衆トイレは主に男性用だった――は、用を足すと、「キシロスポンギウム」というスポンジのついた棒を手に取り、足元の浅い流水につけて、お尻の下のベンチの穴から通して、お尻を拭いたものである。公衆トイレでも私設トイレでも、キシロスポンギウムは共用だった。

自らを文明社会とみなす社会について、深い真実を発見できるのは、しばしば最も汚らしい、最も不潔な場所においてである。フォーラムのトイレを見れば、ローマ帝国の道徳的権威が、キリスト教徒のように身体の一部や身体の機能を隠すことに執着していなかったことは明らかだ。その代わりに、都市空間で人々の動きをコントロールすることに重点を置いていた。コロスキー＝オストローが私に言ったように、フォーラムのトイレは謙遜のためのものではなかった。「多くのローマ人が街頭や路地、城壁の外で排泄していたのは確かです」と彼女は言う。「街の端に『ここで排泄するな』という落書きがありますが、排泄する人がいなければ、そんなものは書かれないでしょう」。公衆トイレは、行動をコントロールするためのものだと彼女は言った。「エリートのローマ人は、フォーラムの敷石を人間の排泄物で汚したくないので、そのような場所にトイレを作るのです。街並みには無関心だが、磨き上げられたピカピカの壮麗なフォーラムは見たいと思うのです。トイレは空間を規制する方法であり、『ここで用を足しなさい』ということなのです」。

ポンペイの専門家に話を聞けば聞くほど、ローマ人がいかに空間を「規制」したかったか、という答えが返ってくる。通りからタベルナまで、あらゆる公共の場が、公式・非公式なルールの網にかかっていた。ルパナルにも、性的な体位の社会的意味を深く考える社会が反映された落書きがあった。

ローマ人の個性と各都市に住む人々の物理的な活動との間には、象徴的なつながりがある。土地との感情的・政治的な結びつきを発展させる初期段階にあったチャタルヒュユクの住民とは異なり、ローマの都市住民は、数千年前に定住生活が遊牧生活を凌駕した世界に生まれている。チャタルヒュユクでは家庭で行われていた工芸や活動のほとんどが、時を経て、パン屋、葬儀屋、墓地、神殿、宝石商、彫刻家、画家、タベルナ、そしてトイレといった公共の場となり、外に向かって爆発的に広がっていったのである。街は家の集合体ではなく、華やかで複雑な公共空間だった。人々の家は、通りに面したアトリウムを中心に公共性が高く、仕事仲間や来客を迎える場所として機能していた。この傾向は、中間層の人々が自宅を仕事場とし、仕事とプライベートの境界が希薄になるにつれて、ますます強まっていった。ローマ人は、都市をセックスや排泄、娯楽、政治活動、入浴など、あらゆることに特化した公共の場（パブリックゾーン）に分けることで、土地との関わりを表現したと言えるのかもしれない。これらの空間を行き来することが、ポンペイ人としてのあり方だったのである。

広角的に捉えれば、それはローマ帝国全体にも当てはめることができるだろう。各都市はそれぞれ専門的な機能を持ち、また地中海を包み込んだ広大な文明の栄光のために、それぞれの役割を担っていた。ポンペイは美と美食で知られる享楽的な街だった。威厳のある大都市ローマの、やんちゃな、しかし愛すべき継娘《ままむすめ》であった。それが、制御不能な恐ろしい暴力によって失われたとき、何千人もの人命を失うという恐怖を超えた歴史的トラウマを引き起こした。公共空間が破壊され、ローマ人のアイデンティティの一部が失われたのである。ヴェスヴィオ火山の噴火に対するローマの反応は、チャタルヒュユクで見られたような、長くゆっくりとした離反ではなかった。誰もポンペイを見捨てようとはしなかった。ポンペイの噴火による埋葬はほとんど耐え難い損失として感じられ、多くの生存者は他の都市で生活の再建を急ぎ、失った公共空間の新しいバージョンの建設に没頭した。

6 山が燃えてから

それは地震から始まった。しかし、ナポリ湾周辺の都市に住む人々は地震に慣れていて、七九年秋[1]のあの日感じた衝撃には、おそらく誰もさほど驚かなかっただろう。彼らは、仕事を続け、収穫を処理し、フォーラムで暴言を吐き続けた。ところが、ヴェスヴィオ火山は噴煙を上げ始めた。ローマ時代にはそれまで火山噴火の記録はなく、後にヴェスヴィオ火山について人々は、山が「黒くて恐ろしい雲に覆われ、ジグザグの閃光が走り、その後ろには様々な形の炎の固まりがあった。それは幕電光〔雲に反射して幕状に光る稲光〕のようなものだが、もっと大きい[2]」とラテン語で記した。想像を絶する大災害に思えたにちがいないが、それを簡単に表現する言葉はなかった。少なくとも一日、いや二日は煙が空を覆い、やがて山は岩を噴き上げ始めた——中にはポンペイのメイン通りに敷き詰められた石と同じ大きさのものもあった。

地震は続いた。その時、人々はパニックになり、街を離れ始めた。岩石が屋根に降り注ぎ、壁を砕き、陶製の屋根板を割る中、人々は馬車や徒歩で貴重品を持ち、北や内陸に逃れた。噴火から逃れたという目撃談は、若き日の小プリニウスによる一件のみである。彼は、ヘルクラネウムとポンペイで叔父や何千人もの人々が亡くなった事件の数十年後に自分の体験を記録している。叔母と一緒に暗闇の中、大勢の人々とともに避難した時、煙が充満していて暗くてよく見えなかったために、何度もつまずいたと書いていた。

明らかに危険であるにもかかわらず、何千人もの人々が後に残ったことがわかっている。自由民は自分の意志で残ったが、奴隷は主人の命令で残った。灰と岩が通りに一メートルも積もると、残った人々もそろそろ潮時だと思ったにちがいない。アマラントゥスの話をしたソフィー・ヘイは、灰の下にあったポンペイは、混乱した都市だったと言う。人々は貴重品をまとめ、より安全な場所に持ち物を移動させた。「何もかもが、あるべきところにないんです」とヘイは言った。そして、誰もが移動していた。北から灰と泥が流れ込んでくる中、市の人口の半分以上が、市南部の地区を逃げまどいながら死んでいった。(3)

人々の最期の瞬間を記録した最も切実な記録は、もしかすると、ポンペイの郊外にある富裕層の町ヘルクラネウムの港で見つかるかもしれない。そこでは、通常、貨物の積み下ろしに使われる倉庫の部屋で、考古学者たちが何十人もの遺体を発見した。ヘルクラネウムはヴェスヴィオ火山により近い北側に位置していて、死がより早く訪れる場所だった。倉庫の裏側には、貴重品の入った袋を握り締めた骸骨がうずたかく積み上げられている。決して来ることのない救助船を待ち続けた人々の炭化した遺体である。お祭りやパーティの舞台となった美しい緑の山から噴き出す炎に、身をすくませた人々の恐怖は容易に想像がつく。彼らはリネン類を身にまとい、ワインを運んでくる召使いを横目に、ゆったりと横になって飲み食いをしていたのかもしれない。それがまるで奴隷のように薄汚い倉庫で死んでいった。救助に来たはずの人々も死んでしまった。小プリニウスによると、叔父は救助のために船を操縦したのに死んでしまったという。

ポンペイでは、全部で一一五〇体の遺体が発見されている。今後、発掘されていない場所でさらに多くの遺体が発見される可能性があることから、考古学者たちは一般的に、この都市の人口一万二〇〇〇人の一〇分の一が亡くなったと推定していた。

ポンペイの最後の打撃は、岩石や灰の雨ではなく、地質学者が火砕流と呼ぶ、超高熱ガスの爆発によってもたらされた。それは、ヴェスヴィオ火山の周囲一〇キロメートルにわたって、通り道にあるすべての生物を一瞬にして焼き尽くした。この火砕流の後、火山灰は空から降り注ぎ、ポンペイは六メートルもの高温で有毒な物質の下に埋まってしまった。人間、馬、犬、その他の動物の死体は、灰の下で腐敗してくぼみを残した。一八六〇年代、考古学者のジュゼッペ・フィオレッリは、そのくぼみの中に石膏を流し込んで、火山の犠牲者の姿勢や表情までも再現することに成功した。今日、ポンペイを訪れる人々は、円形競技場の隣にある公園に入ると、この石膏の死体の巨大な展示ケースの前を通り過ぎる。それは大昔に塵と化した遺体の鋳型というより、むしろ死体だと思えてならないほど、無惨であり衝撃的だった。ある人は腕を頭の上に上げて死を予感し、ある人は安らかに眠っていた。それは私に、チャタルヒュユクの死後の世界について考えさせた。チャタルヒュユクが放棄された後、コンヤ平原に住む人々は、この場所を死者の埋葬地として利用し、この地を神聖視した。

ポンペイもまた、死者の記念碑と化している。街並みや店のいたるところに生活の跡を見つけることができるが、この街を訪れると、いかにそれが悲惨な形で消滅してしまったかを直視せざるを得ない。七九年の大惨事を生きたローマ人にとって、その思いははるかに強い。この災害は帝国全体を揺るがし、避難民は近隣の都市に押し寄せ、永遠に故郷の激しい喪失に取り憑かれてしまった。あまりの恐ろしさに、人々は噴火を歴史から消し去りたいと思うようになったのかもしれない。古代ローマの道の専門家であるエリック・ポーラーに聞くと、彼は、ローマ世界でこれほど大きな出来事があったのに、ほとんど何も語られていないことに驚いていた。しかし、二〇世紀の歴史から、災害の後に訪れる「沈黙の世代」という考え方を知ってからは、彼はそれが不思議でなくなったという。一九一九年のスペイン風邪の大流行でも、その後で同じような文化的沈黙が続いた。このインフルエンザは、数カ月のうちに六七万五〇〇〇人以上のアメリカ人を殺戮した——これは第一次世界大戦中の死者よりも多い。この病気による被害が広範囲に及んでいるにもかかわらず、政府やメディアはその深刻さを軽視していた。そして、パンデミック（世界的大流行）が終わった後、ほとんど誰もそのことを書かなかった。(4)

ポンペイの破壊についてローマ人が沈黙しているのは、この噴火がいかにトラウマになったかを物語っているように読める。ローマを襲った数々の火災や、共和国を襲った戦争と異なり、これは金や人力では解決できない災害だった。

「悪夢のような日々」

ポンペイの廃墟について調べ始めたとき、私は人々が突然ポンペイを見限ったことに戸惑いを覚えた。七九年といえば、ローマ帝国は富と権力の絶頂期にあった。なぜ、ティトゥス帝は、ポンペイとヘルクラネウムを灰の下から掘り起こすために、奴隷を大量に送り込まなかったのだろうか？確かにそれは大仕事だろうと思った。しかし、ローマの街は何度も壊滅的な火災に見舞われた後、再建したことで有名である。水道橋の建設もそうだ。ティトゥスはお金を使うことを恐れていたわけではない。父ウェスパシアヌスの治世には、彼はユダヤの破壊に莫大な資金をつぎ込んだ。そして、皇帝としての最初の年は、父親が始めた途方もなく金のかかるコロッセオの建設工事を終らせることに費やした。コロッセオは、ローマ人に模擬海戦を見せることができるように、競技場に水を溜めようとして技術者たちが建設した。それを作るのがいかに困難であるかを考えると、なぜティトゥスはポンペイを再建することで、自分の力を示そうとしなかったのだろう？

この質問に対するひとつの標準的な答えは、人々がポンペイに戻ることを恐れ、大地が火を噴くような超自然的な力に怯えたというものだ。しかし、ポンペイ人はそれよりもはるかに現実的だった。六二年の大地震を生き延びた人々は、再建のために家に戻り、中間層の人々は、この機会に廃墟となった別荘を店に変えた。したがって、地球から発せられた災害によって、これまでに、ポンペイ人が戻ることをやめたという事実はなかった。このことは、私にとって謎を深めるばかりだった。これは単にポンペイがローマ帝国のエリートにとって、優先順位が低かっただけではないのかと思うようになった。ポンペイは一〇〇〇年前には、リゾート地として珍重されていたのに、帝国は大きく発展し、スペインやポルトガルの海岸でバカンスを楽しむことができるようになった。北アフリカの都市は高級化が進み、カルタゴや近隣のウティカでは、ローマ風の都市造りが古代カルタゴ風の伝統的なレイアウトを消し去っていた[5]。これはまた、ポンペイの主要輸出品である魚醤ガルムの原料を確保することにもつながった。ポンペイは単に流行遅れになったか、政治的に厄介な存在になったのだろうか？　ティトゥスやローマのエリートたちは、ポンペイが復興に力を入れるほど重要ではない、と計算ずくで判断していたように私には思えた。

その後で、火砕流の専門家であり、ニュージーランドのコンコルディア大学で地質学を教えているジャニーヌ・クリップナーに話を聞いた。彼女はワシントン州のセント・ヘレンズ山の噴火を直接研究し、他にも、ポンペイを大破したのと同じような悲惨な火山噴火に遭った地域を訪れたことがあるそうだ。ヴェスヴィオ火山の噴火の後、ポンペイはどうなっていたのかと電話で尋ねると、彼女は語気を強めて言った。「地獄のような生活が何年も続いたでしょう」と彼女は言う。「復興には何世代もかかったでしょう。悪夢のような日々だったに違いありません」。なぜ、ポンペイを掘り起こすことができなかったのかという私の質問にも、彼女はすぐに答えてくれた。「新雪の密度は一メートル立方あたり五〇―七〇キログラム。灰は一メートル立方あたり七〇〇―三二〇〇キログラムの密度があります。ブルドーザーなしであの街を掘り起こすのは、大変な作業だったでしょう」。彼女はそう言って考え込んだ。「それに火砕流が長い間、熱かったにちがいありません」。泥流と火山灰流の温度は摂氏三四〇度で、その上に岩石と火山灰の層があるので、熱は保たれたままだった。さらに、火山灰が有毒なガスや微粒子を発生させただろう。そのような状況で働く人たちは誰もが、火山灰を吸い込みながら猛暑に悩まされ、急速に体調を崩すことになる。

しかし、災害は都市の壁を越えたところにまで及んでいた。ナポリ湾一帯に及んだ環境破壊である。ポンペイにつながる水路は、有毒な灰の山で詰まり、淡水の供給が絶たれて、沿岸の都市と近隣の都市を結ぶ交通網も遮断されただろう、とクリップナーは指摘する。そして、土地への長期的な影響もあった。クリップナーはヴェスヴィオ火山の噴火をセント・ヘレンズ山の噴火になぞらえ、四〇年たった今でも、近くにはほとんど何も生えていないことを指摘した。風が吹けば灰が舞い上がり、有害な突風が吹く。ポンペイは肥沃な農地とおいしい食べ物で知られていたが、ヴェスヴィオ火山はそれを一瞬にして消し去ってしまった――たとえ、冷えた後に灰を取り除くことができたとしてもだ。「火山灰は土壌に酸素を供給するのを妨げ、土壌を酸性化させる可能性があります」とクリップナーは説明した「そのため、作物に利用できる栄養素が減少し、今では、その後何も育たず、苦労しています」。ポンペイとヘルクラネウムで何千人もの命を奪った噴火は、周囲数キロの土壌も不毛にしてしまった。文字通り、土地に毒を盛ってしまったのだ。

自然災害は、住民の手から街を前触れもなく引き離した。彼らは必死で街に戻ろうとしたが、戻れなかった。皇帝ティトゥス自身、煙の上がる街の廃墟を巡り、被害を軽減する方法を探した。(6) しかし、方法はなかった。現代の技術をもってしても、この課題は乗り越えることのできないものだった。しかし、彼らはなんとか生き延び、ポンペイの記憶を携えて、新しい人生を歩み始めた。ポンペイの運命は、人々が自分の意思に反して、都市を放棄することを強いられたときに何が起こるか、それを見る機会をわれわれに与えてくれる。ここ数年、研究者たちは、ナポリやクーマエといった近隣の都市で、難民が大規模な再定住を行った証拠や、新しい建築プロジェクトを発見しており、街は再出発しようとする元ポンペイ人で埋め尽くされていた。

ガイウス・スルピキウス・ファウストゥスの運命

ナポリは騒がしい街だ。ナポリ湾から狭い石畳の道を、自動車やオートバイが轟音を立てて、恐ろしいスピードで駆け上がってくる。この下町の道は、古代・中世のローマ時代にラバが引く荷車のために作られたものだが、今ではムルティスやルパナルにいた彼女の友人たちなら、夢見ることができそうな金属製のマシーンの横を、歩行者たちがスペースを奪い合っている。それでも、今も変わらないものはたくさんあった。壁には大量の落書きがあり、酒場では人々が羽目を外している。

紀元七九年、この街がネアポリスと呼ばれ、歩道が火山灰で覆われていた頃、ポンペイからの難民が押し寄せてきた。ある者は貴重品を満載した荷車や袋を持参し、ある者は衣服のひだに煤をつけたままで、何も持たない状態でやってきた。クリップナーの言う火山性の粒子を吸い込んで病気になり、咳や嘔吐をし、ポンペイからの長い道のりを二、三日歩いたために体が弱った人も多かったことだろう。ある者は、引き取ってくれる家族がいたからここに逃げてきたのだし、またある者は、ここが唯一知っている近郊の街だったからやってきた。震災直後の状況は定かではないが、避難民が街の宿屋を占領していたのだろう。新しく来た人は外で寝たかもしれない。神殿や円形競技場は、すべてを失った恐怖の民を保護するために扉を開けたにちがいない。それは、今日のハリケーンや山火事の後の対策を見た人なら誰もが目にした光景だったろう。

われわれを驚かせるのは、ローマ政府の対応が、二一世紀初頭の欧米の民主主義国家に、われわれが期待した対応と似ていることだ。ティトゥス帝は被災地を視察し、その後、被災者に生活再建のための財政支援を行った。一二〇年代初頭にティトゥスの伝記を出版したスエトニウスは、こう説明している。「ヴェスヴィオ火山によって消滅し、相続人のいない人々の財産を、被災した都市の復旧のために寄付した」。ポンペイの生存者について画期的な研究を行ったマイアミ大学の古典学者スティーブン・タックは、「カンパニアの復興」とは、いくつかの沿岸都市に難民のための全く新しい地区と思われるものを建設することを指し、そこにはウェヌス、イシス、ウルカヌスなど、ポンペイで人気のある神々に捧げられた新しい神殿、浴場、円形競技場などの建造が含まれていたと述べている。この資金は、ローマの財源から出たものもあるが、スエトニウスは、「ヴェスヴィオ火山によって消滅した人々の財産」から出たものだとも言っている。ヘルクラネウムやポンペイに別荘を持っていた、とりわけ富裕な人々がたくさんいたことを考えると、これはかなりの収入になったと考えざるを得ない。

タックは、学者がリベルティの特定に用いたのと同じ手法で、ネアポリス、クーマエ、プテオリ(現ポッツオーリ)、オスティアへ向かった生存者の移動経路を追跡した。ポンペイにしかない姓や部族名が、他の都市の墓標に現れ始めたら、それは難民の存在を示すものだ。タックの調査のおかげで、ネアポリスでの生存者にヴェッティ家が含まれていることがわかった。ヴェッティ家のポンペイの店には、全身と同じ大きさの陰茎を持つプリアーポスの絵が飾られていた。その店の兄弟が生存者であったかどうかはわからない。しかし、少なくともヴェッティ一族の一部はネアポリスにたどり着き、他の被災者に寄り添おうとしていた。避難民の家族間の結婚はよくあることで、生存者はおそらく互いに共存し、多くのものを共有し続けたのであろう。ヴェッティ家のL・ヴェッティウス・サビヌスは、妻カリディア・ノミナンタを墓碑銘に刻んでいるが、彼女の名前もまた、噴火前のポンペイでだけ見られたものだ。ネアポリスの別の墓にはヴェッティア・サビナが祀られており、その夫はポンペイの原語であるオスク語を含む碑文を残している。

われわれが知っている生存者のほとんどは、リベルティであるとタックは言う。それは、リベルティや奴隷を含む家族が一緒にポンペイを脱出したからだと彼は考えている。しかし、リベルティが生き残ったのは、ヴェスヴィオ火山の噴火のとき、彼らの多くが仕事で町を離れていたからではないかとも彼は考えている。リベルティは、解放された後も、元の所有者のために働き続けるのが一般的で、通常、ポンペイ郊外のパトロンの金銭上の利害や農地を管理する仕事に就いたという。このような労働形態は、ポンペイ難民がナポリ湾北岸の都市に定住することを望んだ理由にもなる、とタックは言う。これは単に便利だからというだけではなかった。ポンペイの金持ちのパトロンがそこに事業資産を持っていて、リベルティは主人が死んだ後もその管理を続けることができた。

タックはポンペイの生存者の中で、ガイウス・スルピキウス・ファウストゥスという男がお気に入りだ。ポンペイに住んでいた銀行家に仕えた解放奴隷である。ガイウスとスルピキイ一族は、歴史家が発見を夢見るような紙の痕跡を残している。彼らが街から脱出したことをわれわれが知ることができたのは、彼らが逃げ出すときに、貴重品箱を投げ捨ててきたからだ。この箱には、プテオリにあるいくつかの倉庫を含む小さな流通界と、スルピキイ家を結びつける記録が数多く入っていた。おそらくこうした倉庫は、ガイウスのようなリベルティが、パトロンのために管理していた保有資産だったかもしれない。七九年の災害時、プテオリは古代イタリアの主要な港であり、大型貨物船が大理石、木材、穀物、ワインなど大量の商品を積み下ろす場所だった。スルピキイ家はこれらの品物を倉庫に保管し、小型の船でローマに送っていたのだろう。ガイウスの足取りが再び明らかになるのは、タックがスルピキイ家のリベルティ数名の名前が記された墓を、美しい海辺の街クーマエで発見した時からである。ガイウスとその家族は、災害後も主人の所有地の管理を続け、ポンペイを思い出すためにクーマエに定住したのだろうとタックは推測している。ポンペイと同様、クーマエもプテオリに用事がある人々にとっては、そこへ通うのに便利な街だった。プテオリは基本的に倉庫の街であり、特に住みやすい街ではなかったので、このようなパターンが多かったのだとタックは指摘している。

こうした考えを持ったのはスルピキイ家だけではなかった。タックは、ティトゥス、そして後に弟のドミティアヌス帝が、難民を収容するために、クーマエの新しい地区全体の建設に資金を提供し、浴場、円形競技場、ポンペイの守護神ウェヌスとウルカヌスに捧げた神殿などを完備していた証拠を発見した。さらにドミティアヌスは、ローマの道路網と街を結ぶ真新しい道路を建設するよう命じた。当然のことながら、この新しい地区には、リベルティの組合であるアウグスタレスの集会所もあった。タックは、「アウグスタレスの存在は奴隷労働の強制を意味するものではなく、地元の人々の雇用を意味していたんです」。この道路は特に豪華で、ローマからの貿易や観光がさらにアクセスしやすいものとなった。皇帝はプテオリで円形競技場を建造した。それはローマのコロッセオの完全なコピーだった。「（被災地から逃れてきた人々は）最先端の施設を手に入れたんです」とタックは驚嘆した。「前代未聞のことです。あの円形競技場を見て、人々は『ローマに負けないくらい、いいものを手に入れた』と言ったに違いありません」。

ポンペイでは何千人もの死者が出たが、ローマ政府はカンパニアにいた何万人もの避難民の生活を円滑にするために、様々な手段を講じた。われわれが手にしているのは、裕福なリベルティの生活の記録がほとんどなので、誰もが平等にパイを手に入れたと考えることはできない。しかし、難民たちは新しい土地でも一緒に暮らし、結婚し、ポンペイでしていたのと同じビジネスを続けていた。トラウマについて公に書く人はほとんどいなかったが、彼らはポンペイ人としてのアイデンティティを持ち続けた。

しかし、彼らが一世代で捨ててしまったものがある。それはリベルティの身分である。ポンペイのリベルティの子供たちはみんな、親の奴隷名を使わなくなったので、クーマエやネアポリス、プテオリでは誰も、自分たちが奴隷の子孫であることを知ることはなかった。その代わりに、一般市民は彼らをヴェッティやスルピキイという、帝国とともに財産を増やし続けた、ポンペイの由緒ある家系としてのみ知ることができたのである。

人々のポンペイからクーマエ、ネアポリスへの移動は、チャタルヒュユクから村落生活への回帰とは全く異なるものだった。チャタルヒュユクの住民の一部は、死の穴（デスピット）のあるドムズテペのような、他のメガサイトに移住したと思われるが、彼らの多くは高密度な都市生活を拒否して、より小さなコミュニティを好んだのである。ポンペイの人々は失ったものとよく似た都市を探し、ヴェスヴィオ火山の避難民はほとんどすべてを失いながらも生活の継続性を保つことができた。それは、ローマがこの地域全体を植民地化し、ある意味で互換性のある公共空間を形成していたことが大きい。

ポンペイ人が失ったものは、オスク語族の伝統とエジプト、カルタゴ、ローマなどからの新しい思想が混ざり合ったハイブリッドな文化だった。しかし、スルピキイ家の物語が明らかにしているように、地中海の国際貿易は続いていた。そして、この都市の中間層の人々は、ポンペイにいたときよりも高い社会的地位を獲得している。彼らは奴隷制度の記憶を捨て、自分たちの子供が自由になるために彼らが耐えたものを捨てた。それは、ローマが灰燼に帰した時に、起こったことを忘れようとしたのと同じように、断固とした忘却だった。

ポンペイで過ごす最後の夜、日没までの数時間、私は街を散策してみた。現在のポンペイを歩くと、二〇〇〇年前の生活体験が再現されていることに驚かされる。街は多くの言語を話す家族連れで混雑し、子供たちは横断歩道の太いブロックを声を上げて飛び跳ねながら渡り、暑くて疲れた人々は噴水で頭を冷やして休んでいる。かつての賑わいを想像するのは簡単だ。ジュージューと焼ける肉の匂い、こぼれるワインの酸味、発酵した魚醤の臭いが、通りの悪臭と混じり合っていて、その悪臭はゴミや排水、街中のあらゆる動物（人間を含む）の糞などの不快な混合液からくるものにちがいない。フォーラムを囲む別荘群からアボンダンツァ通りへ、日が暮れるにつれて人通りが少なくなっていくのを見ながら歩いていく。そして、ユリア・フェリクスの敷地に近い角で、たった一人でたたずんでいた。

タベルナのカウンターで大理石の欠けた部分の写真を撮っていると、復元された向かいの噴水で、観光客が水筒に水を入れているのが見えた。手で磨いた粗いブロックから作られた、腰の高さの四角いおけには、パイプの口からきれいな冷水がたえまなく流れていた。この数千年前の都市のインフラは実にシンプルだ。それは公共空間という洗練された概念と、石やパイプや都市計画を提供する経済システムによって成り立っていた。そして、商人、奴隷、貴族、妻、後援者、売春婦など、文書や不文律によって人々をさまざまな役割に割り当てる政治的階層が、そのすべてを支えていたのである。ポンペイの街角には、こうした役割の変化が記録されていると同時に、六メートルの火山灰の下で数千年にわたって存続してきたローマ街道のように、ある基本的なレベルで、そのまま残っているものもあった。

III

アンコール

貯水池

7　農業のもうひとつの歴史

乾季の一月、カンボジアのプノンペンに到着した私は、時差ぼけでふらふらと街を歩き、周囲の密集した街並みをほとんど見ていなかった。金色の外観が崩れ落ちた石の塊になり、太く編まれた木の根に覆われた一〇〇〇年前のクメール寺院が、私の頭の中にあった。クメール王国の首都アンコールにあるこうした建造物は、少なくとも二世紀以上前から、失われた都市の神話の代名詞とされてきた。映画『トゥームレイダー』の一作目では、ララ・クロフトがアンコール寺院の伝説的な遺跡であるタ・プロームを探検しているシーンが描かれている。しかし、ローマ文明とは異なり、クメールの伝統は失われたり、死んだりしたわけではない。アンコールで花開いた文化、すなわち中央集権的な国家権力と結びついた上座部仏教は、今もカンボジア人の生活の多くの側面を形成し続けている。少し目をつぶると、一五世紀にアンコールが崩壊し、クメール王族が逃れてきたプノンペンの街並みにも、それが見てとれるようだ。今日、六〇〇年近い歴史を持つ首都の建物は、木の根の代わりに電線が絡まり、現代の宮殿を囲むフェンスには、太陽の光を受けて宝石のように輝く細いレーザーワイヤーが巻き付けられている。

プノンペンはアンコールと、トンレサップ川によって結ばれている。この川は北に流れ、トンレサップ湖へと広がり、毎年、この古都の農場に滋養豊かな水を供給していた。一一〇〇年前、アンコールは一〇〇万人近い住民、観光客、巡礼者で賑わう世界最大の都市のひとつだった。一三世紀、中国の外交官であった周達観が訪れた際、彼は精巧な城壁、息を呑むような彫像、黄金の宮殿、人工島を含む広大な貯水池について書いた。しかし、周が王の豪華な行列を見るために混雑した通りを抜けている間にも、この都市は自らの滅亡を孕んでいたのである。クメール王は、国外では帝国の地方都市に対する支配力を失いつつあり、国内ではこの都市の重要な水インフラを軽視していた。アンコールのダムは、雨季になると決壊し、またある年は運河に沈泥が堆積して、山の水の流れが悪くなった。そのたびに、改修がますます大変になった。農作業も大変になる。貿易が滞り、政治的な緊張も高まる。一五世紀半ばには、数十万人いた都市人口は数百人にまで減少した。

振り返ってみればわかることだが、手遅れになるまで誰も気づかないような、ゆったりとした破滅だったのである。それが、アンコールの廃墟感をいっそう際立たせている。アンコールに住む人々が、日々の暮らしの中で、その都市の劇的な変化に気づくことはなかった。アンコールには、これまでの生活の終わりを告げるような大きな兆しはなく、その代わりに、不満や失望が積み重なっていた。運河は直らないし、貯水池は氾濫する。かつて繁栄していた地域のいくつかは、人っ子ひとりいない静かな街になっていた。お祭りの日の楽しいパレードもなくなってしまった。若い世代は、自分たちが年長者よりも経済的な機会に恵まれていないことに気づくだろう。一四世紀、アンコールの子供たちは才能に恵まれ、宮廷の音楽家や学者になることができたかもしれない。あるいは、アンコール・ワットやアンコール・トムの寺院に向かう人通りの多い道で、香辛料を売る商売で繁盛したかもしれない。しかし、一五世紀後半になると、アンコールの若者にはほとんど選択肢がなくなってしまった。彼らの大半は農民として成長した。ある者は僧侶となり、色あせた寺院の手入れをした。

アンコールの緩やかな「アポカリプス」（世の終末）では、政情不安と気候の破局が重なったときに、何が起こるかを直接目にすることができる。それは、現代の都市が耐えている姿に酷似している。しかし、クメール文化の形成と存続のドラマチックな歴史の中にも、何か同じように力強いものを見ることができる。それは、深刻な苦難に直面した人間の回復力（レジリエンス）である。

ジャングルでの農業

アンコールは、雨季の洪水と乾季の干ばつという極端な気候で知られるカンボジアの一地域にもかかわらず、なぜか現代の多くの都市よりも大きな規模で何百年も存続することができた。王が国外で戦争をし、国内で内輪もめをする一方で、クメールの人々は熱帯のジャングルを壊し、高台にある洪水防止用の家屋や飲料水と灌漑用の運河網を備えた秩序ある都市網に置き換えた。そして、ローマ皇帝がうらやむほどの勢いで、街や病院、官僚機構を建設していった。現代のわれわれにとってさえ厳しい環境の中で、この中世の文明はどのように発展してきたのだろうか？

考古学者によれば、その答えは、クメール人が何らかの形で時代を先取りしていたからでも、古代の宇宙人と結託していたからでもない（もちろん、アンコールは宇宙人によって作られたと主張する人々もいる)[1]。むしろ、クメールの都市生活者は、レバントやヨーロッパの北方地域とは全く異なる熱帯の都市建設の伝統を持っていたからである。クメールの祖先は四万五〇〇〇年もの間、ジャングルにおける建築と農業に必要な技術を完成させ、土と水を巧みに操り、その跡をほとんど残さず自然に溶け込んだ王国を作り上げた。

それはおそらく山火事から始まったのだろう。五万年前、東南アジアの人類は葦舟で南太平洋を横断し、やがてオーストラリアまで達していた。そしてその間に、後にクメール王国となる土地や、現在のインドネシア、シンガポール、フィリピン、パプアニューギニアなどの島々に定住していった。これらの地域で人々は、熱帯の密林の中で、植物や小動物を食べながら生活していた。そして、ある時、森林火災が逆説的な効果をもたらすことに気がついた。炎は下草を刈り取り、炭の層を残す。ジャングルが焼かれた後には、ヤムイモやタロイモなど、人間が最も好む食べ物がよく育つようになった――生育に余裕があったということもあるが、それは炭化した部分が栄養価の高い土壌になったからだ。マックス・プランク研究所の考古学者パトリック・ロバーツは、山火事の効果を観察した後で、人類は自分たちでも山火事を起こせば、その恩恵が受けられることに気づいたと言う。

ロバーツは、『先史・歴史・近代における熱帯林』[2]の著者である。これは赤道直下のジャングルが、レバントのチャタルヒュユクとは全く異なる文明を育んだことを明らかにした興味深い研究だ。東南アジアやアマゾンのように遠く離れた地域で、ロバーツと彼の同僚たちは、人間が管理しながら火事(野焼き)を起こしたという明確な証拠を発見した。その際、動物の骨や糞を炭に混ぜて、より肥沃な土壌を作るために、手で土を耕すこともあった。バナナやサゴヤシ、タロイモなどでんぷんを主要成分とする樹木の種子を撒きながら、数千年にわたり特定の樹木や植物の成長を促す方法を学んだ。そしてやがては、採食する森の樹木の個体数を変化させていったのである。また、島々を行き来しながら、種子や焼き畑の技術を持ち帰り、好みの植物や小型哺乳類を東南アジアに持ち帰った。南アジアからはニワトリを舟で南太平洋の島々に運んだ。焼き畑は正確には農業というより、農耕の原型のようなものだった。これをやっている集団は、当時はまだ遊牧民だったのだろう。しかし、数千年後でさえ、科学者は層序学的な手法で、古代人がジャングルをどのように変えていったかを見ることができる。下層（古い層）には、自然に存在するさまざまな植物の花粉や種子の化石が詰まっているが、上層には、人間が好む作物に偏った植物の遺物がたくさん残っていた。

チャタルヒュユクで、人々がレンガを積んで最初の家を作っている頃、パプアニューギニアの高地では、今日、クックと呼ばれる沼地の排水をするための深い溝が掘られていた。クック・スワンプ〔ニューギニア高地にある考古学的遺跡の総称〕の人々は、精巧な建築物を建ててそこに住み、排水された農地にバナナやサトウキビ、タロイモを植えていた。彼らの集落は、何世代にもわたって大地を耕してきた人間の集大成だった。二〇一七年に学術誌『ネイチャー・プランツ』に掲載された、ロバーツらの画期的な論文がそれを要約している。「ボルネオ島とメラネシアでは約四万五〇〇〇年前、南アジアでは約三万六〇〇〇年前、南米では約一万三〇〇〇年前までに、（人類が）熱帯林を利用していたことが、現在でははっきりと証明されている[3]」。アンコール時代に至るまで、東南アジアの人々は、極限の環境下で集落を建設する経験を十分に積んでいたのである。

このことは熱帯の都市生活者が、都市建設競争において、北部の地域に「勝った」ことを意味するものではない、とロバーツは言う。「明らかに、アーバニズム（都市に特徴的な生活様式）は世界のさまざまな地域で異なっています」と彼は言った。「われわれは、この定義づけをもっと柔軟に行う必要があります」。都市は世界中で同じ材料で作られているわけでもなく、同じデザインを持つものでもない。「熱帯地方は、農業とアーバニズムの境界線をどこに引くかが非常に難しいことを示しています」とロバーツは続けた。そのため、考古学者にとって、石の壁や小さな像のような都市の遺物を特定することは時に困難となっている。東南アジアの初期の都市を見つけるために、科学者は「人工地形」（anthropogenic geomorphology）と呼ばれるものを探している（ギリシャ語の語源を分解すると、anthropogenicとは人為的な、geomorphologyとは地形形成の研究［地形学］という意味になる）。この用語は、植樹や土壌への肥料の混合、沼地の排水、木造小屋の基盤として人工丘陵の建設など、人間が自分たちの用途に合わせて、土地を改造してきたあらゆる方法を包括している。

人為的な地形形成（人工地形）の古い起源を理解することは、アンコールのように、街のごく一部しか石材で作られていない都市の遺跡を認識するための鍵になる。熱帯農業の長い歴史から生まれた都市は、チャタルヒュユクやポンペイのように、農場に囲まれた石造りの建物が高密度に集積していたわけではない。その代わりそれは、農地の大部分を都市構造に取り込んだ低密度のスプロール型の都市だった。住宅や公共施設は土と腐りやすい植物で作られている。印象的ではあるが、このような都市構造は、人々が放棄した後、すぐに原野に戻る。ヨーロッパの考古学者が初めてアンコールを訪れたとき、彼らは西洋の都市開発様式に目を向けるように仕向けられていたため、都市の大半の住居は、彼らの目に触れないままになっていた。彼らは、アンコール・ワットやアンコール・トムの石塔に殺到し、これらの寺院群を、巨大な都市のスプロールの中にある、城壁に囲まれた小さな都市と勘違いしてしまった。そして、かつての街並みや貯水池、農園など、広大な土地に残された痕跡を完全に見落としていた。

レーザーがあれば、すべてがうまくいく

かつて七世紀にカンボジアのチェンラ王国の首都として栄えたサンボール・プレイ・クックを訪れたとき、考古学者がいかにまちがいを犯していたかがよくわかった。今は、散在する寺院の塔と、下草に覆われた丘のように見える一三〇〇年前の城壁しか見えない。広い岩の上に座って周囲を見渡すと、これらの崩れかけた建造物が首都の一部であるとはとても思えなかった。しかし、ヒンドゥー教寺院と大きな貯水池を持つサンボール・プレイ・クックは、多くの点でアンコールの原型となった。名前の由来――サンボール・プレイ・クックとは、「豊かな森の中の寺院」という意味のクメール語――でもあった木々の陰で、私は考古学者のダミアン・エヴァンスとこの地の地図に見入った。「かつてここには巨大な木造都市があったんです」。エヴァンスはそう言って腕を上げ、落ち葉で舗装された小さな未舗装の道路を指差した。「都市が朽ち果てた後には、堀や城壁や墳墓だけが残ったんです」。彼の地図に描かれていたのがそれで、そこには、周囲の地盤の高さが細かく表示されていた。

エヴァンスらは、ライダーと呼ばれる画像処理技術を使って、アンコール地域の地図を作成した。ライダー（光検出［light detection］と測距［ranging］の略）は、レーザー光を地表に散乱させ、跳ね返ってくる光子をとらえる装置だ。この光のパターンを専用のソフトウェアで解析することで、センチメートル単位の標高を地図上に再現することができる。ライダーは、光の雨が葉の間をすり抜け、森林の被覆を剥がし、かつての都市網を明らかにするので、人為的な地形形成の研究に理想的だ。エヴァンスは、ナショナルジオグラフィック協会と欧州研究評議会からの資金援助を受けて、二〇一二年と二〇一五年に、アンコールのライダー調査を広範囲にわたって実施するチームをコーディネートした。このシステムはハイテクかもしれないが、DIY（ディー・アイ・ワイ）でもあった。ライダー装置「Leica ALS70 HP」は、ポータブル発電機二台分の大きさと重さがある。オペレーターはライダーを保護用のプラスチック製ポッドに入れ、ヘリコプターの右スキッド（ソリ）に取り付けた。その隣には、ライダーのデータを通常の写真と照合できるように、すべてを撮影する市販のデジタルカメラが固定されている。このシステムは効果的だったが、搭乗員にとっては少し不便だった。「電源とハードディスクを入れるために、ヘリコプターの座席をほとんど取り払わなければなりませんでした」とエヴァンスは振り返る。しかし、その苦労は報われた。彼らが発見したものは、世界中の都市の歴史を書き変えるのに役立っている。

エヴァンスらのライダーマップは、アンコールとその周辺に関する長年の謎を解き明かした。何世紀もの間、考古学者や歴史家は、アンコール寺院の碑文から、この都市の人口が一〇〇万人近いと示唆されていることに困惑していた。それは、当時の世界最大の都市に匹敵する規模であり、全盛期の古代ローマと競い合うものだったからだ。アンコール・ワットやアンコール・トムの遺跡を見る限り、それは不可能に思えた。あの城壁に囲まれた中に、どうやってこれだけの人数を詰め込んだのか？　一九世紀の西洋の学者たちは、アジアの都市がこれほどまでの規模になることを、とても信じようとはしなかったし、後の研究者たちも、王が命じた碑文の正確さに懐疑的だった。しかし、エヴァンスのチームがライダーでアンコール遺跡とその周辺の景観を明らかにした時、初めて、これらの碑文が誇張でないことが明らかになった。現在では、アンコールの人口は八〇万人とも九〇万人とも言われ、最盛期には世界最大級の都市であったと考えられている。ライダーでどれだけのことがわかるかを実証した後、研究者たちはこの技術を使って、クメール王国の他の地域も調べた。

そのひとつが、アンコールの台頭以前に遡る都市サンボール・プレイ・クックで、私はエヴァンスと一緒に現地でライダーマップを眺めていた。機械がレーザーで見るものと、自分の目で見るものを比較することで、いかに感覚が混乱させられるかをすぐに理解した。周囲には緑豊かな木々やなだらかな丘陵が広がっている。しかし、地図を見ると、七〇〇年代後半の都市計画が見えてきた。標高を測ると、かつて寺院や住居の基礎となった正方形や長方形のマウンドが何千もあることがわかった。昼食をとるために立ち寄った岩は、街の中心部にあり、かつては堀に縁取られ、今は浸食された壁が高くそびえる、ほぼ完璧な広場に囲まれていた。自然の沼地だと思っていた地面の凹みは、実は深い貯水池や運河の跡だった。さらに地図をよく見ると、寺院の周りには、鳥肌が立っているような小さな塚が何百とある。

「あれは何ですか?」。私はエヴァンスに尋ねた、何か特殊な農地の使い方なのかと想像しながら。「シロアリの塚です」と、彼は近くの土の塊を指差した。「アリはこの高さが好きなんです」。

ライダーがとらえたものがすべて、失われた文明のものであるとは限らない。しかし、シロアリの塚は、ライダーがいかに強力な技術であるか（風景の中の極めて小さな特徴を見つけ出すことができる）、そして研究者が、いかに古代の構造物と現代の森の自然な特徴との違いを見分けることに長けているかを思い知らされるものだった。周囲の大地を覆う昆虫の都市を無視するように、私は再び人間の営みに思いを馳せることにした。寺院の入り口からトンレサップ川に向かって高架の土手道が伸びており、その長い土の指が今も水の中で光っている。サンボール・プレイ・クックでは、チェンラ王国の王たちが、ヴィシュヌ神を好むアンコール朝の王たちとは異なり、ヒンドゥー教のシヴァ神を崇拝していた。この寺院の最も印象的な塔のひとつは、深いオレンジ色の砂岩でできた八角形をしている。壁面には空飛ぶ宮殿が彫られ、高くそびえる塔とバルコニーは鳥の背中に支えられていた。サンボール・プレイ・クックや他の寺院遺跡の碑文は、このようなヒンドゥー教の王たちの栄光を証言しているが、アンコール王朝最初の王、ジャヤーヴァルマン二世（在位八〇二―八三五）が八〇二年に、碑文で自らを神の指導者と宣言して以降はほとんど書かれていない。その時点でアンコールは台頭し始め、サンボール・プレイ・クックではゆっくりと住人たちがいなくなっていった。

それでもサンボール・プレイ・クックは、今もクメールにとって重要な場所である。ある寺院では、新鮮なお香の入った籠や紙の花、仏像を守る黄金のパラソルを見つけた。しかし、何世紀も前の仏像には、現代的なタッチが見られる。それはヒンドゥー教のシヴァ神の力を象徴する古代のリンガ祭壇の上に建てられていた。リンガ（男根像）は、クメール王国内の寺院で見られるもので、さまざまな形があるが、多くの場合、四角い台座の中央に滑らかで抽象的な陰茎の形をしたリンガ――リンガム（男根をかたどった長円形の石）――がまっすぐに取り付けられている。リンガムの周囲には様式化された溝があり、台座のへりから突き出た細い注ぎ口につながっている。この台座はヨニ（女陰）と呼ばれることもある。僧侶はリンガに液体の供物を注ぎ、それが溝に流れ込んで注ぎ口からこぼれるようにした。これは豊穣の象徴であり、山の石から生命を育む水が流れ出る様子を再現したものである。特にクーレン山地から流れ出る水が、大地を潤す渓谷に住む人々にとっては力強いイメージだったのだろう。

私は、エヴァンスのライダーマップが示すサンボール・プレイ・クック市街地を囲む四角い壁と、トンレサップ川に流れ出る寺院の土を考えてみた。それはリンガ祭壇の巨大版のようなものだった。アンコール朝の寺院や市街地を巡ると、小さなリンガからアンコール・トムの周囲に張り巡らされた巨大な四角い堀まで、さまざまなスケールでこの四角と水路のパターンが繰り返されているのが見えた。

しかし、エヴァンスは、都市の宇宙的なデザインの完成度よりも、神殿の囲いの外に広がる庶民の居住区に興味を持っていた。ライダーマップには、そこに何千人もの人々が住み、農業を営んでいた証拠がたくさんあるにもかかわらず、彼は「外には厳格な都市グリッド（格子状のもの）が存在しない」」と指摘する。建築史家のスピロ・コストフは、すべての都市のレイアウトは、有機的なものと格子状のものの二種類に分類されると主張している。[4] 有機的な都市計画とは、チャタルヒュユクや中世ヨーロッパの多くの都市に見られるような、曲がりくねった道路や常に変化する即興的な構造物を持つ、その場限りの都市計画のことである。一方、ローマ帝国のようなグリッド型の都市は、中央政府によって発展が規制されることが多い。アンコールの伝統的な都市は、その両方のパターンを示し、多くの場合、厳格なグリッドが有機的な形態に囲まれている。これらの有機的なアンコール地区は、都市を建設し、住民に食料を供給した人々が作り上げたものであることが多い。しかし、エヴァンスらが文字通りのレーダー装置を使って注意を喚起するまで、その人々の歴史は西洋考古学のレーダーに映ることはなかった。

都市以前の都市

アンコール遺跡は、現在、トンレサップ湖畔のシェムリアップという繁華な国際都市に隣接している。シェムリアップは、現代のポンペイのように、数世紀前の名所を見に訪れる観光客の人出で賑わっていた。観光客向けの宿舎には、お祭りのような雰囲気が漂っている。店では乾燥大麻を使った「ハッピーピザ」が売られ、歩道ではトゥクトゥクの運転手が車を止めて、寺院やナイトクラブへ乗っていかないかと客に勧めている。ロード・トリッパー〔車やオートバイを使って旅行する人〕たちは、スクーター用のガソリンを、酒瓶を再利用して一リットル単位で販売する業者から購入していた。地元のヒップスターや学生たちは、高級スターバックスのようなチェーン店「ブラウンズコーヒー」で、よりおいしいドリンクや軽食を求めてたむろする。アンコールの最盛期である一〇〇〇年前に比べると、売っているものは変わっても、人々のエネルギーは変わっていない。街中や寺院では、ユーラシア大陸のさまざまな言語が飛び交っていた。一〇〇〇年以上も前から、アンコール文明の栄光を目の当たりにするために、人々がこの地を訪れていたのだと思うと、納得がいく。

しかし、昔はそうではなかった。

アンコール建設の初期には、この都市が最終的に優位に立つことは決して保証されていなかった。ハワイ大学の考古学者であるミリアム・スタークは、キャリアのほとんどをアンコールの発掘に費やしてきたが、とりわけ、アンコールの黎明期に興味があるようだ。彼女と私は、二〇一九年夏の発掘シーズンに向けて出発する直前に、カメラ越しで話をした。ホノルルのキッチンテーブルでくつろぎながら、彼女は一九九〇年代半ばにカンボジアで発掘していた時に、クメール・ルージュをどのように避けてきたかについて、さりげなく話してくれた。アンコールの歴史を説明するときのスタークは、鋭く、愉快で、休むことのないエネルギーに満ちている。

トンレサップ湖北部の村は、アンコール以前の多くの村と同様、土塁を中心にした集落で、その上に木製の祠《ほこら》が建っていた。「アンコールはステロイド剤を使った祠堂のようなもの」と彼女は笑ったが、その通りだ。この街の寺院の素晴らしさに驚きを隠せないでいると、それらは基本的に、土の台の上にある巨大で華麗な祠であることに気づかされる。そして、その周りに広がる街もまた、人々が土を加工して土台を作り、道路を作り、池を作り、家を建ててきた。これはサンボール・プレイ・クックに限らず、はるか遠い更新世の祖先が、土を焼き、かき回して作ってきた伝統なのである。

スタークは、アンコールの台頭は、都市計画の偉業というよりも、霊的なプロセスだったと見ている。「人々は宗教に魅了されたのです」と思いを巡らす。「そして、見世物にも。儀式や修行に酔いしれるということがあるのです」。彼女は、人々が最初にこの地域に魅了されたのは、地元の寺院やシャーマンを訪れていたからだと考えていた。ジャヤーヴァルマン二世がクメールの初代王を宣言したのは、クーレン山地での宗教儀式においてだった。彼は、アンコールが後に台頭することになる場所のすぐ近くで、国家建設を続け、ハリハララヤという都市を築いた（現在、考古学者はそれをロリュオスと呼んでいる）。ジャヤーヴァルマン二世はハリハララヤで、寺院や貯水池を建設し、大規模な祭りと儀式を行った。都市は人々に富と安全を約束することで発展してきたが、スタークによれば、ジャヤーヴァルマン二世の宗教的展示に伴う娯楽の誘惑も捨てきれないという。アンコールは、華やかさと政治的スペクタクルを特徴とする都市として始まったのである。

最近スタークは、オレゴン大学の同僚で人類学者のアリソン・カーターとともに、トンレサップの南に位置するバッタンバン州で、住居の発掘調査を行っている。バッタンバンというのは、アンコールの南側にある州で、本来はアンコールの郊外という位置づけだった。そのバッタンバンで、数千年前の集落が発見された。つまり、この地域の住民は、季節ごとに増水する湖の向こう側からアンコールの誕生を目撃していたことになる。「アンコールは八〇二年に始まったと言われています」。しかし、これはジャヤーヴァルマン二世が、後にアンコールとなる土地の権利を主張した日にちだとカーターは教えてくれた。「でも、バッタンバンの人々は、アンコールがいつ始まったと思っていたのでしょう？　湖の向こうで起きていることを、彼らはどう考えていたのでしょう」。この問いは良かった。というのも、ジャヤーヴァルマン二世がアンコールに来るずっと前から、この街が占領されていたことはわかっているからだ。バッタンバンの村々にはそれぞれのリーダーがいて、その功績を記した碑文もあり、単なる農民が神王の指示を待っていたわけではない。彼らは、膨れ上がった大都市を好奇心と恐怖心の入り混じった気持ちで迎えていたにちがいない。

ジャヤーヴァルマン二世は、明らかにヒンドゥー教の帝国を築こうとしていた。死後に刻まれた碑文には、ヒンドゥー教の伝統から王権に関する概念を借りて、彼がみずからクメールの神的支配者を宣言する戴冠式が記されている。しかし、スタークとカーターは、インドのヒンドゥー教が突然注入されたのではなく、そこにはもっと複雑な事情があると考えている。カーターは、「これはインド化ではなく、グローバル化です」と言い、アジアの多くの地域から影響を受けていることを指摘した。「さらに、アンコールができるまでに、カンボジアには一〇〇〇年にわたる固有の文化的発展があったのです」と付け加えた。バッタンバンなどの地元の人々は、海外からのアイデアと同じように、アンコールの発展にとって重要だったのである。

クメールの歴史の中で、考古学者の間で際立って注目を集めている過渡的な時期がある。ジャヤーヴァルマン二世がこの地域を支配下に置く前の数世紀、人々は死者を埋葬するのをやめた。東南アジアの紀元前五〇〇年から紀元後五〇〇年までの集落では、埋葬が盛んで、それに伴う遺物も多く、考古学者が研究対象の文化を知る上で頼りにしていた。しかし、紀元一〇〇〇年代後半以降には、ほとんど埋葬されていない。遺体は火葬されたか、あるいは都市の外に持ち出されてジャングルで放置されたのだろう。このような埋葬方法の変化は、ヒンドゥー教や仏教の台頭によるものと考えられているが、他の伝統的な埋葬方法の可能性もある。アンコール崩壊と同様、この都市の起源は非常に複雑かつ緩やかであり、その始まりを簡単に特定することができない。

しかし、人口の面では、九世紀になるとバッタンバンから湖を隔てた土地が賑わい始める。ハワイ大学の人類学者であるピファル・ヘンによると、ジャヤーヴァルマン二世が権利を主張した土地に人々が集まった理由には、基本的に二つの説があるそうだ。ひとつは、数千年にわたり、人々が大地を耕し作り変えてきたという説。ヘンが強調するのは、この地域に古くからある集落は、家が密集し、その周りに田んぼが広がっていて、どれも似たような配置になっていることだ。「つまり、中心部以外の街全体が集落と田んぼになるのです」。都市に田んぼがあるということは、二つの利点がある。もちろん、農業を営んでいないエリート層やその家庭に多くの食料を供給することができる。また、マンハッタンのような密集した都市ではなく、ロサンゼルスのようなスプロール型の都市になることを意味している。そして、アンコールの指導者たちは、国境に潜む敵に対して戦略的に優位に立つことができるようになった。「さらに遠くの土地、つまり湖の近くや、湖の北や北西地域を支配することができたのです」とヘンは指摘する。農場を含む都市の建築様式は、チャタルヒュユクのような密集した都市よりも、はるかに遠くまで人々を結びつけることができるため、より大きく、より堂々としたものになる。

しかし、なぜアンコールに人が集まったかについては、第二の説があり、それは農地の大きさよりもずっと測りにくい。人々が増えれば増えるほど、エリートたちは都市の水インフラを作り、それを維持するために、十分な労働力を動員することができるようになった。アンコール以前の都市には、乾季に水を貯めるための「バライ」と呼ばれる大きな貯水池があり、これは長い伝統を受け継ぐもので、その規模は巨大だった。アンコールの田んぼを一年中水浸しにするためには、世界でも類を見ない大規模なバライと水路網が必要だった。九世紀のこの瞬間に、われわれは自己増強サイクルの始まりを見るのである。アンコールの人口が増えれば貯水が必要になり、貯水は膨大な労働力がなければ維持できない。アンコールは、その渇きを癒すために成長し続けなければならなかった。

都市の生涯を通じて、水道システムは稲作を維持するための実用的な手段であったにとどまらない。水路は、都市の儀式を行うためのモニュメントでもあった。寺院に参詣する人々は、人工的に作られた貯水池や堀を舟で渡り、寺院に足を運んだ。アンコール・ワットはヒンドゥー教の神ヴィシュヌに捧げられたもので、この寺院の最も有名なレリーフには、神々と悪魔（アスラ）の劇的な戦いの最中にいるヴィシュヌ神が描かれている。この戦いは、巨大なヘビ（ヴァースキ）のロープを神々と悪魔が引き合う綱引きで、それによってミルクの海がかき回されて、さまざまなものが生まれる（乳海攪拌）。綱引きにヴィシュヌ神が介入し、悪魔の支配から宇宙を解放する。これがクメール人の原点となり、アンコールの名画には、ミルクの海に浮かぶヴィシュヌ神が世界の誕生を画策する姿が多く描かれている。アンコールの最も有名なモニュメントのひとつは、四本の腕のひとつに凭れている、六メートルのヴィシュヌ神のブロンズ像である。像は、長方形の西バライ貯水池の真ん中にある、正方形の人工島に囲まれた四角形のプールの中で休んでいる。この島は、本書の冒頭で紹介した人工島と同じもので、エヴァンスは、宇宙論的なデザインが必ずしも優れた水工学に結びつかないことを指摘した。

アンコールの運河と貯水池は、他の巨大な都市インフラプロジェクトと同様、何度も失敗を繰り返しながら、見事に完成した。それは都市がいかにして生態系を作り出し、また破壊するかについての訓話であり、これから見るように、かなり繊細なものだった。

8　水の帝国

一三世紀末にアンコールを訪れた中国の外交官周達観は、アンコールの気候に驚嘆した。「六カ月間は雨が降り、六カ月間はまったく降らない」と書いている。「四月から九月までは毎日雨が降っている」。今日、気象学者たちは、カンボジアは二つの異なるモンスーン・システムに吹き付けられていると言うだろう。五月から一〇月にかけては、南西モンスーンがタイ湾やインド洋から大雨をもたらす。トンレサップ川がアンコールの水田に溢れ出し、轟音を立てている水の向こうに、木々の先端が見えるだけになってしまう。そして、一一月から三月にかけては、ヒマラヤ山脈から北東モンスーンが吹き降ろし、インドの一部を濡らすが、東南アジアはモンスーントラフ（季節移動する熱帯収束帯）と呼ばれる独特の低気圧に覆われる。このトラフの端では激しい熱帯低気圧が発生し、その中心部では高温で乾燥した気候になる。二つのモンスーンの勢力に挟まれたカンボジアは、両極端の気候の間で揺れ動いている。一〇〇万人近いアンコールの人口を維持するために、クメール人は水の調整を基本にした社会システムを構築しなければならなかった。

借金奴隷とそのパトロン

ジャヤーヴァルマン二世が神王と宣言してから約一世紀後の九〇〇年代初頭、ヤショーヴァルマン一世（在位八八九―九一〇）は首都をやや北東に移し、アンコールの人々に東バライと呼ばれる巨大な貯水池を掘るように指示した。一般に皇帝は即位を祝ってバライを作るが、[1]このバライは別格だった。ひとつには、その巨大さである。七・五キロメートル×一・八キロメートルの長方形で、五〇〇〇万立方メートル（オリンピック用プール二万杯分）の水を貯めることができた。そのため、シェムリアップ川をアンコールの中心部に導く運河が作られた。

東バライは、トンレサップ湖の西岸に広がる寺院の墳墓、高床式の木造家屋、水田などが低密度に混在する市街地に水を供給していたのだろう。当時はまだ、首都が誕生して間もない頃である。アンコール・ワットの壮大な塔を建てるために砂岩を切り出すには、あと二世紀待たなくてはならない。ヤショーヴァルマン一世は、この巨大なプロジェクトのために、近隣の住民全員に家を捨てるよう命じなければならなかったし、軍隊に匹敵するほどの力を集める必要があった。そしてそれが、これまでの貯水池と東バライが大きく異なる点だった。つまりこの貯水池の建設は、アンコール時代のインフラ整備の中で、初めて王国全土から膨大な人手を必要とするプロジェクトだったのである。

私が訪れたとき、東バライはジャングルに溶け込み、時が土の擁壁（斜面の土が崩れるのを防ぐための壁）をなめらかにし、木々が生い茂り、農地が点在するなだらかな風景になっていた。その昔、ヤショーヴァルマン一世が家臣を率いて華やかな儀式を行った場所とはとても思えないほどだ。おそらく、そこがポイントなのかもしれない。巨大な労働力だけが、この荒れた土地を左右対称のプールに変えることができた。そして、彼らがいなくなった今、東バライもまたなくなってしまった。アンコールの真に驚くべきは、その労働力にあった。しかし、アンコール寺院の壁面に刻まれた碑文や、歴史的な記録から、彼らのことを知ることはほとんどない。彼らはヤショーヴァルマン一世の意志を実行する無名の大衆だった。

アンコールの都市計画について考古学者にインタビューするたびに、「バライはいったい誰が作ったのですか」と私は必ず聞いた。ローマを思い浮かべて、きっとそれは奴隷だろうと想像した。しかし、彼らの答えは複雑だった。ローマ帝国とクメール王国の労働組織のあり方を簡単に同一視することはできないからだ。アンコールの碑文によると、王やその他のエリートは労働者たちを雇っていたようだが、古クメール語でこの労働者たちについてよく使われる「クナム」（Khñum）という言葉は、広い範囲の役割を指しているようだ。[2] クナムとは、寺院で働く労働者のことで、彼らは少数民族から連れてこられたり（周達観は彼らを「野蛮人」と呼んだ）、戦争中に投獄されたりした者たちで、生涯奴隷となることもあった。[3] また、税金の一種として一時的な拘束に耐えた年季奉公人（債務奴隷と呼ばれることもある）の場合もある。[4] これらの労働者は、織物、貴金属、動物などの貴重品と並んで、寺院の碑文に財産として記載されることもあった。クナムは、ローマ時代の奴隷と同様、肉体労働者から学識ある学者まで、さまざまな職業に就いていた。このような労働者は、gho、gval、tai、lap、siなど多くの称号で識別され、「労働者」「使用人」から「奴隷」「平民」まであらゆる意味で使われる。ここではわかりやすく、「クナム」と呼ぶことにする。

クナムと呼ばれる債務奴隷の生活は、西洋のほとんどの資本主義文化が、同様のシステムを採用していることを考えるまでは、残酷なものに聞こえるだろう。アメリカでは、多額の借金を抱えて大学を卒業し、それを返済するために一生働かなければならない人も珍しくはない。また、家の購入や車の購入のために借金をする人もいる。借金を返すためにどんな仕事をするかは、厳密に言えば誰でも選べるのだが、自分がやりたいと思うような仕事をしている人はめったにいないだろう。多くの人は、どこか遠くの企業から「溝を掘れ、さもないとすべてを失うぞ」と言われているような気がしている。それでも、われわれが銀行に対して敢然と立ち上がらずに、仕事を続けているのには、複雑な理由がある。われわれの生活は比較的快適なので、波風を立てたくないし、子供の入院費に健康保険が必要なのかもしれない。企業があまりにも強力すぎて、倒すのが難しいように思えるのかもしれない。そうした感情が、クナムを押さえつけてきたのかもしれない。

アンコール社会は債務奴隷制の上に成り立っているが、債務という観念は公共生活の各層に浸透していた。寺院や宮殿の壁に刻まれた碑文は、クメール社会の誰もが誰かに何かを借りていたことを明らかにしている。[5] クメールの王でさえ、臣下に対して清潔な水や道路などの便宜を図る義務を負っていたのである。借金はまた、クメールの支援システムを通じて、辺境の王国の支配者たちとの政治的なつながりを強固なものにした。ヤショーヴァルマン一世には、貴金属や高級織物、有利な貿易関係や労働力の供給など、言葉では言いようのない貢ぎ物が支払われた。その見返りとして、ヤショーヴァルマン一世は彼らに広大な耕作地を与えた。また、農業が気に入らない王族には、ヤショーヴァルマン一世は彼を宮廷に招き入れ、都の楽しみを味わわせることもあった。アンコールの宮廷では、扇子持ち、床屋、衣装持ちなど、奇妙な役職を与える王もいたという記録が残っている。[6] おそらくこれらは、王の盟友たちにアンコール宮廷へ出入りする口実を与える、報酬の高い副業であったと思われる。

しかし、ヤショーヴァルマン一世が行ったのは、財宝を貴族たちに分け与えることだけではなかった。ヤショーヴァルマン一世や他の王たちは、アンコールから頻繁に出て、危険な旅をしながら臣下の宮廷を訪れた。表向きは崇拝されるためだが、それは民衆の重要性を認識するための手段でもあった。王は強大であっても、アンコールを光り輝くコスモポリスにした労働力がなければ、彼は何の役にも立たないからだ。

アンコールでは労働力が最も貴重な財産だった。それは、クメールの経済が素朴だったからではない。実際、一九世紀までの奴隷所有社会は、富を生み出すために労働者に大きく依存することが多かった。社会学者のマシュー・デズモンドは、アメリカ南部の奴隷労働について書いているが、南北戦争が始まるまでに、「奴隷にされた人々の価値の合計は、国内のすべての鉄道と工場の価値を超えていた」[7] と指摘している。クメール王国は、隷属を指導者への義務として、またそれを公的な儀式に組み込むことで、それを常態化したシステムによって支えられていた。ミリアム・スタークに言わせれば、「指導者は強制するよりも説得し、支配を正当化するために軍事力と同じようにアトラクション（呼び物）を使った」[8]。しかし、アンコールの数々の見どころは、人々がそれを作ることを義務と感じていたからこそ存在したのであり、それを否定する王は、結局何も得ることができなかった。

スタークは、この仕組みがいかに不安定なものであるかを強調した。それは、この仕組みが社会階層のあらゆるレベルで、忠誠心に依存しているためだ。頂点に立つのは王と家族である。その下には、アンコールに住む他の貴族や、大臣、役人、王の顧問を務める世襲の僧侶階級がいた。そして、地方や農村には、半独立の地方行政制度が存在した。国王の監察官や地方官と一緒に統治するのは、たいてい村長と村の長老会議である。そして、その下には、奴隷、平民、使用人からなる最大の集団、クナムがいた。王国を拡大するためには、王はこれらすべての集団を必要とした。そして、王位継承のルールがないために、トップの人間でも没落し、その下の人間が台頭する可能性があった。したがって、往々にして後継者をめぐる戦争が起こり、地方では反乱が勃発し、混乱が繰り返された。スタークは「都市が崩壊した原因は、環境や物理的なものだけでなく、社会的なものもあったかもしれない(9)」と考えた。

都市の人口爆発

東バライの建設から一〇〇年以上後、アンコールの新しい王が後継者争いを制した。一一世紀初頭、スーリヤヴァルマン一世（在位一〇一〇―一一五〇）はアンコール王朝初の拡張主義の王となり、クメール王国の国境を北はラオス、タイ、南はベトナムのメコン川デルタ地帯まで拡大させた。その背景には、現在のインド南部に位置するチョーラ王国との強い結びつきがあった。チョーラ王国は、彼の治世の間、戦争時の同盟国であり貿易の相手国だった。しかし、スーリヤヴァルマン一世の治世の間、スーリヤヴァルマン一世が王として成功したのは、都市建設に執拗に取り組んだからである。スーリヤヴァルマン一世の治世には、トンレサップ川をはじめ、メコン川、セン川、ムン川など、アンコール地域から放射状に広がる自然の川に沿って新しい都市が誕生した。王は、貿易だけでなく、要人の移動にも利用できる、水で結ばれた都市網を発展させていたのである。ボール州立大学の歴史学者ケネス・ホールによると、サンスクリット語で「都市」を意味する接尾語「プラ」（pura）を使ったクメール王国の地名は、スーリヤヴァルマン一世の治世に四七に跳ね上がったという。その五〇年前には、一二都市しか記録されていなかった。[10] スーリヤヴァルマン一世のクナムは、遠く離れた地域に道路や寺院を建設し、時にはリンガの祠堂を残して、王の支配の証しとした。

アンコールでは、スーリヤヴァルマン一世の都市計画への情熱が、おそらく最も有名なモニュメントである西バライとなって表現された。この貯水池は、機械を使わずに建設されたものとしては、今日でも最大級であることが認められている。東バライから数キロメートルのところにあるこの貯水池は、王の宮殿を二つの大きな人工の海に挟まれた宝石のような場所に変えていた。エヴァンスのライダーマップを見ると、西バライと東バライの長方形が東西にきれいに並んでいるが、西バライの方が横幅が長いことがよくわかる。西バライは約八キロメートル×二・一キロメートルで、東バライよりもさらに大きな労働力を必要とした。端から端までのんびり歩いても一時間、二つの貯水池を一周すると午後いっぱいかかる。西バライの貯水量を維持するために、すでに東バライを潤しているシェムリアップ川から分水する運河を掘り、さらに、それをトンレサップ湖につなげる運河を掘削した。川の水は、モンスーンの季節に降る雨で補われた。西バライの水量は、最も多いときで約五七〇〇万立方メートル。[11] これはオリンピック用プール二万三〇〇〇杯分に相当する。建設に時間がかかり、完成したのは一〇世紀半ばにスーリヤヴァルマンが亡くなった後である。二〇世紀の復元工事により、現在も貯水池は一部満水となっている。

西バライが完成しても、それを始めとして、都市の水インフラを維持する作業は継続されたはずである。スーリヤヴァルマン一世が遠方の王国への庇護を利用しながら、国内から何千人もの人々を移転させて、この作業を行ったと想像せざるを得ない。ある者たちは王への貢ぎ物として、また他の者たちは税金を納めるために、その地方の支配者から派遣されたのであろう。西バライの建設は、不安定な政治階層を安定させるためのひとつの手段であった。

それはまた、修正主義的な歴史のためには、都市デザインを利用するというスーリヤヴァルマン一世のやり方でもあった。貯水池を掘るクナムたちは、ヤショーヴァルマン一世の旧宮殿の周囲に作られた近隣の町や道路、農場をすべて壊さなければならず、おそらくその過程で住民を立ち退かせたのだろう。そして、彼らは貯水池の最深部に到達すると、チャタルヒュユクの考古学者イアン・ホダーが「歴史の中の歴史」と呼ぶものを根絶やしにし始めた。西バライの池底には、三〇〇〇年前の集落跡がある。[12] われわれがそれを知ることができたのは、二〇〇四年五月に西バライが干上がり、フランス国立極東学院（ＥＦＥＯ）のクリストフ・ポティエ所長が発掘調査を行ったからだ。その結果、池底のすぐ下から、紀元前一〇〇〇年代前半の生活をうかがわせる、人骨や砕けた土器、布や青銅のかけらなどが発見された。一一世紀のスーリヤヴァルマン一世の労働者たちが、このような遺跡を見たことはなかっただろうが、スーリヤヴァルマン一世の貯水池が、極めて古い原始都市の上に建設されたことを示す、他の証拠を発見した可能性は高いだろう。西バライの建設は、数千年にわたる歴史的集落を掘り起こし、何百万ガロンもの水の下に埋め戻すことを意味した。

スーリヤヴァルマン一世は王族の外部から即位し、クメール王国初の仏教王でもあった。おそらく彼は、新しい時代の幕開けを告げるために、歴史を消し去り、新しい人工の海を創造したかったのだろう。

西バライが有用であったか、あるいは、うわべだけを飾り立てた儀式用のものだったのかについては、考古学者の間で激論が交わされている。この水が飲料や農業に重要であったことは明らかだが、実際にどれだけの水が人々の家や農場に届いていたかはわからない。街にはすでに他の運河が縦横無尽に走っており、各街区には、ライダーマップ上で小さなピンポイントの塊のように見える集水池があった。つまり、西バライが儀式用であった可能性もないとは言えない。このような解釈は、西バライがおそらく大げさなものだったことを示唆する証拠と一致する。西バライは、東バライの東西方向と完全に一致させるために、西端は水中にあるが、東端は乾燥してしまうという傾斜地に造られた。そのために、バライが満水になることはほとんどなかった。このパターンは現在も続いていて、貯水池の水は王宮に続く儀式用の道路までほとんど届かず、半分以上食べかけの長方形のような状態になっている(13)。

最盛期のアンコール貯水池の大きさを知るために、アンコール・トム寺院近くの高架歩道から、エヴァンスと一緒に小さなボートで中くらいの貯水池に入った。今は干上がった東バライはかつて、われわれが浮かぶ水面の真南にあったはずで、小雨が近くの睡蓮の葉を乱していた。この貯水池は、ヤショーヴァルマン一世の巨大な東バライの半分の大きさだが、自然の湖でボートを漕いでいるような錯覚を覚えるほど大きい。エヴァンスは、貯水池の擁壁が立派に作られていることを指摘しながら、周囲を見渡した。そういえば、西バライの設計の悪さも話題になった。

一〇〇〇年前、王から「西バライは東西方向でなければならない」と言われ、むだなことをすると思った技術者がいたのだろうかと、私は疑問を口にした。

「そんなこと、碑文には書けませんよ」とエヴァンスは笑った。

この冗談は、アンコールの都市生活を研究する上で、ひとつの問題点を浮き彫りにしている。寺院の碑文は一二〇〇から一四〇〇残っているが、それはこの都市の物語のごく一部を切り取ったに過ぎない。ヒンドゥー教や仏教の宗教的伝統が、都市の東西方向の配置や天体の軌跡に沿ったレイアウトに影響を与えたことはわかっている。しかし、技術者や工事関係者が、明らかに平坦でない貯水池の建設についてどう考えたかを記した文章は残されていない。さらに言えば、装飾的な貯水池のために、隣家の家屋を壊さねばならなかったクナムが何を考えたかもわからない。しかし、彼らの仕事ぶりを見れば、多くの人々がアンコール時代の債務と報酬のシステムを喜んで受け入れていたことは明らかだ。では、その無償の労働にはどのような価値があったのだろうか？

古代の都市を数多く発掘しているカリフォルニア大学ロサンゼルス校（ＵＣＬＡ）の考古学者モニカ・スミスはその魅力は社会的なものだと考えている。彼女はスタークと同じく、都市は村人が一生に一度か二度、見知らぬ人と出会い、新しさを体験するために旅した儀式の中から発展したと主張する。しかし、都市が発展するにつれ、人々がそこに定住するようになったのは、そのような興奮を一年中味わいたいからだった。それはもう宗教的な式典ではなく、何千人もの人々との日常的な交流だった。「儀式的な空間では考えられなかったような、社会的、経済的、政治的な幅広い目的のために、激しい交流の機会を永続させることができるのは都市だけなのです」とスミスは説明する[14]。アンコールで働くために移住した村人たちは、他の移住希望者たちを惹きつける存在となった。現代都市を研究する社会学者サスキア・サッセンは、都市は楽しい偶然の出会いや、人生を変えるようなランダムな出会いの場であると主張し、この意見に同調している[15]。

スーリヤヴァルマン一世が都市のインフラ整備に熱中したのは、彼自身にも理解できないような目的があったのかもしれない、と考えるべきだろう。アンコールのインフラを拡張するために、彼がクナムを誘導すればするほど、アンコールは労働者階級の天国となっていったのである。サンタフェ研究所のネットワーク理論の研究家ジェフリー・ウェストは、今日の急成長する都市に関する研究を基にした著書『スケール』[16]で、このアイデアを探求している。彼は、都市の人口がそのインフラよりも速く成長することを発見した。ウェストは、例えばある都市の水路を二倍にすると、その都市の人口が二倍以上になることを確認した。高密度で資源を共有できる利点から、都市に必要なインフラは、人口規模から予想されるよりも約一五パーセント少ない。つまり、都市に住む人々は、その都市空間よりも速く増殖するのである。

アンコールでは、スーリヤヴァルマン一世がインフラ整備に注力したことで、都市の人口爆発が可能になったのだろう。バライは、クーレン山地からの河川を迂回させる運河インフラの最も派手な部分に過ぎず、それによってアンコールの人々は毎年三回から四回の収穫の恩恵を受けたと周達観は報告している。水インフラが充実し、農場が拡大し、川とつながったクメール王国の都市も拡大した。都市の成長についてウェストの言葉が正しいとすれば、アンコールの人口は都市の面積以上に増加していたと考えなければならない。

お金によらない豊かさ

農作業や水路掘りのない時、都市の人々は何をしていたのだろう？　古代アンコールの生活に関する同時代の記述は、一三世紀末の周達観の記述だけである。彼は中国人の読者向けに、クメールの生活を紹介する旅行ガイドとして執筆した。その結果、一般の都市生活者が何を考えていたのかについては、ほとんど知ることができなかったが、アンコール式のトイレを使うのがいかに不便だったか（トイレットペーパーがない！）、数え切れないほどいた王の妾たちがいかにセクシーだったか（彼は妾の部屋を見下ろすバルコニーから、徹底的に調べたと主張している）について多くを学ぶことができた。

クメール人は寺院の壁に一〇〇〇以上の碑文を残しており、アンコールの人々がどのような世界観を持っていたかを垣間見ることができる。しかし残念ながら、そのほとんどは、寺院の官僚が偉大な指導者を賞賛する文章か、寺院への寄付金の領収書である。ただし、近年、データ考古学は、このような一見陳腐な記録から、人々の日常生活のより糸を引き出す方法を提供している。

クメール人の生活を、母国語の碑文から探ることができるようになったのは、比較的最近のことである。アンコールを訪れた西洋人は、一世紀以上にわたって、神々を称える詩歌や王を称える詩文など、翻訳しやすいサンスクリット語の碑文に注目してきた。サンスクリット語はインド系の言語であったため、このような碑文は、クメール文化を「インド化」した、南アジア社会のコピーであると誤解した学者たちの根拠となった。アンコールの歴史は、クメール語学者サヴェロス・ポウによって古クメールの碑文が翻訳されて初めて明らかになった。

古クメール語はこの地方独特の言語で、それを表記する唯一の文字がアンコール文字だった。カンボジアで育ったポウは、これらの暗号に魅了され、二〇世紀半ばにフランスに渡り、東洋学者で言語学者のジョルジュ・セデスに師事した。東南アジアに数十年滞在したセデスは、アンコールの碑文(サンスクリット語で書かれている)のほとんどを翻訳し、影響力のある本を出版して、アンコールが「インド化」あるいは「ヒンドゥー化」したという考えを広めた。だが、現代のクメール文化に深く根差していたポウは、別の道を歩み始める。一九六〇年代から七〇年代にかけて、彼女はクメールの言語的伝統に着目した。彼女はクメール語版の『ラーマーヤナ』に没頭し、現在ある唯一の古クメール語の辞書を編纂した。その過程で、古クメール語には独自のアルファベットがあるため、音訳システムを考案する必要に迫られた。そして、アンコール時代の碑文に書かれた言葉を、現代の学者のためにフランス語と英語に丹念に翻訳した。ポウの仕事、それに「インド化」仮説に対する彼女の修正がなければ、われわれはなお、アンコールの人々がどのように労働力を組織していたのかを知るのに苦労していたにちがいない。

古クメール語の碑文には、サンスクリット語の詩では触れられない、アンコールの生活に関する細かな事柄がたくさん書かれている。散文で書かれた碑文には、経済的な生活や、誰が誰に何を借りているかといった、時には退屈な詳細が書かれていた。寺院で働く人々は、宗教のような高尚な話題はサンスクリット語で書き、日常的な取引は古クメール語で記述していたことが明らかになっている。経済的な取引は、王やグルのようなエリートの仕事とは言語的に別のものだった。寺院に税金を納めることはあっても、精神的なことと経済的なことを同じように書くことはなかったのである。

一九〇〇年、フランスの探検家エティエンヌ・エーモニエは、クナムに関する碑文を「奴隷の名前の果てしないリスト」と断じた。彼の姿勢は、アンコールに関する二〇世紀の多くの研究に反映されており、そのほとんどはもっぱらエリートの生活に焦点が当てられていた。しかし最近、シドニー大学の考古学者アイリーン・ルスティグは、データ考古学の手法を用いて、この「果てしないリスト」を深く研究した。そして、すべての碑文のすべての単語を相互参照したデータベースを作成し、興味深いパターンを探った。[17]その結果、寺院の使用人の名前の六〇パーセントが女性であることが判明した。チャタルヒュユクまでさかのぼると、性別による分業が見られることから、農作業やその他の寺院の仕事は女性が担っていたとルスティグは考えている。寺院の外でも、クメールの女性が農作業を担当していたことを示す証拠はあった。したがってわれわれは、例えばアンコール・トムの囲いの中の生活を想像すると、そこでは女性が支配していたと考えざるを得ない。

アンコールでは、週単位ではなく、二週間単位の労働があったようだ。スーリヤヴァルマン一世の時代の碑文には、二週間単位で組織された寺院の労働者たちのリストがある。

なすべき仕事をする奴隷——タイ・カンソ、もう一人タイ・カンソ、タイ・カムヴク、タイ・トゥコン、タイ・カンカン、シ・ヴリディプラ。この者たちの仕事は満ちていく月の二週間。欠けていく月の二週間は、次の者たちの仕事。タイ・カンダ、タイ・カムブ、シ・カムヴィト、タイ・サマークラ、シ・サムアプ、シ・カムヴァイ。

カンソやサムアプといった人々は、それぞれタイ(女奴隷／下女)、シ(男平民)といった称号を持ち、月が満ちていく二週間、あるいは欠けていく二週間のどちらかに勤務することになる。また、寺院では月の満ち欠けを利用した祭りや儀式が行われていた。一一世紀のある寺院では、神々に捧げる供物の種類を指示したものが残っている[18]。

月の満ち欠けが変わる時——溶かしたバター二パーダ、凝乳二パーダ、蜂蜜二パーダ、果汁二ヴァル、サンクラーンタでは精米一トゥルヴァ、月の満ち欠けが変わる時には精米一ジェのみ……[19]。

ここでは、「パーダ」や「トゥルヴァ」といった単位で量が計られているが、その大きさは時代によって変化しているのだろう。クメール王国内では、統一された度量衡がなかったようだ。また、サンクラーンタの聖なる日がいつであるか(地域によって二週間に一度であったり、毎年であったりする)については、学者によって議論がなされている。

給料も二週間ごとに支払われた。碑文には、寺院が二週間ごとにクナムに米やその他の食料を配給していたことが記されている。政治的なサイクルも二週間単位で行われ、国の元首たちは納税や土地交付など、主要な経済取引が月のサイクルと一致することを期待していたことが、いくつかの碑文からうかがえる。アンコールでは、二週間の仕事が祭礼や国家運営と深く結びついていたのだろう。寺院の職員には天文学者がいて、月の運行を測り、仕事のシフトや祭りの日を把握していた。また、二週間のうちのどの日が最も運勢が良いかを判断し、それが大きな買い物や地元の寺院への寄付をする日にも関係していたにちがいない。

二週間ごとの給料というのは、労働者がどうやって生活していたのかという問題を提起している。もしクナムが毎月二週間ごとに米を支給されていたとしたら、残りの二週間の食料はどうしたのだろうか？　二週間に一度神へ差し出された供え物の一部を、上位の寺院職員は食べることができたし、地元のエリートも、人々が寺院の金庫に贈り物をつぎ込む祝祭日には、残り物を手にすることができたことがわかっている。もしかしたら、クナムはこれらのお供え物から余分な米をかすめ取ることができたのかもしれない。しかし、より可能性が高いのは、彼らは単に家に帰り、休みの間は家族と一緒に暮らしたということだろう。アンコールでは、寺院の周囲が城壁で囲まれた住宅地になっていたので、特にそれが容易だったにちがいない。

それは、大地に刻まれた証拠からわかることだった。エヴァンスのライダースキャンにより、寺院の周辺には家の基礎となる土塁が整然と並んでいることがわかった。もっと知りたいと思ったアリソン・カーターは、二〇一五年にアンコール・ワットの壁の中にあるこの土塁のひとつを掘り起こした。すると、レンガ造りの火鉢の跡と思われるものが見つかり、調理用の陶器の器も一緒に発見された。[20] 化学分析では、ザボンの果皮、ショウガ科の植物の種子、米粒などが見つかった。これは考古学者の言う「地質調査」であり、寺院が交易、農業、織物製造、その他の家事に従事する人々の住む地域の中心であったことを裏付けるものだった。そこに住んでいた人々は、少なくとも一日のうちのいっときは、労働に従事することで税金を納めていた。しかし、彼らは世俗的なコミュニティの一員でもあった。この寺院の周辺では、女性が僧侶と一緒に農作業をして、王を讃えるサンスクリット語の詩を詠んでいる。

このような地域は、神殿の壁の向こうの世界と全く同じではなかったかもしれない。しかし、二週間おきに出勤していたタイ・カンソやタイ・カムヴィトのような人々の生活を知ることはできる。スタークが警告したように、こうした場所は王国を偉大にしたが、同時に王国の弱点でもあった。人々を統制することは、バライに水を溜めておくことよりもずっと難しい。

ルスティグの碑文研究から浮かび上がった強いシグナルはもうひとつあった。しかし、それはシグナルの欠如と言った方が正確かもしれない。古クメール語の経済記録には、お金に関する記述がない。その一方で、碑文には、寺院が高額な物品を販売したことが記されている。記録されている販売のおよそ七五パーセントは広い土地の区画で、一八パーセントはクナム、七パーセントは土地境界の表示に関するサービス（アンコール時代の地価評価版のようなもの）だった。残りの数パーセントは寺院の備品であったのだろう。[21] アンコールの人々は、まだお金を知らなかったわけではない。貨幣を使う他の王国と交易をしていたし、自分たちで鋳造しようと思えば金属をたくさん持っていた。

また、それ以前のクメール文化が、貨幣を使用していた可能性を示す証拠もある。ルスティグは、アンコール朝以前の碑文に、[22]田んぼや奴隷にされた女性の価値を表すのに、特定の単位の銀を使ったものがあったことを明らかにしている。また、クメールはゼロという画期的な概念を含む高度な数学と、負債、金利、交換を測定する洗練された方法を持っていた。

しかし、ジャヤーヴァルマン二世がアンコールを建設してからは、銀やその他の交換単位で評価された物や人を見ることはない。では、アンコール時代の現金に相当するものは何だったのだろう？　もしかしたら、貨幣の代わりに使える貴重な品物が広く認められていたのかもしれない、と歴史家は言う。[23]一二世紀初頭の取引では、ある土地が「金の指輪二個、銀の鉢一個、様々な銀の単位……、器一個、水瓶二個、皿五枚、食器三個、ろうそく立て一個、上等な布二〇キュビット、頑健な雄牛二頭、長さ一〇キュビットの新しい布二本、ヤギ三頭」などで売られている。クナムとその子供四人は「衣服六〇着」で売られた。一般的には、動物、人、金属、精巧に作られた家庭用品などを組み合わせて、このようなリストで価値を計ることが多いようだ。金銭は必要なかったかもしれない。なぜなら、それぞれの取引は、標準的な贅沢品からケースバイケースで何とかまとめることができたからである。このことは、エリートの富は、土地とその土地で働くための道具（人を含む）で計られていたことを示唆している。

しかし、クナム階級の日常的な金銭取引は異なっていた。一三世紀末にアンコールを訪れた周達観は、街中に毛布を敷いて、食べ物や品物を売る女性たちが並んでいる様子を紹介した。客は中国などの硬貨や米、穀物、織物を貨幣として使っていた。特にこのようなインフォーマルな市場では、安価なものが現金で手に入る可能性があったようだ。もちろん、アンコールの富裕層が貨幣を使用していた可能性もあるし、碑文を書いた人々が、金銭的価値は当たり前だから記録する必要はないと考えていた可能性もある。もうひとつの可能性は、アンコール市場においては、女性がすべての取引を行っていたという周達観の観察から、貨幣を扱うことは女性の仕事の一部であり、それゆえに取り立てて注目する必要がなかったということもある。

寺院の碑文と周達観の観察を合わせると、アンコール国家の奥深さが見えてくる。経済的な交流をコントロールする中央集権的な形態は存在しなかったようだ。地方の王国は、土地や寺院のクナムに独自の変動価格を設定し、一般庶民は物々交換と外国貨幣を組み合わせて生活していたのである。しかし、土地と労働力が最も価値のあるものだったこの文明では、このシステムは理にかなっていた。アンコールの指導者たちは金や銀を愛していたし、それを欲しがる外国人と貴金属を交換していたのだろう。しかし、彼らはお金をためるのではなく、土地の外観を変えるために使用できる納税者を確保する人々だった。アンコール王国のほとんどの王は、タイ・カムヴクやタイ・トゥコンのような人々から無限に提供される無償の労働で富を得ていた。

石のもろさ

スーリヤヴァルマン一世が西バライを建設してから約二〇〇年後、スーリヤヴァルマン二世（在位一一一三―一一五〇）が王位に就いた。スーリヤヴァルマン二世は、王位を継承したのではなく、血みどろの後継者争いを繰り広げた。現在のタイの辺境にある王国から来た彼は、アンコール地方の生活に溶け込み、この都市の最も有名なモニュメントのひとつを残した。アンコール・ワットは、二つの大きなバライの南側に位置する山間の寺院群である。スーリヤヴァルマン二世は、拡張主義の王でもなければ、特別に優れた武将でもなかったが、アンコールと帝国の他の地域や、国外を結ぶ運河や道路の整備に特に優れていたため、その名が残っている。また、アンコール・ワットの多くのレリーフには、スーリヤヴァルマン二世が自画自賛するような絵がたくさん描かれているのも、おそらくその影響だろう。彼はアンコール・ワットで初めて自身を描いた王であり、宮殿で柔らかい絨毯の上に座り、大勢の使用人がたくさんのパラソルを頭上に掲げている姿は忘れがたいものだ。

スーリヤヴァルマン二世の華やかな自己表現も面白かったが、日傘を差している人たちのことをもっと知りたいとも思った。そこで、ダミアン・エヴァンスと一緒に静かな朝を過ごして、アンコール・ワットが作られた場所を訪ねた。アンコールから北東に五〇キロほど行ったところにあるベン・メアレアの城壁を巡らせた建物群は、スーリヤヴァルマン二世の数多くの建設プロジェクトのひとつだった。現在、この建物群を訪れる人はほとんどなく、入れ子状になった四角い回廊や図書館、寺院全体とその中心にある宮殿を流れる運河の修復が始まったばかりで、そこでは華麗な通路の間にきらめく水の床を見ることができる。昔は、この寺院の二倍の大きさのバライによって囲まれていた。しかし、現在、ベン・メアレアの貯水池と深い堀には、かつてその壁を形成していた巨大な石が積み上げられている。宮殿へのアクセスは困難だった。ジャングルの中に地雷があるという警告を受けていたので、われわれは道から外れないように注意しながら、西側の裏門から宮殿に入っていった。

周囲には、規則正しく並んだ塚があり、風景はデコボコしている。エヴァンスは、「ここは不自然な地形をしていますね」と言い、人為的な地形形成（人工地形）、つまり人間が土地を形作った方法という概念に再び言及した。そこには、かつてベン・メアレアを囲んでいた木造家屋が立ち並ぶ庶民の町並みが残っていた。浸食された壁面にさしかかると、エヴァンスは立ち止まった。「われわれは今、寺院の職員たちの住宅に囲まれた、密集した繁華街の真ん中にいるんです」と彼は言った。聳え立つ木々が消え、高床式の茅葺き屋根の家が立ち並び、その下にあるストーブから煙が出ている。子供たちが叫び、家畜が鳴く。

そして、苔むして崩れ落ちそうな廊下を、頑丈な木の階段で伽藍の中に入っていく。アーチ型の天井に守られた回廊の長い窓には、ブラインドの役割を果たす石の手すりが取り付けられていた。それぞれの欄干は波紋の溝付きに加工され、複雑な影を落としている。中央部では、石の床が柱の上に浮いていて、足元を水が流れるようになっている。外側の擁壁の上まで来ると、私はベン・メアレアの外堀であった深い石造りの水路を見下ろした。かつてベン・メアレアの外堀であったこの水路は、今では象ほどの大きさのブロックに覆われ、まるで時間がこの石造物を乾燥した水路に変えてしまったかのように見える。まだ早朝だった。重厚な瓦礫の山から生えた木々の下には、ひんやりとした空気が流れている。鳥や虫の鳴き声が聞こえる。エヴァンスはライダーマップを広げながら、頭の中で遺跡を再構築した。何千人ものクナムが、四方を囲む長いプロムナードを通って、われわれの前を行き来している。彼らは堀の向こうの近隣の農家と、ベン・メアレアの土手道の中心にいるエリートたちの間を行き来しているのだ。寺院の管理、農園の手入れ、庭の剪定、そして二週間に一度の儀式に欠かせない香りのよい花の手入れなど、通常の仕事はすべて彼らが行っていた。しかし、この地域がこれほどまでに人口密度が高いのは、ここが普通の地方の前哨基地ではないからだ。

ベン・メアレアは、スーリヤヴァルマン二世が特に関心を寄せた産業に特化していた。この街は、二つの主要な道路といくつかの水路が交差する戦略的な場所に位置している。北はクーレン山地の砂岩採石場に、西はコンポン・スバイのプリア・カーン寺院群の鉄加工場に通じる道路だ。[24] ベン・メアレアもアンコール・ワットもクーレン砂岩で造られており、今、私の周りには山から届いたばかりのような砂岩が積まれているのが見えた。ここベン・メアレアでは、クナムは出荷や荷受け、時には商品の加工にも携わっていた。砂岩が運河沿いに入ってくると、それをブロックに切り分けて、自分たちの伽藍で使うために保管したり、アンコールに送ったりした。生産性の高い後背地から、アンコールに運ばれてくる米やその他の物資も、同じように加工されたのだろう。スーリヤヴァルマン二世は、こうした地方都市の出身であり、ベン・メアレアが自らの王国において重要な役割を担っていることを強く認識していたのだろう。

ベン・メアレアはアンコール・ワットのベータ版〔正式版をリリース（公開）する前にユーザーに試用してもらうためのサンプルのソフトウェア〕であったと考える研究者もいる。そこはアンコール・ワットで見られるような新しい種類のアーチや高い壁が、技術者によって初めて試作された場所だった。また、都市のパターンにも共通点がある。エヴァンスは、ライダーによって明らかになったベン・メアレア周辺の左右対称の街区が、アンコールの街区と非常によく似ていることを教えてくれた。

しかし、この後背地では、街区の形や配置がより多様になっている。それでも、アンコールの人々は池で区切られた長屋が並ぶ、この街並みに違和感を覚えなかったのだろう。ベン・メアレアの主要な事業が何であったかも、ライダーのおかげで知ることができた。この技術によって、クーレン山地に深い砂岩の採石場があることがわかり、研究者は運河のルートをつなげば、アンコール・ワットとベン・メアレアを建てるための砂岩がどこから来たのか、簡単にわかるようになった。

まだわからないことがたくさんある。ライダー調査によって、これまで誰も説明できなかった二つの未知の構造が明らかになった。ひとつは、「コイル」(渦巻き)、「スパイラル」(螺旋)、「ジオグリフ」(地上絵)と呼ばれる複雑な長方形の迷路のような模様だ。これらは二〇一二年の調査の際に、アンコール・ワットの堀の外側で初めて発見されたが、二〇一五年の調査ではベン・メアレアとプリア・カーンの囲いの外側でも同様の模様が発見された。一見すると上水道のように見えるが、浅すぎて都市の一般的な上水道から切り離されているため、エヴァンスたちはその考えを否定している。現在、有力な仮説は、これらの直線的な模様は、寺院の儀式に用いる植物を育てるための特殊な庭園であったというものだ。水路には蓮が植えられていたかもしれないし、盛り上がった部分には「白檀のような香りのよい木」[25]が植えられていたかもしれない、とエヴァンスたちは書いている。

さらに謎なのは、アンコール最大の貯水池や運河の近くで見つかった、いわゆる墳丘である。カーターらが発掘した住居塚とは異なり、陶磁器や食物の残骸がぎっしりと詰まっているわけではない。単なる墳丘で、明らかに高床式構造物の土台である。その位置からして、都市の水道と関係があったのかもしれないが、もちろん相関関係と因果関係はない。コイル(渦巻き模様)と墳丘は、古代クメールがどのように都市を建設したかについて、まだわかっていないことがたくさんあることを思い起こさせる。

スーリヤヴァルマン二世やその前任者たちは、平民やクナムが砂岩を切り、鉄を精錬し、米を収穫し、それを首都に輸送することなしには、何もできなかった。アンコール・ワットを訪れたとき、寺院の華麗な塔が、宇宙の中心である伝説のメルー山（須弥山《しゅみせん》）のように、きらめく天地創造の水の上にそびえ立っているとはとても思えなかった。何千人もの無給の労働者が石切り場や工房で作った石が積み上げられているのを見たからだ。私は観光客の群れに混じってその色あせた壁の中に入り、寺院群の中の古いパゴダ（仏塔）に座って、金色の衣をまとっている仏陀の前でお金を払い、仏陀に宿る街の精霊にお香を捧げた。スーリヤヴァルマン二世が、現在のタイで、チャム族との戦争に出かける有名なレリーフを見ながら、私は彼の輿《こし》を担いだ男たちの体を主に見ていた。アンコールのクナムが、インフラを整備すればするほど、王はその維持に責任を負うことになる。そして、スタークが警告したように、パトロン制度と債務制度は常に崩壊の危機に瀕していたのである。

9　帝国主義の残滓

アンコールは何度も何度も遺棄されたため、「失跡」はこの都市のアイデンティティの代名詞となっている。しかし、「失われた都市」という評判の少なくとも一部は、一八六〇年にアンコール・ワットを訪れて有名な記録を書いたフランスの探検家、アンリ・ムーオに責任を負わせることができる。死後に出版された彼の旅行記はセンセーションを巻き起こし、フランス国内でカンボジア文化の魅力に火をつけた。しかし、それは非常に特殊な魅力だった。ムーオがカンボジアを旅した直後、フランスはカンボジアを保護領にした。フランスの勇敢な探検家が、フランスの新たな植民地支配の富を「発見」したという話は、本国でも好評だった。特にムーオが、現在のカンボジア人は自分たちの宝物を評価していない、とほのめかしたからだ(1)。実際、ムーオは、現代のカンボジア人は野蛮すぎて、とてもこのような都市を作ることはできない、それは古代エジプト人かギリシャ人が作ったにちがいないと言っている。カンボジア人がアンコールをジャングルの中で朽ち果てさせてしまったのだから、ヨーロッパの科学者にしか、アンコールの研究は任せられないというのだろう。それは白人の義務としての考古学だったのである。

そのような思いが、その後一世紀ほど、西洋のアンコールに関する会話をリードしてきた。この考え方は事実誤認であるだけでなく、アンコールが巨大な首都から、仏教僧が住む辺境の巡礼地へと変化した複雑な歴史も消し去ってしまった。一五世紀初頭に王族が去った後も、アンコールは決して空っぽではなかった。[2] 一六世紀、都市が「たくさん」あったと思われる時期に、カンボジアのアンチャン王は、アンコール・ワットのレリーフの一部を完成させるように命じた。その数十年後、アントニオ・ダ・マグダレナというポルトガルの修道士が、ヨーロッパ人としてはじめてアンコールを訪れ（ムーオに先立つこと約三〇〇年）、この都市について語っている。一七世紀には、日本人の巡礼者がアンコール・ワットの地図を描き、一八世紀にはカンボジアの高官が、家族のためにアンコール・ワットの敷地内に仏舎利塔を建てた。これらの証拠から、アンコールがすでに世界中の人々に知られていて、巡礼地として栄えていたことがわかる。一九世紀にフランスの植民地支配を受けたとき、フランス人たちは、敷地内に住んでいた僧侶のコミュニティを一掃しなければならなかった。ムーオの記述は、スーリヤヴァルマン一世が西バライの底にある古いアンコールを徹底的に消し去ったのと同じくらい大胆で、長く続く歴史の修正主義的な行為だった。

ムーオに触発されたフランス人の東南アジア文明への熱狂は一八七八年にピークに達した。この年のパリ万国博覧会では、フランスの学者が、アンコールをはじめとするクメール王国の遺跡から持ち出した、古代クメール美術の展示が行われた。一九〇〇年には、フランスの研究者たちがハノイにフランス国立極東学院（ＥＦＥＯ）を設立し、東南アジアに定住することになる。そして一九〇七年、ＥＦＥＯはアンコールの考古学的作業の監督を引き継ぎ、その役割は今日まで続いている。二〇世紀初頭、フランス人がアンコールを発見し、それについて最もよく知っているという通説に、学術的な信憑性が加わった。またそれは、フランスの学者たちが、アンコール・ワットはヨーロッパ風の城壁都市であり、クメールには独自の文化的伝統がないと誤解するきっかけとなった。

一九〇七年以来、多くのことが変わった。ＥＦＥＯに所属していたダミアン・エヴァンスはライダー・マッピング・プロジェクトを主導し、アンコールは碑文が示すほど大きくはないという、ヨーロッパの学者たちの主張を覆す証拠を提供した。一方、アンコールはいつの間にか行方不明になっていたが、たまたま植民地化した国（フランス）の一人が、万国博覧会のために寺院を略奪するのに間に合わせて、それを「発見」したという説は、現代の多くの学者によって否定されている。いつものことだが、真実は伝説よりもさらに奇妙で複雑なのである。

最初の洪水

アンコールの足跡には、都市で何が起きたかを示す劇的な痕跡が残されている。ライダースキャンと発掘調査の両方から、数世紀にわたる運河、堤防、堀、貯水池の猛烈な修理と改造が、ますます複雑になっていることがわかる。西バライを訪れた際にエヴァンスが指摘したように、王とその神官たちは、都市景観を宇宙論の理想的な比率に一致させるために、こうした改造が必要だったのである。しかしそれは、気候が不安定であったことや、何十万人もの人々が使用するインフラが消耗することに対応したものでもあった。だが、一四世紀にアンコールが大洪水に見舞われたとき、人々は自分たちの都市が完全に復興することはないだろうということを、まだ理解していなかったかもしれない。これまでもアンコールの人々は、もっとひどい状況を経験していながら、なお、以前よりもさらに大きな王国を築いていたのだから。

ヤショーヴァルマン一世が、首都を現在のアンコールに移してからわずか数十年後の九二八年、ジャヤーヴァルマン四世（在位九二八―九四一）という王が即位した。ジャヤーヴァルマン四世は、理由はよくわからないが、宮廷をすべて撤去して、再び都を北西に移し、コー・ケーという賑やかな都市に遷都した。そこで王は、地元で切り出された巨大な砂岩のブロックを使って、宮殿や公共施設を建設するようクナムに命じた。その最高傑作が、誰も見たことがないようなバライである。ロンジャ川の流域に七キロメートルの堤防を築き、いくつかの大きな川をせき止め、まるで大海原のようにした。その南側にジャヤーヴァルマン四世は、王国で最も高い寺院であるプラサート・トムを建てた。ピラミッドの側面が階段状になっているため、あたかも一段一段が遠ざかるような錯覚に陥る。プラサート・トムの頂上には、おそらく青銅か木でできた巨大なリンガがあったが、はるか昔に姿を消してしまった。ピラミッドだけが残り、各層は緑にあふれ、その隣には川の谷が広がっている。そこには、一〇〇〇年以上前に、川が堤防を数年で二回乗り越えて完全に決壊させたときに吹き飛ばされたレンガがまだ散乱していた。

ジャヤーヴァルマン四世は、自分の都市に入る旅行者に特別な体験をさせたかったようだ。コー・ケーはアンコールとワット・プー（現在のラオスにある）を結ぶ主要な幹線道路沿いにあった。堤防は単なる水利施設ではなく、アンコールへの道からコー・ケーの寺院群の中心へとまっすぐに続く、素晴らしい遊歩道でもあった。バライを南下して首都を目指す人たちの目線の先には、プラサート・トムの頂上に立つ巨大なリンガが見えていたはずだ。それは、豊穣、神聖、力の象徴として、七キロメートルの道のりの間、ずっと遠くにそびえ立っていたことだろう。(3) 言うまでもなく、ジャヤーヴァルマン四世の意図は、それが実用的なものであると同時に、政治的なパフォーマンスでもあった。堤防は既存の道路をつなぐものにしたかったし、寺院と一直線に並ぶようにもしたかった。西バライと同様、それは堅実な工学というより、願望的な水管理だったのである。

ジャヤーヴァルマン四世は、アンコールの拡張を続けることができたのに、なぜ新たな都市の建設に力を注いだのだろうか？ フランスの東洋学者で考古学者のジョルジュ・セデスは、ジャヤーヴァルマン四世が王位を簒奪し、アンコールに関心を持たなかったとする説を唱えている。しかし、王立プノンペン大学の歴史学者ドゥオン・ケオは、かつて一般的だったこの考えは、西洋の学者が東南アジア文明の継承ルールを誤解した例だと主張している。王の死後、その息子や兄弟が王位に就くのが「正しい」順序だと考えていた歴史家たちは、アンコールではこのような家族継承が規則ではなく、例外だったことに気づかなかった。(4) ドゥオンは、より現実的な可能性を示唆している。ジャヤーヴァルマン四世はコー・ケーの出身で、すでにそこに豪華な宮殿を建てていたのではないかというのだ。なぜ移動するのか？ この解釈は、アンコールがクメール王国の首都であった前後数世紀にわたって、人々が農耕を行い、火を使って土地を切り開いていたことを示す最近の環境研究とも一致する。(5)

ジャヤーヴァルマン四世がアンコール地方の出身でないとすると、スーリヤヴァルマン一世やスーリヤヴァルマン二世など、アンコール朝の拡張主義の王たちと同じカテゴリーに入ることになるが、彼らもまた遠い地域の出身だった。このような外来の王たちは、地方との個人的なつながりによって、バラバラになった地域を統合することができた。コー・ケーでも、同じような忠誠心の形成の証拠が見られるが、その盟友は全く異なる。コー・ケーで発見された「奴隷の名前の果てしないリスト」は、その数が数千にも及び、碑文の専門家アイリーン・ルスティグは、ジャーヤヴァルマン四世が何を支持していたかを、それは示唆するものだと考えた。当時は、この地域では大きな不安と内紛があり、クメール王国は劇的に縮小していた。アスパラ国立研究所の研究者クンテア・チョム[6]は、コー・ケーの名簿から、クナムのさまざまな称号を含む、この都市の豊かな社会構造が、どのようにして明らかになったかを述べている。

ジャヤーヴァルマン四世は、コー・ケーの碑文に登場する「シ」(si)と呼ばれる平民層と同盟を結び、「シ」を「ゴ」(gho)と呼ばれる平民層より、上位に位置させていた可能性があるとルスティグは考えている。ジャヤーヴァルマン四世は、特定の労働者階級を自分の味方として昇格させていたのかもしれない。こうしてみると、奴隷の名前の羅列は「途方もない」ものではなく、労働者階級のヒエラルキーを理解するためのひとつの方法であることがわかる。王と「シ」の同盟は、クメールの社会階層のより大きな変化を表すものであり、初期ローマ帝国におけるリベルティの役割の変化と似ているところがある、とルスティグは書いている。

アンコールからコ・ケーへの中心地の移動は、ジャヤーヴァルマン四世が敵対する集団を弱体化させ、「シ」（平民）と手を組んで、自らの権力基盤を強化するための戦略として理解することができるかもしれない。コー・ケーからアンコールに戻ると、多くの官吏や「ゴ」（平民）の影響力が高まるなど、社会的・政治的な権力構造の変化が明らかになるからだ。[7]

ジャヤーヴァルマン四世は、貴族たちの争いを尻目に、コー・ケーで平民とともに生きる道を選んだ。そのため、ジャヤーヴァルマン四世は、自らのクナムの一部である「シ」と同盟を結び、新たな都市を建設し、権力を強化しようとしたのであろう。彼の治世後、都がアンコールに戻ると、「ゴ」と呼ばれる別のクナム集団が台頭してきた。ルスティグは、奴隷の名前に注目することで、エリートがさまざまな労働者集団とどのような関係を築いていたかを見抜いたのである。

しかし、コー・ケーの栄光の日々は長くは続かなかった。この王国最大のバライに何が起こったのか？　考古学者と土木技師のグループが、現在のダム構造に関する知識を駆使して、街の北の境界を示す堤防と道路に起きた出来事を再現した。問題は数多くあったが、技術者が適切な放水路を建設しなかったことが最大の問題だった。モンスーンの季節になると、予想以上に水量が増え、水位が上がった。その結果、水は堤防を越えてあふれ出しただけでなく、破損した石造りの部分が潮流に洗われ、引き裂かれた。[8]その後、決壊した放水路を補強しようと、決壊箇所の周囲数百メートルに渡って壁を高くした形跡があるが、補修は完了しないままだった。補修は完了せず、数年後に再び放水路を越えて水が流れ出した。街の一部は完全に浸水し、王は大規模なバライの建設をあきらめたようだ。九四四年、首都はアンコールに戻った。少数の人々は、何世紀もの間、衰退したコー・ケー（首都のアンコールとは道路で結ばれていた）に住み、農業を続けた。

コー・ケーの物語は、最終的にアンコールで起こったことの縮図だった。アンコールは、外から政治的な問題を提起され、内からは崩壊したインフラに直面し、都市は密集した中心地から農村の散在へと変貌を遂げた。それでも、アンコールが完全にコー・ケーの状態になるには、数世紀にわたる拡張が必要だった。この間、スーリヤヴァルマン二世の労働者たちは帝国の通商路と官僚機構を構築し、その一方で、王はインフラストラクチャーを整備した。

そして、一一八一年、アンコールは最も大規模な都市化を遂げた。この年、新しい王のジャヤーヴァルマン七世（在位一一八一―一二一八）が誕生した。彼は道路、病院、学校などを整備し、今でもしばしば「偉大なる王」と呼ばれている。彼の治世はアンコールの歴史に頻繁に登場するため、考古学者たちは彼を「Ｊ７」というニックネームで呼んでいた。彼はアンコールで最も成功した拡張主義者だった。彼はまた、現在のベトナムにいたチャム族に何年も亡命し、クメール・チャム戦争でアンコールに戻ったアウトサイダーでもある。そして、チャム軍内の同盟者と協力して和平を仲介し、チャム軍のアンコール侵攻を阻止して王位についた。Ｊ７は寺院の書記に命じて平和への決意を碑文にしたが、武力でチャム族の広大な領土を征服している。矛盾の塊のような人物だが、彼はクメール王国を作り直した。今日、考古学者たちが帝国の遺跡を研究しているのは、彼の都市計画を探るためでもある。Ｊ７の政権が終わった後、アンコールは最終的な変革期を迎えることになる。

一〇〇〇の顔を持つ王

ピファル・ヘンがアンコール考古学に魅せられたのは、カンボジアで育っていた頃だ。一九九〇年代初頭、彼が子供だった頃、J7王の有名なバイヨン寺院があるアンコール・トムには、観光客がほとんどいなかったという。「一一歳の時に、家族で近くのパゴダへ行ったんです」と振り返った。「家族の者たちが儀式をしている間、私は寺院に登りました。中央の塔に着くまでに道に迷ってしまったんです。怖くなった。誰もいなくて、大きな顔に囲まれているんです」。私はすぐにその意味を理解した。それから三〇年近く経って訪れたバイヨンは、観光客でいっぱいだったが、やはり壮大な不穏さを湛えていた。

ジャヤーヴァルマン七世の数ある建築の中でも、バイヨンには壁がない。その広大な回廊は、生い茂る柱の林で支えられ、その上には高さの異なる、花のつぼみのような形をした塔がそびえ立っている。遠くから見ると、まるでジャングルのスカイラインのようだ。J7の時代にそれは、白と金で塗られ、王の供をする何百人もの僧侶、職人、使用人、家族が住む、手入れの行き届いた地域の中心部で、淡い蓮の花のように輝いていたことだろう。現在、その藻類に覆われた砂岩[9]は、老朽化した木の幹で灰褐色に変色している。かつて地元の人々や巡礼者が散歩した庭園や池は、野生の木々に覆い尽くされていた。しかし、上のテラスに登ることは、畏怖の念を抱かせる訓練になる。それは顔のせいだ。

J7が即位すると、クメール王国ではスーリヤヴァルマン一世に次ぐ仏教王となった。しかし、ひとつだけ決定的な違いがあった。スーリヤヴァルマン一世が臣下のヒンドゥー教を容認していたことである。J7は仏教を正式な国教とした。[10] 碑文によれば、J7は、八〇二年に彼の遠い前任者ジャヤーヴァルマン二世が自らをヒンドゥー教の神王としたように、自らを仏陀の化身とした。在位中、J7は宮廷彫刻家や技術者に命じて、王の顔をつけた仏像で王国を埋め尽くしたと多くの学者は信じている。学者たちはこの仏像が王の顔をしていると考えた。しかし、おそらくそれは、J7の顔と菩薩の顔を融合させ、国家権力と宗教権力の完璧な混合を示唆したのだろう。バイヨンには二〇〇体以上の仏像が安置され、そのほとんどが人の背丈ほどもある。

J7の顔を四つ並べた柱が、それぞれの方角を指し示し、至福の安らぎを与えてくれる。遠くから眺めたとき、その姿は穏やかな内省を促した。しかし、中央の塔に向かうにつれて、常にその顔に出会い、監視されている感じがするようになる。まるで、J7がクメール人に、自分たちは彼の監視下にあり、彼の判断を仰いでいることを知らしめたいかのように。祠堂の頂上に着く頃には、すべての面が顔になっているような気がしてきた。J7は菩薩と合体したのではない。彼は街のインフラそのものと合体したのである。

ミリアム・スタークが言うように、人々がアンコールの華やかさに惹かれたとすれば、バイヨンは彼らが最も見たかった場所のひとつだったと考えなければならない。何世紀にもわたって、何百万人もの人々がバイヨンのメッセージに触れてきた。しかし、そのメッセージは、王が常に顔を出していることだけではなかった。それは、バイヨンに到達するために誰もが通る街中の道にもあった。J7の庇護のもとにある遠方の貴族たちが、王の領地に戻ってくるように、彼は巧妙な計画を立てた。スタークによれば、バイヨンには四三九の彫像用窪み（壁龕《ニッチ》）があったという。「学者たちは、これらの像が観世音菩薩像であり、王によって碑文に記された少なくとも二三の地方都市に分配されたと考えていた」と、彼女は書いている。「その像の管理人は、毎年アンコールに像を運んで奉献することが義務づけられていた」。これは現地の指導者たちをＪ７の本拠地に出頭させる絶好の口実となり、アンコール・トムは聖地巡礼の地と化した。この儀式を見たアンコールの人々は、遠く離れた指導者たちが、自分たちと同じようにバイヨンに参詣していることを理解したことだろう。誰もが王に仕える召使いだった。

空から見ると、バイヨンは、西バレイと東バレイの間に位置するＪ７の豪華な宮殿、アンコール・トムの大きな四角い壁の中に、四角いブロックを積み重ねたように見える。一般の巡礼者は、アンコール・トムの周囲を囲む城壁の東門をくぐり、門とバイヨンを結ぶ一本道を行くのだろう。目もくらむような数の銅像――ヘビの頭が扇形に並ぶナガ、鷲の翼を広げた誇り高きガルーダ、悪魔や神々の列――の横を通り抜ける。そして遠くには、豪華な庭園やプール、Ｊ７一家の家などが目に飛び込んでくるだろう。しかし訪問者たちは、アンコール・トムの囲いの中に入る前に、すでに都市の一部を横切っている。南側には、アンコール・ワットの、はるかに小さな壁に囲まれた区域がある。東と西のバライと呼ばれる二つの貯水池の北側に、Ｊ７はジャヤタタカと呼ばれる自分のバライを作った。さらに、アンコール・トムの東側の壁に沿って広い運河が走っていたが、これは実はシェムリアップ川の支流を迂回させたものだった。

また、Ｊ７の時代にこの街に来た人は、都心の近隣地域が、城壁に囲まれた高級な寺院の近隣のように整然としていることに気づいたはずだ。Ｊ７は、これまでの拡張王と同様、都に労働力をもたらした。その結果、マンハッタンを歩いたことのある人なら誰でも知っている、チックタックトー（三目並べ）のような独特の碁盤の目の街並みができあがったようだ。通りには木造の家が密集して並んでいたはずだ。このような高度な調整は、中央集権的な都市計画の当局を必要としただろうと、ヘンは推測している。J7の息子が書いた短い碑文に、そのヒントがある。「ジャヤーヴァルマン七世が力ずくでこの土地を手に入れたと書いてあるんです」。ヘンはあっさりとそう言った。ジャヤーヴァルマン七世が力ずくで土地を奪い、碁盤の目のように区画整理したのである。このような強制的な都市計画は、拡張主義の王が常に抱えていた反乱を抑制するのにも有効だった。「反乱を鎮圧するひとつの方法は、人々の財産を奪って、その家族を寺院の下僕にすることだ」とヘンはつぶやいた。

J7は自ら行った都市計画の足跡を残すために、後背地の人々から財産を接収し、王国中に労働者を派遣して、大きな公共事業に従事させた。彼はアンコール最大の王であったかもしれないが、クメール王国の負債とパトロンのシステムという、トランプの家を倒したのかもしれないと歴史はほのめかしている。

気候の黙示録

一二一八年、J7が亡くなると、息子のインドラヴァルマン二世が即位し、アンコールは都市の中心から田舎の巡礼地へとゆっくり変化していく。その後二世紀の間に、クメール王国は、現在のラオス、ベトナム、タイの王国に領土を奪われ、国土は劇的に縮小した。しかし、アンコールは紛れもなくクメールの領土の中心であり続け、アンコールの人々は近隣のグループや中国、その他の国々との密接な交易相手であった。都市に住む人々にとって、特に上流階級の者たちには、生活はなおかなり心地のよいものだった。一二〇〇年代後半、周達観がアンコールについて、繁栄と文化的な活力を表現した有名な記述を残していることを思い出すのはいいことだ。

しかし、クメールの領土が大幅に失われたことが示すように、パトロン制度はおのずと崩壊しつつあった。クメールの王たちは、アンコールとその近郊から集められた、大幅に減少した労働力に頼っていたのだろう。しかし、この街に住む楽観主義者にとっては、混雑した道路や拡張し続ける運河を眺めながら、「きっとうまくいく」と自分に言い聞かせるのは、難しいことではなかったにちがいない。このような街の変遷を知るには、変貌を続ける水のインフラを見ればよい。一三世紀になると、労働者たちは運河をより密に、より複雑にしていった。人工的な水路はさらに北へ延び、クーレン山地から流れ出る川と都市を結び、自然に西へと向かっていた川の流れを南へ迂回させた。この山の水は、市域に達すると、複数の運河と貯水池に導かれ、おおむね南東の方向に丘を下って流れていく。しかし、問題はあった。

地質学者の研究によると、山から流出した土砂が、都市に流入する河川の運河網の要所を、ふさぐようになったことが判明した。そのため、都市に流れ込む前に水がせき止められてしまい、この問題をきっかけに運河の建設が盛んに行われるようになった。しかし、一四世紀後半から一五世紀前半になると、突然、逆方向の水路が猛烈に増殖する。この新しい運河は、都市のインフラからトンレサップ川へ大量の洪水を流した。[11] アンコール崩壊の環境要因を探るシドニー大学の地質学者ダン・ペニーは、これを「カスケード・ネットワーク障害」[12]と呼んでいる。つまり、ネットワーク上のある重要な部分でトラブルが発生したために、下流で何度も壊滅的な障害が発生したのである。

このネットワーク障害の元凶は、気候の変動であった。ペニーは、一四世紀後半から一五世紀初頭にかけて、アンコールの人々は信じられないような困難に見舞われたと書いている。数十年にわたる旱ばつのため、人々は山から水を吸い上げようとして、多くの運河を建設して追加した。しかし、この干ばつが突然終わり、数年にわたる異常なまでの雨季が続いたことで、二つの災難がもたらされた。まず、都市にできるだけ多くの水を引き込むためのシステムが、雨に圧倒され、洪水を引き起こし、トンレサップ川に大規模な流出用水路を建設する必要が生じた。第二に、モンスーンによって乾燥した埃っぽい風景が急速に侵食され、大量の瓦礫が運河システムに流れ込んできた。その結果、土砂が堆積し、必要な時に水を供給することができなくなった。さらに、この洪水の後、数十年にわたる干ばつが続いた。

ここには、現代社会との類似点がいくつもある。カリフォルニア大学バークレー校の公共政策研究者であるソロモン・ショーンは、古今東西の例を用いて、気候災害の経済効果について研究している。地域が何度も嵐に襲われると、「どんなに豊かな国でも……元のGDPには到底戻れない」と彼は言う。インフラの修復は非常に高価であり、以前の経済水準に戻ることは不可能だ。彼はこれを「砂の城の減価償却」[13]と呼び、どんな文明も、どんなレベルであれ、この繰り返しの襲来で徐々に崩れていくのだと指摘する。アンコールもこの「砂の城の減価償却」を受けて、インフラが破壊されるたびに、地域全体の繁栄が損なわれていったのであろう。

ヘンのシナリオは、アンコールを襲った緩やかな終末を、経済的な後退と環境危機の悪化の連続として想像することを可能にする。コー・ケーの洪水はその最初の兆候だったが、王はアンコールに首都を移すことでその影響を回避した。その後の支配者たちは、水不足や沈泥に対処するため、運河の建設に力を注いだ。それは王が労働者に命じて運河を掘らせるたびに、干ばつで農地がカラカラになったり、水インフラが整備されなかったりしたことに対応するためだったと思われる。そうなると、アンコール市民は毎年、労働力として税金を払う必要のない、農作業がしやすい地域に移住するようになったのかもしれない。気候変動が起こるたびに人々が流出するのは、お金の損失に等しい。

何度も洪水に見舞われたとき、新しい運河をすぐに掘れるだけのクナムがいて、洪水流出インフラのパリンプセスト〔パピルスや羊皮紙に書かれた文書で、以前に書かれたものを不完全に消して再利用したもの〕が残された。しかし、彼らの必死の作業もむなしく、家や農場は破壊され、より多くの人々が災害の少ない地域へと移り住んだことだろう。アンコールの水路の変化をライダーで追跡したダミアン・エヴァンスは、アンコールの歴史におけるこの段階を、都市がまさに今、直面していることになぞらえている。都市計画者たちは、気候変動による極端な状況に耐えられるようには建設されていない、何世紀も前の「レガシー・インフラストラクチャー」（従来のインフラ）と格闘している。「考古学は、これが繰り返し起こる問題であることを示す視点を与えてくれます」とエヴァンスは言う。下水道や水路は変更が難しく、特に道路や街区の下を通ってきた場合は、新しい環境状況に適応させるのが非常に難しい。この時点で、アンコールはかつてないほど経済的なチャンスが少なくなり、魅力的な見知らぬ人との交際を求める人々の道標とはならなくなっていた。

まるでアンコールの悩みが、なお十分でなかったかのように、現在のタイのアユタヤからも軍隊が門を叩いていた。攻めるにはいいタイミングだった。首都アンコールは労働力が不足しており、防衛力も弱かった。一四三一年にアユタヤの軍隊が攻めてきて、数年間占領し、都市の苦境に政情不安を加えた。使用人の不足、終わりのない洪水、外国人兵士の要求にうんざりしていたクメール王室と宮廷は、もう十分だと思った。一五世紀半ば、彼らはアンコールからプノンペン近郊に首都を移した。アユタヤ軍も去った。

しかし、よく目にする多くの説とは裏腹に、これがアンコールの「没落」した時ではなかった。上流階級は都市を放棄し、債務奴隷の規則を彼らとともに持ち出した。芸術家、僧侶、踊り子たちは他の都市に移り住み、中にはアユタヤに移り住む者もいた。しかし、この都市の労働者階級は残った。一五世紀のアンコールでは、一四世紀の寺院の石材を再利用して、大きな橋を修復していたとエヴァンスは指摘している。アンコールの昔のやり方は、クーレン山地で石を切り出し、使用人にベン・メアレアで加工させてから、運河を使ってアンコールに送るというものだった。しかし、アンコールのエリートがいなくなった後、修理する人々にとっては、リサイクルの方がはるかに魅力的だったのだ。ヤショーヴァルマン一世は、かつて東バライの建設に当たって、平民の居住区を解体した。その五〇〇年後、平民は自分たちの祖先が築いたインフラを修復するために、エリートのモニュメントを取り壊した。

その点を証明するために、スタークはアリソン・カーター、ピファル・ヘン、その他複数の研究者とチームを組み、アンコール・ワットの寺院の囲い周辺で新たに発見したことについて、二〇一九年に論文を発表した。[14] 発掘調査の結果、王族が去った後もずっと人々が暮らしていた世帯の跡が見つかったのである。クナムのコミュニティは、いわゆるアンコール没落後も健在だった。また二〇一九年には、ダン・ペニーがエヴァンスと、地質科学者のテガン・ホール、考古学者のマーティン・ポルキングホーンという二人の研究者とともに論文を発表している。彼らはアンコールのライフサイクルについて、ライダーと地上検証測定（グラウンド・トゥルーシング）から得た二〇年分の証拠を統合した。この論文のタイトルは、彼らの発見をうまく要約している。「カンボジアのアンコール遺跡からの地質考古学的証拠は、一五世紀の壊滅的な崩壊よりも、むしろ漸進的な衰退を明らかにする[15]」。

論文のワンツーパンチ（すばやい連続パンチ）は、アンコールに関する物語を変えてしまった。アンコールには突然の転機はなく、都市はゆっくりと縮小し、人々は何世紀にもわたって流出していった。研究者たちは、アンコールの崩壊を否定しているわけではない。ただ、そのテンポが非常に遅かっただけなのだ。原因は悪いリーダーシップ、悪い都市計画、そして運の悪さなどの、有毒な組み合わせであおられた燃えるゴミの山（最悪の事態）だった。

ピファル・ヘンは、アンコールの変遷が、J7の大乗仏教から上座部仏教（今日のカンボジアで広く実践されている）への、クメール人の変遷を反映しているように見えることに魅力を感じた。「今日、仏教はまだ宮廷を中心に信仰されていますが、ブッダは一人しかいません。王はブッダではないのです」と彼は言う。「メンタリティが違うんです」。さらに違うのは、上座部仏教のパゴダは、その地域のコミュニティによって所有されていることだ。この新しい仏教の実践方法は、裕福な家系と僧侶が何世代にもわたって寺院と関わり続けてきた相続の連鎖を断ち切った。大乗仏教のもとでは、寺院はエリート一族によって受け継がれ、土地や奴隷の所有権を主張するために利用されていたとヘンは説明する。しかし、小乗仏教のもとでは、「僧侶の家族の絆は断ち切られました」とヘンは言う。「寺院はコミュニティのものであり、コミュニティは寺院のものなのです」。一三世紀から一四世紀にかけて生じたアンコールの変化には、このような信仰の変化が大きく影響しているとヘンは考えている。

アンコールの人々は、考古学者が言うところの都市型ディアスポラから離れ、上座部仏教の仏塔を中心とした村落生活に戻っていった。この点は、密集した都市の中心部からコンヤ平原の小さな村々に人々が散らばっていったチャタルヒュユクと類似している。スタークは、メコン下流域には「村落や小さな町からなる農村農耕システム」が存在し、そこに住む農民や職人たちは生業を追求し続けていた、と書いている。崩壊したのはアンコール文明ではなく、「エリートの政治的および都市的なコア」[16]だった。

このように変貌を遂げた後も、一六世紀には王族がアンコールに戻ろうとした形跡が残っている。ノエル・イダルゴ・タンは、東南アジア教育大臣機構考古学・美術地域センターの考古学者で、学生としてアンコールの発掘に携わっていた時に、偶然この発見をしたそうだ。古代の岩絵の専門家である彼は、ある日、休憩を取るために発掘現場を離れ、寺院の上層部を歩き回った。そこで彼はマークを発見した。それは、訓練された目には、石に描かれた色あせた芸術作品に酷似したマークに見えた。彼は数枚の写真を撮ると、それを研究室に持ち帰った。その画像を相関伸縮解析という特殊なデジタル技術を使うことで、顔料の色を強調することができた。すると、アンコールのような場所で、象やオーケストラ、馬に乗った人々の絵が浮かび上がってきた。抽象的な絵柄や、ヒンドゥー教の塔があった場所に仏教の仏塔が描かれていたりした。これらの絵は、一六世紀に、ヒンドゥー教から上座部仏教に改宗した、この寺院の歴史のある時期に描かれたもののようだ。

「私の推測では、アンコールが放棄された後、都は南へ移動したと思われます。しかし、アン・チャン一世は一六世紀にアンコールに戻り、再び都にしたのです」と、タンがバンコクの事務所から電話で教えてくれた。「一六世紀にアンコールが活況を呈していたことを示す証拠は、他にもたくさんあるようです。当時の王がアンコールを仏教寺院にしたという碑文があるんです」。彼は、碑文と仏舎利塔の絵が、アンコールを復興させようとする仏教王の努力を示す明確なサインだと考えている。どうやらこの努力は失敗に終わり、アン・チャン王はプノンペンの都に戻ったようだ。しかし、この絵は、アンコールの人々の多くが村の生活に戻ったにもかかわらず、なおたくさんの人々がアンコールに残ったことを示すものである。都市は生き続けていたが、それは過去の栄光のモニュメントになりつつあった。

シェムリアップで見た最も感動的で素晴らしいモニュメントのひとつは、寺院でも宮殿でもない。それは、クメール様式の近代的な建物で、アンコールの貴重な像の倉庫（多くは屋外にある）として使用されている何の変哲もない建物群だった。像の一部は修復中だが、ほとんどは略奪者から保護するためにここにある。中には、当局に捕まる前に略奪者が壊し始めた傷跡やスコアマークが残っているものもある。

エヴァンスの持つ、地元の考古学当局とのコネクションのおかげで、倉庫の中に入り、何百もの仏頭、悪魔の頭、碑文などを見ることができた。この倉庫は、アメリカの高速道路の脇にあるような、忘れ去られた倉庫とは正反対であることがすぐにわかった。それはクメールの歴史に対する生きたオマージュであり、ほとんど聖地のようだった。仏像は金色の帯を巻き、足元には線香とロウソクが焚かれている。ある仏像の祠堂は何世紀も前のものだった。ポルポト派のクメール・ルージュは仏像を爆破するのが常套手段だったが、この仏像はその攻撃から生き残ったのだとエヴァンスは言う。クメール・ルージュの軍隊が、この仏像に地雷をたくさん仕掛けたが、無傷で残ったという話だった。ただ、仏像の頭上にある七つの頭を持つナーガ（蛇神）は吹き飛ばされていた。倉庫の従業員がナーガを修復し、仏塔に納め、線香とロウソクを焚いて、足元には蓮の花を供えたという。

一〇世紀にスーリヤヴァルマン一世の命で建てられた、崖の上の巨大な寺院プレアビヒアにも同じような祠堂があり、エヴァンスと私はそこを訪ねた。そこは一〇〇〇年後の一九九八年にクメール・ルージュ軍が降伏し、最後の拠点となった場所だ。崖の上にある五つの寺院を巡り登ると、カンボジアとタイを見渡す丘陵地帯に出た。五番目の寺院の裏の草原には、壕の跡や武器の隠し場所、巨大な銃の架台がある。砲台は、ほぼ仏舎利塔の形をしており、祠堂に改造されていた。花や金属製のリボン、焼香などの供え物が積まれている。プレアビヒアはまだ争いの絶えない地域に建てられており、カンボジアの兵士があちこちでぶらぶらと歩いていて、時には年配のクメール人の観光客が、寺院の階層間の巨大な階段を上り下りするのを親切に手助けしてくれたりする。われわれが古代の彫刻の写真を撮っていると、警備員が携帯電話でYouTubeの動画を見ていた。私は、最近の出来事と深い歴史が交錯する場所に立ち、どの都市も暴力的な拡大と放棄のサイクルを延々と繰り返す運命にあるのだろうかと考えた。

一九七〇年代半ばに、クメール・ルージュが大量の都市ディアスポラを引き起こしたプノンペンに戻ったとき、この疑問は私の頭の中にあった。このような重要な都市から住民がいなくなることは、想像に難くなかった。現在、プノンペンの街は、巨大なSUVや賑やかなスクーター、観光客でごった返すトゥクトゥクやシクロなど、多くの乗り物で溢れている。歩道にはレンガや石炭が積まれ、その横で即席のグリルを使って昼食をとる人など、歩道のスペースは一センチメートル単位で使われていた。果物やパン、トイレットペーパーやコーヒーなど、あらゆるものがカートを押して売られている。トンレサップ川を挟んで遠くに見える高級な高層ビルを除けば、空きビルはない。旧フランス系のデパートにはアパートの部屋がひしめき、屋上には洗いたての洗濯物が吊るされ、古い映画館はスラム街の巣窟になっていた。人々は街に戻ると、古い大聖堂や仏教寺院の屋根の下など、廃墟のあちこちに家を建てた。城壁、道路、路地など、どこを見ても活気に満ちている。

しかし、クメール・ルージュの犠牲者の記念碑が物語るように、この街はほんの数十年前に、すべての市民を暴力的に粛清した。都市に住む人々は、後に「キリング・フィールド」と呼ばれる強制労働収容所に送られ、そこはまた集団墓地として利用された。高校や寺は拷問と収容の場と化した。私は首都を改造し、人々の土地を奪い、王国中に何千人もの労働者を送り込み、自分の言いなりにさせたJ7を思い出した。

政治的な災害は、自然災害と同じように確実に土地にその痕跡を残す。しかし、その跡は時が経つにつれ、人々がどのように生き抜いてきたかを示すパリンプセストとなる。クメール人は、王がいなくなった後もアンコールに住み続け、七〇〇年代の農地や村と同じように土地を作り変えた。同様に、ポル・ポト軍が北のプレアビヒアに逃げた後、クメール人はプノンペンに戻り、新しい方法で都市を占拠しなおした。われわれはこれを忘却の連鎖と呼び、暗い歴史を繰り返していると言いたくなる。しかし、それはあまりに単純な話だ。もうひとつ考えられる解釈は、クメールの都市の伝統は、それを引き裂いた力よりも強いということである。アンコールは失われた文明ではなく、あきらめなかった庶民の生きた遺産なのだ。

Ⅳ

カホキア

広場

10　アメリカの古代ピラミッド

一〇〇〇年前、巨大なピラミッドとマウンド（塚）が、現在のイリノイ州南部に広がるイーストセントルイスの地にあった。ミシシッピ川の氾濫原の泥の上に、荘厳な都市建築がそびえ立ち、高架歩道が密集した地域や公共広場、郊外の農場の間を縫っていた。マウンドの頂上には、彩色され、祭具で飾られた儀式用の柱が道しるべのように立てられている。この都市は非常に印象的で、その噂はミシシッピ川とその支流の地域、ウィスコンシン州からルイジアナ州にまで広がった。手の込んだパーティやページェント、ゲームの話に惹かれて、何千人もの人々がこの都市にやって来た。ある者は楽しむために、またある者は新しい文明を求めに来た。そして、多くの人がこの街に魅了され、この地にとどまった。

この街は移民の聖地となり、その周辺はアメリカ南部の文化圏から集まった人々であふれかえっていた。一〇五〇年のピーク時には、人口が三万人にまで膨れ上がり、後に北米と呼ばれるようになる地域で、コロンブスがやってくる以前の最大都市となり、当時のパリよりも大きな都市となった。

特に壮大な建造物である土のピラミッドは、現在「モンクス・マウンド」として知られており、ダウンタウンの中心をなしていた。高さは三〇メートルもあり、街を見下ろしている。その南斜面には、三つの階層があり、それぞれに儀式用の建物が建っていた。マウンド全体は、エジプトのギザにある大ピラミッドとほぼ同じ面積を占めていた。最上階に演説者が立つと、南側の麓にある五〇エーカーのグランド・プラザまでその声が聞こえてくる。モンクス・マウンドから南へ、一キロメートルに及んで儀式用の土手道が伸びていた。この高架道路は浸水した地面の上を通り、考古学者が「ガラガラヘビの塚」と呼ぶ別の巨大な土の構造物に行き着く。

ピラミッドの西側には、ウッドヘンジと呼ばれる、夏至を示す円形に並んだ高い木製の柱があった。東側にはボロー・ピットと呼ばれる深い池があり、色とりどりの粘土が敷き詰められ、季節ごとに水を溜められるように設計されている。こうした人工的な山や池、歩道、時を刻む柱は、この都市が人間だけでなく、人間界の上と下からやってきた異界の存在によって支えられていることを訪問者に示唆していた(1)。

この都市の最も目立つモニュメントはマウンド(塚)であり、大小数百の塚が数キロメートルに渡って点在していたが、その中心は広場《プラザ》だった。モンクス・マウンドのふもとにあるグランド・プラザでは、都市住民が地面を平らにし、薄い砂利を敷き詰めて、式典やスポーツイベントにやってくる群衆を収容していた。この広場は、アメリカンフットボール場三八面分の広さがあり、これを模範として街中に小さな広場がたくさんできた。その中には、近隣の十数軒の家に囲まれた中庭に過ぎないような小さな広場もあった。また、グランド・プラザに匹敵するような大きなものもあった。都市に住む人々は、こうした広場を常に開放し、清潔に保ち、さまざまな社交行事に対応できるようにした。広場は都市計画の中で重要な位置を占めていた。なぜなら、この都市は広場が特殊な公共圏を形成することで成り立っていたコミュニティだからだ——そこでは、アイデアが土地の形を変え、またその逆もありえた。すべての都市は、その住民にパブリック・アイデンティティ〔公的なアイデンティティ。個人的なアイデンティティは、われわれを他の誰とも違う存在にしているが、公的なアイデンティティは、われわれを特定の他人と同じだと認識させる〕を体験する機会を提供している——チャタルヒュユクではそれがヒストリーハウス、ポンペイでは街路、アンコールでは寺院群だった。カホキアでは、街のいたるところに大衆のためだけに作られた広場があった。広場は、スポーツ観戦や説教を聞くために、人々が群がる場所であり、ポンペイのストリート・ショッピングのように、カホキアの社会を特徴づける場所でもある。この街には、個人が集まり、自分よりも偉大な存在になるために、慎重に作られた出会いの場がたくさんあった。パブリック・ライフ（公共生活）の変革に力を注いでいた街だったのである。

その壮大さとは裏腹に、この街のもともとの名前は時の流れの中で失われてしまった。その文化は、大陸の南部と北部を結ぶ大河のほとりに遺跡が見られることから、「ミシシッピ文化」と呼ばれている。一七世紀にヨーロッパ人がイリノイ州を探検したときには、この街はすでに何百年もの間、廃墟と化していた。当時、この地域にはイリノイ州連合の部族、カホキア族が住んでいた。カホキア族が建てたとは言っていなかったが、ヨーロッパ人はこの古代都市を彼らの名にちなんで名付けた。そして、この名前が定着した。

数世紀を経た今も、カホキアの急激な盛衰は謎のままである。一四〇〇年頃までには、カホキアの人口はほぼ分散し、人間の手によって完全にジオエンジニアリング〔地球工学化〕された景観の上に散在する村々が残されていた〔地球工学とは、地球という惑星の居住可能性を、工学的な手法によって改善ないしは維持することを目的とした学問分野〕。ミシシッピの文化は、スー族、特にオーセージ族の伝統に見ることができ、マウンドは多くの部族の先住民にインスピレーションを今も与え続けている。しかし、この都市がどのような経緯で建設され、どのような経緯で放棄されたのかについては、いまだに曖昧なままである。考古学者たちは、その手がかりを求めて、カホキア人がかつてマウンドを築くのに使った、厚く湿った扱いにくい粘土を掘り返している。一メートルほどの土の下には、数千年前の建物の基礎、ゴミ捨て場、儀式の跡、墓などが埋まっている。これらは、当初からミシシッピ文化が一時的な文化であったことを物語っている。カホキア人にとって廃墟は、失敗や損失ではなく、予想される都市のライフサイクルの一部だった。

ムーブメント〔運動〕に参加する

ローマ暦で計算すると、九〇〇年代後半に、人々はカホキア最初のモニュメントを建立し始めたことになる。当時のヨーロッパ文明は、中世の迷信と残忍な君主制に陥っていた。しかし、北米には中世の貴族制度も、失われた偉大な文明を示すラテン語の古文書も存在しない。その代わりに、部族や国を一時的に統合する、強力だが絶えず変化する社会運動が存在した。そして、それに最も近い現代的な類似は、政治革命や宗教復興かもしれない。動向の背景には、アメリカ大陸の生きた都市の歴史があり、その起源は数千年前に遡る巨大な墳丘やモニュメントに具現化されている。

先住民の口伝や一八―一九世紀のヨーロッパ人の観察からわかることは[2]、カホキアは精神的、文化的な再生を約束した指導者たち、あるいは一人のカリスマ的指導者によって建設された可能性が高い。カホキアを宗教の上に築かれた都市と呼ぶ人もいるが、その起源はもっと複雑である。おそらく、この都市は、ミシシッピ川沿岸のアメリカ南部と中西部を席巻した社会運動によって生み出された、と言うのが最も適切な表現だろう。

カホキア人は文字を残さなかったので、この運動が何であったのかははっきりしない。しかし、それは創建者たちの北米の歴史に関する知識に触発されたものだった。マウンド・シティは、カホキアより何千年も前に遡るこの大陸の古い伝統である。北米で最初に作られた土塁（塚）は、ルイジアナ州にあることが知られている。最も古いものは「ワトソン・ブレーク」[3]と呼ばれるもので、最初にエジプトでピラミッドが建設された時期より、何世紀も前にあたる五五〇〇年前まで遡る。もうひとつは、ルイジアナ州北部のミシシッピ川近くに三四〇〇年前に作られた「ポヴァティ・ポイント」だ。現在では乾いた川底を見下ろす断崖に、三日月形のマウンドが巨大な括弧のようにそびえ立っているのが見える。ポヴァティ・ポイントが遺棄されてから一〇〇〇年後、ホープウェル文化〔アメリカ中西部の先史時代文化〕の人々は、オハイオ州や北東部の各地にさらに驚異的なマウンド・シティを建設した。カホキア人は祖先の歴史から、これらのマウンドについて知っていたのだろうし、ミシシッピ川沿いで、それを見ることもできたのだろう。しかし、彼らはさらに南のマヤ人やトルテック族の大都市にある、同時代のピラミッドからも影響を受けていたかもしれない。

カホキアの建設者たちは、おそらくこれらの先行文明をイメージした都市を建設するつもりだったのだろう。そして、熱狂的な信仰に駆り立てられるかのように、非常に速いスピードで建設した。イリノイ大学アーバナ・シャンペーン校の考古学者ティム・パウケタットは、そのキャリアのほとんどをカホキア研究に費やしている。彼によれば、カホキアのマウンドは考古学的記録の中であまりにも突然に現れ、あたかも今日イースタン・ウッドランド族として知られる人々の、小さな集落群の上に直接建てられたかのようだという。(4) 都市が成長するにつれて、農場も成長し、耕作地はカホキアからイリノイの高地へと広がっていった。川沿いにもミシシッピ文化の痕跡があり、町や小さな都市がマウンドを築き、カホキアの儀式の一部を共有していた。この都市は、アンコールのようなもので、その建築様式や官僚制の影響は、都市を越えて何千キロも離れたところまで及んでいたようだ。

カホキアは、他の点でもアンコールに似ていた。この都市は、熱帯都市のような都市設計で作られていて、近隣の街との間には広大な農地があり、マウンドが都市の中心となっていた。カホキアの初期の住人たちは、ミシシッピ川の両岸に広がり、作物とマウンドで土地の形を変えていった。都市の影響が及んだ範囲は膨大なもので、モンクス・マウンド周辺の人口密集地、イーストセントルイスの中心地、そして今日、セントルイスの街があるところなど、考古学者は大都市には「境界線」があったと言う。しかし、このような地域は独立した都市ではなく、農場によって区切られた、ダウンタウンのような区域だったと思われる。

カホキアは、すべて人力によって建設された。労働者は石器を使い、後にボロー・ピットとなる深い溝で粘土を切り出し、それを編んだ籠に入れて、徐々に大きくなっていくマウンドへと運んだ。粘土をそこで捨てると、マウンドが山のように大きくなるまで、さらに粘土をマウンドに積み重ねた。数百年後、考古学者がモンクス・マウンドの側面を掘ると、それぞれ微妙に色の違う丸い粘土の塊が出てきて、籠の中身を捨てた場所を示しているのがわかるという[5]。カホキア人がこのようなモニュメントを苦労して作ったのは、儀式的な意味合いがあったのかもしれない。あるいは、彼らがこのモニュメントのために粘土を掘ったり運んだりしたのは、単に都市の偉大さと権力を高めるためだったのかもしれない。さらにまた彼らは、アンコールのクナムのように、借金を背負った奴隷であったのかもしれない。

ポンペイと違って、カホキアには商店が立ち並ぶ通りがなかった。考古学者が知っている都市計画には、常設の市場も商人の会館もない。しかし、二〇世紀初頭の人類学者たちは、このような大都市が商業や重商主義を中心としていなかったとは信じがたいと思っていた。それは「新石器革命」を提唱したゴードン・V・チャイルドの影響を受けたからでもあった。彼は都市には貨幣、税制、長距離交易が必須であると説いていた[6]。そして、アンコールを訪れた初期のヨーロッパ人探検家のように、人類学者たちもまた、世界中の古代都市はすべて、中央に市場を持ち、城壁に囲まれているものと仮定した。しかし、ここ数十年、パウケタットのような考古学者は、この都市は貿易の中心地ではなく、むしろ精神上の中心地だったと主張している。その証拠に、彼はカホキアから人々が持ち帰った様々な種類の品物を挙げている。

人々が持ち帰った最も一般的なもののひとつが、ラミーと呼ばれる独特の儀式用陶器で、カホキアだけで作られていたものだ。ラミーは、美術的にも美しく、技術的にも複雑な陶器である。粘土にムール貝の殻を混ぜて焼き固めたもので、それによって、焼成中にひび割れが生じないで、完璧なまでに薄手に保たれている。下界を表す複雑なデザインが刻まれ、持ち手には繊細な動物の頭部を添えて、赤と白の鮮やかで抽象的な渦巻きが描かれているものもあった。陶器はミシシッピ人の集落の至る所で発見されており、それはワイン用のアンフォラや特殊な道具のように機能的な品物ではなく、象徴的な品物をカホキアから持ち帰ったことのさらなる証拠と言えるだろう。

考古学者たちは、ウィスコンシン州やルイジアナ州でも、カホキアから持ち帰った小像、装飾的な尖頭器、儀式用のガラス製容器などの小さな土産物を発見している。これらの発見は、カホキアが食料、道具、繊維などの実用品ではなく、アイデアや精神的信条を交換していたことを示唆していた。しかしその文化は、ポンペイのように商業を中心としたものではなかった。カホキア人が集まったのは、文化的な世界観に参加し、公共的な目的意識を共有することで絆を深めるためだった。われわれは都市の配置に注目することで、その目的を部分的に再現することができる。

ミシシッピの公共生活

カホキアのグランド・プラザは、巨大でありながら、そこには置かれているものがほとんど何もない。看板や儀式用の柱は様々な活動のために設置されていたが、店や寺院のような常設の建造物はなかった。(7)

「チャンキー」と呼ばれるパック（円盤状の石）や槍を使った試合をするために、グランド・プラザが一掃される日もあった。パウケタットは、その様子をこう表現している。

族長が黒い土のピラミッドの頂上に立って腕を振り上げる。眼下の大広場では、集まった一〇〇〇人の人々の間から耳をつんざくような叫び声が上がる。そして、群衆は二手に分かれ、両者とも荒々しい悲鳴を上げながら広場を駆け抜けていく。何百本もの槍が空中を飛び交い、小さな石の円盤が転がる。大勢の応援団が傍観者として集まり、両チームを応援する。[8]

カホキア人の工匠たちは、人気のあるチャンキー・プレイヤーの像を作った。そのうちのひとつは、膝をついてパックを転がす男の姿で、髪は後ろで精巧に束ねられ、耳たぶは飾り用プラグで下に伸ばされている。このような小像や、ヨーロッパ人が他の国で行われていたチャンキー遊びを目撃した記録から、この遊びが運動能力を試すだけでなく、ギャンブルとしても行われていたことがわかる。[9] チャンキーは、競技場でパックを転がすと同時に槍を投げる試合である。その槍がパックに一番近いところに着地した選手が勝者となる。

しかし、本当の勝者は、その選手に賭け、賞品を手にした人々だったのかもしれない。どうやら、この試合はかなりテンポがゆったりとしたもので、ギャンブルと観客の参加が必要だったようだ。そのため、親睦を深めたい人々が集まるのには最適なスポーツだった。試合は、チャンキー・パックそのものが芸術品になるほど愛され、カホキアへ旅した人々は、しばしばこの街の精巧に作られて磨かれたパックを手にして、村へ帰っていったという。

また、カホキアはパーティ好きな都市でもあった。カホキアの祭りは、鹿、バイソン、リス、白鳥などのバーベキューをグループで食べる食事が中心だった。数世紀後、考古学者が発見した巨大なパーティのゴミ捨て場には、火で割れた骨や破損した食器がたくさんあった。また参加した人々は、儀式の際に使用され、幻覚や嘔吐を引き起こすカフェイン入りの幻覚剤「ブラック・ドリンク」を、儀式用の特別な容器で数回飲み干した。

ミシシッピ川流域の都市からカホキアに人々が集まってきたため、この祭りの期間中には、街の人口が倍増したと思われる。その証拠に、ブラック・ドリンクは、カホキアから何百マイルも離れた場所に生えているヒイラギの木から作られているので、人々はそれを持ってこなければならなかった。訪問者は他の貴重品も自分の家から持参しては、他の者たちと共有した。カホキア以外の様式で作られた道具や陶器が、カホキアのゴミの山で見つかったり、生け贄を火にかけるのに使われたりした。イリノイ州の考古学調査事務所を訪ねたとき、テキサス州周辺の南部様式で彫られた尖頭器を見たことがある。だが、これは地元で切り出されたカホキアのチャート〔珪質の堆積岩の一種〕で作られていた。これは移民が地元の石を使って、故郷の方法で武器を作っていたことを示唆するものだ。現代のコリアン・タコスのようなもので〔コリアン・タコスは、アメリカやカナダの都市部で人気のある韓国とメキシコのフュージョン料理。コリアン・タコスの発祥地はロサンゼルス〕、その楽しい存在は、すべて文化的混合の歴史のおかげである。

しかし、街のお祭り騒ぎは、スポーツやバーベキュー、尖頭器などの、スタイルが融合したものばかりではなかった。巨大な祭りは、シャーマンや政治家、あるいはその両方に対する恍惚とした信仰心で、人々を熱狂させることもあった。公人がモンクス・マウンドの頂上に立ち、広場で群衆に語りかける。[10] そして、そこではショーが行われた。演劇と儀式を組み合わせたショーでは、豊穣と再生の物語、そして英雄と神々の物語に焦点が当てられていた。[11] そこへ出かけた人々が、そこで何を経験したのかはわからない。中世のヨーロッパ人が教会と呼んだものを体験したのか、あるいは、現代のアメリカ人がスターウォーズ映画と呼ぶようなものを体験したのか、そのあたりはわからない。おそらく、状況に応じて、その両方を体験していたのだろう。

カホキア人は、収穫などの重要な時期を祝うために、舞台のような大きな土の台を作り、その上で、神話の人物に扮した者たちが物語を演じた。演日の中には、人身御供を伴うものもあった。生け贄の形は様々で、詳しくは後述するが、カホキア人が神々に捧げたのは人命だけではない。考古学者によると、生け贄の死体の周りには多くの供物が置かれていて、その中には、新しく死んだ人たちと一緒に埋葬するために持ち込まれた先祖の骨も含まれていた。この後の展開は、トルコのドムズテペの「死の穴」を彷彿とさせる。遺体、骨、財宝を積み上げた舞台は、土で覆われ、ガラガラヘビの塚のように、頂上がとがった形になるまで踏み固められた。このとがったマウンドは、カホキア人の典型的な家屋で見られる深い峰の屋根に似ている。こうしたステージ／マウンドは、カホキアのダウンタウンの広場の端に建てられることが多く、考古学者の中には、それがわれわれと死者の世界を分ける、特別な境界標識の役目を果たしていたのではないかと推測する者もいる。[12]

カホキア人にとって人身御供は、同時代の異教徒の処刑と同じように、日常的なものだった。ヨーロッパの国々では、街の広場で行われる処刑は、支配者が権力を誇示し、敵を粛清するための手段だった。カホキア人が人身御供をやめてから数世紀後、イギリスのヘンリー八世が、自分の顧問と二人の妻を公開処刑したことはよく知られている。アメリカ大陸に入植した初期のヨーロッパ人も、プリマスやセーラムの植民地で異教徒を公開処刑したことを、誇らしげに記録している。こうしたヨーロッパの処刑のように、カホキアで行われた人身御供は、モンクス・マウンドの頂上に立つ支配者の、社会的ヒエラルキーを強化する役割を担っていたのかもしれない。

カホキア人は都市をデザインするのに、天文学への憧れを反映させた。彼らは星、月、太陽の動きを追跡し、大空における宇宙天体の位置に合わせて家を配置することが多かった。カホキアで最大の人口増加期には、南北軸から正確に五度ずれた位置に街路が作られた。パウケタットらは、夜空に浮かぶ月の高度が二週間の間に、大きく上下する「月の停止」(13)と呼ばれる天文現象に対応したものと考えている。

カホキアの好景気は、さらに驚異的な天文現象によって加速されたのかもしれない。一〇五四年、都市が発展していく中で、超新星が約一カ月間、空を照らし続けた。その明るさは、昼間はもちろん、夜は満月に匹敵するほどだった。中国で書かれた巻物や、ニューメキシコ州のチャコ・キャニオンの壁に描かれた絵など、世界中でこのイベントの記録が残っている。パウケタットは、宗教的あるいは政治的な指導者たちが、この超新星を、急成長している自分たちの文明を広める時期が来たサインとして受け取った可能性があると考えていた。おそらく、爆発した星が新しい信念を生み、それまでばらばらだったグループが、共通の目的のために団結し、ミシシッピ文化の基礎が築かれたのだろう。

カホキアの指導者たちが何をしたにせよ、彼らは幅広い層の人々を惹きつけることに成功した。カホキアの人口の三分の一以上は、都市から遠く離れた場所で生まれ育った移民だった。(14) このことは、科学者が安定同位体分析という方法で、その人がどこで育ったかを明らかにしていることからもわかる。カホキアの人骨から採取した歯のエナメル質の化学組成を調べることで、科学者たちは、人々が子供の頃に摂取した食物や水によって残された、特定の同位体の特徴を見分けることができた。このプロセスは法医学でよく使われていて、死体がどこから来たかを刑事が突きとめるのに役立った。また、考古学者にとっては、移住のパターンを明らかにすることができた。もし、ある人がカホキアに埋葬されていたとしても、遠方の食物や水を摂取して成長したのであれば、その人はほぼまちがいなく移民であったということになる。

カホキアは、その政治的なパワーで人々を引き付けたかもしれないが、同時にこの都市は、人間が農業や狩猟、インフラ整備、子育てなど、極めて日常的なことを行う場所でもあった。考古学者がここで発掘調査をすると、発見するものはほとんどが、そうした人間の営みに由来していた——壊れた鍬、夕食の際にかじられた鹿の骨、破損した土鍋、古い木造家屋の端にある深い柱穴などである。しかし、カホキア人は、このような日常品を、当時の北米では異例の規模で作り上げた。この都市の農地では、数種類の脂肪を含んだ穀物、果物、カボチャ、豆、トウモロコシなどを生産し、一〇五〇年から一二五〇年の都市の最盛期には、三万人以上の人々を養っていたという。モンクス・マウンドからミシシッピ川まで約一九キロメートルの距離を歩き、カヌーで渡り、さらに数キロメートル歩けば、街と農場を離れることなく、移動が可能だったのだろう。

北米の失われた作物

カホキアは、アメリカンボトム〔イリノイ州南部のメトロイースト地域にあるミシシッピ川の洪水平原〕と呼ばれるミシシッピ川沿いの生態系のクレージーキルト〔さまざまな形と色の布切れを継ぎ合わせて作ったベッドカバー〕に位置している。雨や洪水によって、この地域には季節ごとの池や沼地ができ、周囲の断崖はトウモロコシなどの、でんぷん質の種子を育てるのに最適な大草原に取って代わる。それは北米で最も肥沃な土地のひとつであり、カホキア人は、自分たちが魔法のように豊かな土地に住んでいることをよく理解していた。

カホキアから出土した土偶の中で最も興味深いのは、「ビルガーの小像」と呼ばれるものだ。この小像は、(高速道路建設中に発見されたために) BBBモーター・サイトと呼ばれる東部郊外の農耕地で発見された。他の祭祀資料と一緒に発見された小像は、深い赤褐色のフリント(火打ち石)の彫像で、膝をついて農作業をする女性が、歯を食いしばりながら石と木でできた鍬を振っている。しかし、彼女は土地を耕しているわけではない。その代わりに、彼女の鍬はヘビの背中に突き刺さり、ヘビの太い体は彼女の曲がった脚に巻きついている。彼女は片方の力強い手で大蛇の頭を押さえつけているが、ヘビの頭はまるで唸りを上げているヤマネコのようだ。背中にはヘビの尾がひょうたんの蔓のように伸びている。その背中にはカボチャを入れた籠があり、彼女はすでに収穫をすませているようだった。

ワシントン大学の人類学者であるゲイル・フリッツは、伝統的なヒダーツァ族の農民であるエイミー・モセットにビルガーの小像を見せたところ、すぐにそれが「おばあさん」、あるいは「死なない老婆」、つまり収穫を監督する強力な精霊だとわかったと述べている。[15]ここには、ミシシッピ人の信仰と現代のスー族の信仰の連続性、そしてミシシッピ人にとって農業が単なる仕事ではなかったことの証しがある。それは、狩猟や戦闘と同じくらい劇的な、異世界の力を利用する危険な闘いだった。カホキアでは、農業は生と死、そして宇宙をめぐるドラマの一部であった。

カホキアの人々は、南方の先住民の農民とは異なり、都市が発展する後半までトウモロコシを栽培することはなかった。その代わりに、アカザ、リトルバーリー〔北アメリカ西部原産の一年生の大麦で、アメリカ南部と熱帯アメリカに広く分布する〕、マーシュエルダー〔別名スンプウィードとも呼ばれるアスター科の植物〕、メイグラス〔アメリカ南部に自生する一年草で、でんぷん質の種子が五―六月に熟す冬の一年草〕、エレクトノットウィード〔ソバ科の北米産草本植物の一種。外来種のアジアノットウィードと混同しないように〕などの北米で栽培化された植物を食べていた。これらの植物は、かつて集中的に耕作されていたにもかかわらず、再び野生化したために「失われた作物」と呼ばれることもある。コーネル大学の考古植物学者ナタリー・ミューラーは、この失われた作物の一部、特に「エレクトノットウィード」と呼ばれる作物の痕跡を追い求め、数年の夏を過ごしてきた。[16]現在、アメリカの川沿いに生えているこの植物は、鮮やかなスプーン状の葉を持つ、ヒョロ長くて目立たない植物のように見える。しかし、カホキアが建設された当時、ノットウィードは一〇〇〇年もの間、南方の先住民によって栽培されていた。何世代にもわたって農民たちは、種子が大きく、皮が薄く、成長が早いノットウィードを選んで育ててきた。これは、早く大きく育つトウモロコシが、何千年にもわたって選択的に栽培されたのと同じだ。ミューラーは、ミシシッピ川流域の人々が暮らしていた場所に、何世紀も前から埋められていたこのふっくらとした栽培穀物の種子を発見したのである。

国内産のノットウィードの種子はでんぷん質で非常に硬く、殻も丈夫だ。ミューラーは、カホキア人がこの種子をポップコーンのようにたき火で調理し、加熱することで、殻から旨みを飛び出させるようにして食べていたと考えている。カホキア人はまた、「ニシュタマリゼーション」という古代の製法を使ったのかもしれない。ニシュタマリゼーションとは、石灰《ライム》（果実［ライム］ではなく化学物質［酸化カルシウム］の方である）にノットウィードを浸して、ひきわりトウモロコシのような粥《ポリッジ》にすることだ。アメリカ大陸の多くの先住民は、トウモロコシを調理する前に、ニシュタマリゼーションという技法を用いてその外皮を柔らかくしていた。カホキア人もこの技法を知っていた可能性がある。カホキア人は、たき火でポップコーンのようにして食べないときは、ノットウィードを使って、肉やスパイスの入った濃厚な粥を食べていたのかもしれない。ノットウィードやその他の失われた作物は、魚や狩猟肉を、パン、粥、油、ローストしたナッツ、シチュー、焼いたカボチャ、豆などと組み合わせて作る多様な食事の基礎食材となった。

以前、「おばあさん」の小像の意味を説明したフリッツは、そのキャリアのほとんどを、カホキアが出現したアメリカンボトムに住む先住民の料理の研究に費やしている。彼女は、モンクス・マウンドの隣にある巨大なゴミ穴を探索することで、カホキア人の生活について学んだことを思い出していた。(17) 考古学者が何層にも重なったゴミを掘り起こすと、白鳥の骨や焼いた動物、さまざまな種子、砕けた陶器、そしてゴミが草で覆われて焼かれる前に、ご馳走を食べに来たと思われるアリの層まで、何層にも重なったパーティ・グッズが出てきた。フリッツは、これらはモンクス・マウンドが誕生して間もないころの宴会の跡であると説明している。さまざまな種類の食べ物があり、多くは半分しか食べられずに捨てられたもので、カホキアがどのようにして、人々を養っていたかを知る手がかりとなる。食材には、BBBモーター・サイトのように、何キロも離れた農場で採れたものも多くあった。フリッツと彼女の同僚は、そこで、カホキア人の儀式用具がたくさんある小さな集落とともに、集約的な農業の証拠を確認した。

フリッツは、ゴミの穴をいっぱいにした宴会は、都市生活者がどのように農作業を組織し、季節の恵みを分配していたかを知る重要なヒントを与えてくれると主張する。この複雑な社会システムを再構築するために、フリッツは植物の遺物や、ル・パージュ・デュ・プラッツなどのヨーロッパ人の記録に着目した。そこでは一七〇〇年代にミシシッピ州にあった、マウンドを築く農民の大規模コミュニティ「ナチェズ」の毎月の宴会のことが書かれていた。どちらの資料からも、農民が収穫物を内陸部から都市の中心部に運び、宴会の際に分配していたことがわかる。問題は、この分配がどのように管理されていたかである。フリッツは、ミシシッピの人々はヒダーツァ族と同じように親族のネットワークを通じて土地を管理し、多くの家族が同じ畑を共有していた可能性が高いと主張する。「アメリカの学校では、土地の私的な個人所有はアメリカ先住民にとって異質な概念であると教えられています」と、彼女は書いている。「それでも、家族や親族集団が、しっかりと区画された農地の独占使用権を持っていたことは明らかです」[18]。女性は農場で働き、区画のあちこちに少しずつ作物を植え、男性は街なかの家のそばで、小さな庭の手入れをしてタバコを栽培していた。

このように遠く離れた農場が都市住民を養っていたという事実は、もうひとつの疑問を投げかける。BBBモーター・サイトの人々は、モンクス・マウンドの頂上に住むエリートたちに、貢ぎ物や食料税を差し出していたのだろうか？　私はこの疑問を、カホキアの歴史を語るのに最も適した場所、イリノイ州エドワーズビルにある「スタッガー・イン」というパブで、考古学者たちにぶつけてみることにした。考古学者が創業したこの店は、カホキアの研究者の間では「考古学者のバー」と呼ばれている。毎週木曜日には、カホキア中の発掘作業をしている人たちが、ビールやハンバーガー、おいしいフライドポテトを食べにこの店に集まってくる。

ミュージシャンがセッティングしているステージの横にある、戦いの傷跡が残る木のテーブルで、私はティム・パウケタットとインディアナ大学ブルーミントン校の人類学者スーザン・アルトに合流した。私はすぐに、カホキアの経済構造について質問し始めた。街のエリートたちが、郊外の農場の人たちを説得して食料を運ばせていたのかどうかに興味があったからである。貿易のネットワークはあったのだろうか？　私がそう聞くと、パウケタットは目を丸くした。彼とアルトは、カホキアが貿易の中心地であったかもしれないという考えに強く反対し、都市を経済的な存在として見るのはまちがいだと言った。「この都市の第一の目的は貿易でも仕事でもない。それは精神的なものです」。パウケタットは、私がビールをさらに勧めると言った。「富は、彼らが考えていたものを表わすのに適切な言葉ではありません。それは副次的なものです」。

アルトは、カホキアが霊的なものに捧げられた場所であることを示す、さらなる証拠を持っていた。彼女は、「エメラルド」と呼ばれる霊的儀式に捧げられた遺跡で発掘調査をしていた。イリノイ州セントクレア郡にあるエメラルドは、カホキアの精神性の発祥地であったかもしれない。そこはミシシッピ時代の遺物でいっぱいだが、それはカホキアの人口が爆発的に増えるより前のものだ。「おそらくそこに来た人々が、カホキアに移住して、カホキアに住みついたのでしょう」とアルトは思いを巡らした。もしそれが本当なら、カホキアの建国は貿易の問題ではなく、新興の信仰体系から生じたという考えを裏付ける証拠となる。

しかし、そこには「何らか」の経済システムがあったはずだ、と私は主張した。ある人は食べ物を作り、ある人はそれを食べていたのだから。川沿いの他の都市と交易したり、下町の工具制作者が高地のトウモロコシと工具を交換する市場があったのだろうか？　パウケタットは肩をすくめた。「確かに、一部の人々は専門的であったり、他の人々から食料を得たりしていましたが、その習慣は異質なものでした。地域によってやり方も違っていたのでしょう」。ある地域の人々は、特に優れた葦のマットを生産していた別の地域とラミー陶器を交換したのかもしれない、と彼は示唆した。また、ある地域の家族は、毎日集めた食料を持ち寄って、大きな夕食会を開いていたかもしれない。また、あるコミュニティでは、郊外の農場と特別な取引をして、季節ごとに余剰品を手に入れていたかもしれない。フリッツも同意見で、家族間で分配を調整していたという。その証拠に、エリートが使う穀物や食料を貯蔵するような大きな倉庫の跡がないことを指摘している。また、ミシシッピに住んでいた人々の子孫であるヒダーツァ族などでは、収穫物を分けるのに親族制度を使うという文化的遺産もある。

都市史家のウィリアム・クロノンが書いているように、都市はその建物と農業の総体である。カホキアの農場の多様性と規模は、その記念碑的なマウンドと同じくらい見事であり、まちがいなくより民主的であった。モンクス・マウンドに立ち、大衆に語りかける人はほんのひと握りだったが、カホキアの農場はすべての人のためのものだった。カホキアの農場は、都市にある広場のように一般に開放され、すべての人に恵みを与えていた。

家を閉鎖する

カホキア人の祭典は、繁華街の大きな墳墓だけで行われたわけではない。そのほとんどは、生け贄の儀式や演説から離れた地域の、小さな広場や公共の建物で行われた。もちろん、ダウンタウンのグランド・プラザには誰もが入れるわけではないが、これらの地域の祭典も、単なる逸脱した儀式の場ではなかった。それは、カホキアの多様な文化を反映したものだった。この街は移民の街であり、言葉も伝統もひとつではない。特に観光客の多い祭りの時期には、家族の再会や同じような境遇の人たちの集まりがあっただろう。そして、その地域の人々が好む言語で儀式を行うことができる地元のリーダーを巻き込んで、ダウンタウンで行われる大きな祭典のバリエーションに参加したことだろう。

このような儀式のひとつは、考古学者の間で「クロージング・アップ」（閉鎖）と呼ばれている。チャタルヒュユクでディドの家や他の多くの家に起こったことに似ているため、聞き覚えがあるだろう。研究者たちは、カホキア人が家や建物の寿命を終えるための特別な儀式を行っていた証拠を、街の至る所で発見した。まず、建物の壁を構成している木の柱を引き抜き、薪として再利用する。

そして、穴の中に色とりどりの粘土を詰める。粘土には、雲母が混じっていたり、その家の歴史にまつわる陶器や道具が混じっていることもある。床は水で洗ったり、土をかぶせたりする。時には、家が焼かれることもある。廃屋の床に穴を掘り、そこに陶器、トウモロコシの穂軸、織ったマット、宝石、割れた石製ナイフなどの生活用品の残骸（焼けた跡がある）を埋めていたケースはよくあることだ。このような儀式によって、古い家は封印され、新しい家を建てるための空間が整えられたようだ。

カホキア人は、儀式によって閉鎖された古い家の床の上に家を建てるのが好きだった。前の家の柱穴の中に新しい柱を立てるのである。考古学者が家を発掘すると、何層もの床が丁寧に積み重ねられているのが見つかることが多いが、そのひとつひとつが、およそ一世代の住人を表している。まるでそれは自分の家の葬式をしているようだ。カホキア人は自分たちの都市が生きていると信じていたが、同時にその寿命が有限であることも受け入れていたのだろう。

閉鎖の儀式は、われわれがチャタルヒュユクで見たものとはちょっと違う。チャタルヒュユクでは、新しい人が住む前に、しばしば家が放棄され、崩壊するがままに放置されていたようだ。また、ポンペイでは、新しい世代のリベルティが先代の別荘をパン屋や商店に改造している。むしろそれは、廃墟という観念を都市のインフラそのものに植え付ける方法であったように思われる。ところがカホキアでは、墳墓やボロー・ピットは永続するように作られたが、人間の住居は仮のものだった。

そのため、人々は都市を離れ、次のステップに進むことが容易になったのだろう。カホキアの劇的な拡大と放棄を考えるとき、われわれは「閉鎖」という基本的な考えを心に留めておく必要がある。ここは結局のところ、ヨーロッパや東南アジアの都市ではなかったのだ。アメリカ固有の都市であり、人々は海の向こうの人々と同じようにはアーバニズム（都市計画）を考えていなかった。地球上に広がる文明、永遠に続く文明を目指していたわけでもない。もしかしたら、都市を自分たちの家のようなものと考え、その始まりには終わりがあると考えたのかもしれない。

11 大復活

私は、カホキアの世界をより深く知るために、現地の考古学的発掘調査に参加し、二年連続で現地の研究者を訪ねた。発掘を主導したのは、カホキアの歴史を専門とする二人の考古学者である。イースタン・コネティカット州立大学教授のサラ・バイレスとトレド大学教授のメリッサ・バルタスだ。また、二人にはエリザベス・ワッツ研究員やフィールド・リサーチ研究所の多くの精力的な学部生が協力した。彼女たちは夏休みを利用して、モンクス・マウンドの南西にある静かな住宅街と思われる場所に三つの大きな溝《トレンチ》を掘った。

掘れば掘るほど、ここが普通の場所でないことは明らかだった。彼女たちが発掘した構造物には、聖なる火で焼かれた儀式用の道具がたくさんあった。黄色い土が敷き詰められた珍しい土の構造物や、宴会の跡も発見された。バイレスとバルタスたちは、偶然にも都市の滅亡につながる考古学的な宝の山に遭遇したのだ。この場所の物語は、市民生活が激変していた大都市の最後の数十年にまで遡ることになる。

イーストセントルイスのパリンプセスト

現代社会で失われた都市を発見するのは、「トゥームレイダー」〔人気のあるコンピュータ・ゲーム〕をプレイするのとはわけが違う。ジャングルを切り開き、ドラゴンと戦うのではなく、私はイーストセントルイスの労働者階級が住む地域を通り、イリノイ州コリンズビルへと続く道をカホキアへと車を走らせた。一九七〇年代に入ると、古代都市の高架歩道やマウンドは、郊外開発で覆い尽くされてしまった。モンクス・マウンドのすぐ西には、マウンド・ドライブイン・シアターがあった。何世紀もの間、農民はカホキアの小さなランドマーク（史跡）の上を耕してきた。しかしマウンドは、建設プロジェクトのために取り壊された。一九世紀には、かつてセントルイスにそびえ立っていたビッグ・マウンドと呼ばれる巨大なピラミッドを建設業者が解体し、その粘土を線路の下の盛り土に利用した。

四〇年前、イリノイ州がカホキアを州の史跡に指定し、ユネスコが世界遺産に認定したことで、すべてが変わった。州は住民から二二〇〇エーカーの土地を買い取り、ドライブインや小規模な分譲地を整備した。現在、「カホキア墳丘群州立史跡」は、この古代都市に残るダウンタウンの建造物の保存に力を注いでいる。

私がカホキアに着いた時には、バイレスとバルタスはすでに数週間、イリノイ州南部の灼熱の中で発掘を続けていた。私が、古いガスタンクの裏の砂利道に車を止め、ルート表示のない、泥だらけの草原を歩いていると、三つの穴の周りにシャベルを持った人たちが集まっているのが見えた。今は午前七時、実はちょっとだけ遅刻してしまった。彼らは午後の暑さを避けるために、毎日六時半頃から作業を始めていた。

バイレスとバルタスは、ワッツが数カ月前に行った磁気測定の結果をもとに、スプリング・レイク・トラクト[1]と呼ばれるこの地味な地域を探索することにした。ワッツは肩に装着するタイプの磁力計を使い、草原全体を注意深く歩き回り、古代の居住跡を探した。

磁力計は、地表から数メートル下のところにある、荒れた土や燃えた物体、金属などの異常を検出することができるので、埋もれた構造物を嗅ぎ分けるには最適だった。ワッツの磁気測定マップは、有望な暗い長方形のスポットや異常の独特なパターンを明らかにした。その形と位置は、自然界のものとは思えないほど正確で、まるで中庭を囲むように、半円形に配置された家屋の床のように見えた。

バルタスとバイレスが注目したのは、この中庭の形である。カホキアでは歴史の後半になると、中庭を南北の碁盤目状に建てるのをやめ、カホキア創建以前の村の配置を模した、オープンな中庭のプランに戻るという不可解な変化があった。もしかしたら、磁気測定の結果、そのような時代末期の家並みが見えてきたのかもしれない。スプリング・レイク・トラクトには、もうひとつ魅力的な要素があった。考古学者たちは、都市の変遷の中で一般の人々が何をしていたかを知りたかった。そしてこの場所は、モンクス・マウンドのエリート層とはかなり離れたところにあった。

そこで、ワッツの磁気測定が明らかにした、三つの異常の上を覆っている地面を掘り、最終的に三つの掘削ブロック（EB1、EB2、EB3）と呼ばれるトレンチを作った。

私が現場に入ると、バイレス、バルタス、ワッツの三人がEB1を見下ろしながら、互いに「これは何だろう」とつぶやき合っていた。「わっ！　何ですかこれは？」。一〇〇〇年近くも光を浴びていない構造物の床をもどかしく眺めながら、バイレスがそう言った。私は彼女の隣で、丁寧に四角く削られた穴の縁にひざまずき、ここに建造物があったことを想像しようとした。「これはパリンプセスト（羊皮紙の写本）だ」とワッツが言った。このグループは、何層にも重なった物質の層を発見しており、それは長い時間をかけて、同じ場所に多くの建造物が建てられたことを示唆していた。ワッツは、かつてカホキア人が歩いた地面を乱さないよう、チームの他のメンバーと同様に、泥の溝の中で裸足になった。

　素人目にも、彼女が建物の床の重なりを指しているのがわかった。濃い色の粘土の部分が突然壁のように斜めに終わり、その横には炭や遺物がちりばめられた色にむらのない粘土の部分がある。土の中に木の柱を沈めて作った壁は、カホキア人が大昔に撤去して再利用したものだ。

　ＥＢ１は一般家庭の大きさだが、その生活は平凡とは言い難いものだった。少なくとも一回、儀式用の火がここで燃え、その炎は雲母や美しく編まれたマット、遠隔地の村から持ち込まれた陶器のこて、カホキア以前の人々の尖頭器などの貴重な供物を焼き尽くしていた。ＥＢ２とＥＢ３も同様に珍しいもので、宴会や儀式的な土木作業を示唆するような出土品があった。

　バイレスとバルタスが、個人宅の集まりだろうと考えていたものが、「特別用途の建造物」でいっぱいの公共の場だったことが判明した。人々は日常を超えた目的で、これらの建物を建設した。政治的な議論や社会的な集まりから、精神的な修行やパーティの会場まで、あらゆる目的のために人々はこのような建物を建設したのである。この辺りを見渡しながら、バイレスは「こんなものは見たことがないです」と言った。彼女の視線の先には、木々に囲まれ、遠くにガスタンクが見えるだけの空き地はもうない。そこには、集会所や、装飾が施された木の柱を中心にした広い中庭、カホキア人がマウンドに使う土を借りた聖なる穴があった。鹿の骨や割れた土器が山積みされた巨大なゴミの山は、大きな饗宴を予感させた。

私は、周りのこの静かな野原が、地平線まで人や家、マウンドで埋め尽くされていた時代を振り返っていた。

スプリング・レイク・トラクトの上空は灼熱の青空で、湿度が高く、熱気がこもっている。バイレスとワッツは、涼しさを保つ秘訣を明かした。朝、凍らせた水を持参すれば、昼過ぎには溶けて冷たくなっている。汗ばんだ額に解凍した水を押し当てるのは最高だ。発掘現場は、キャンバス地の屋根で日陰になっているが、こまめに休憩をとって水を飲んだり、日焼け止めを塗り直したりしていた。帽子のかぶり方も工夫している。結局、首や顔を火傷して帰ることにならなければ、どんなにひどい風体でも構わないのだ。

最初は発掘ブロックの間をぶらぶらと歩き、巡回するバイレスとバルタスの後について、学生たちの作業をチェックしていた。EB1とEB2では、儀式用の陶器の塊、粘土で再現された小さな人間の顔、尖頭器、織物のマット跡、幻覚作用のある「ブラック・ドリンク」を入れていた特別なビーカーの三角形の取っ手など、何十もの発見があった。EB3は謎のままだった。磁気探査では近隣を囲む柵壁の一部に見えたが、バイレスとバルタスは他のものかもしれないと考えるようになった。

二人は、各ブロックの端にしゃがみ込み、ワッツや生徒たちと相談した。時には、貴重な発見物をアルミホイルで包んだり、ランチバッグに畳んで入れるように指示することもあった。土もバケツにすくい上げ、後でふるいにかけて、残ったものをキャッチする。

私は、バイレスとバルタスが何年も一緒にトレンチを掘っていくうちに身につけた、縮めた簡潔な表現を学び始めた。粘土から浮かび上がる特徴を「追い出す」「追いかける」戦略が、その場で練り上げられた。「この焼けた粘土の線を追い出そう」とEB1の生徒に指示を出すバイレス。カホキア人は地面よりも低い床に家を建てたので、各建造物の底は「たらい」のようになっていた。建造物の壁を見つけると、われわれは「縁をとらえた」あるいは「角をとらえた」と言う。それはまるで、逃亡寸前の歴史を追いかけているようだった。

カホキアの発掘は、農民が長年にわたって不毛な土地を耕すことによって得られた地面を、三〇センチほど「切り分ける」ことから始まった。その下で、都市の層が始まる。一センチずつ削るごとに、考古学者たちは時間を逆行させ、都市の後期崩壊期から、優れた陶器や芸術を持つ古典期へと進んでいくのである。私が到着したときには、すでにいくつかの溝が一メートルほどの深さになっていた。

掘削は専門的な技術であり、学生たちはそれを実地で学んでいた。イースタン・コネティカット州立大学の学部生エマ・ウィンクは、謎めいたEB3で、黄色い土の層を「追い出す」のに精力的に働いていた。彼女は仕事に集中するあまり、他のことを忘れてしまったと教えてくれた。「私は基本的にモグラ人間なんです」と彼女は冗談を言った。最も多くの遺物が発見されたEB1では、ウェスタン・ワシントン大学四年生のウィル・ノーランが焼け跡の層を追跡していた。彼は、層と層の違いを感じたという。焼け跡の感触は「カリカリ、ザラザラ、掘るのが大変」。次の層は「滑らかで粘着性がある」ので、焼け跡の層を通り抜けたことがわかった。

バイレスは、慎重に刃を研いだシャベルを貸してくれ、「掘るのではありませんよ」と説明してくれた。スコップで削り、EB2の「たらい」の底を薄く削り取るのだ。シャベルで削ると、厚く汚れた巻物のような粘土のシートが残る。泥に抵抗を感じたり、バリバリと音がしたりすると、すぐに手を止めて地面を調べ、先のとがったこてで異常な塊の周りをそっと掘った。最初に見つけたのは、赤い陶器の板で、指の中で崩れて塵になった。「大丈夫。心配しないでください」とバイレスは言った。「焼成していない粘土だから、持ちこたえられないんです」。その後、炭の塊、黄色い顔料の塊、焼いた陶器のギザギザな破片、そして焼けた鹿の骨などを見つけた。

骨が最悪だった。多すぎて何十回となく掘削が中断されたからだ。人骨はすぐに報告しなければならないので、人骨でないことを慎重に判断しなければならなかった。われわれはすでに鹿の骨であることを確認していたが、考古学者は時々、それが木の実の形をした岩でないことを確認するために「リック・チェック」をしていた。舐めるようにチェック？　私は戸惑いながらも、バイレスを見た。「舐めてみますか？」と聞かれた。「骨は多孔質だから、舌がくっつくんですよ」。学生たちは私の顔を見た。変なジャーナリストはやるのだろうか？　もちろん、やりますよ。私は骨の小片を口に運び、塩を味わい、舌が骨の表面に軽く付着するのを感じた。「そう、それが骨の感触なんです」と、バイレスは肩をすくめて言った。

一時間ほどスコップ掻きを続けていると、指にまめができ、それがつぶれはじめた。その後、疲れ果てて八時半にベッドに倒れ込むと、シャベルの柄を押すのに使った太ももの部分に、その感触が残っているのを感じた。九〇〇年前、カホキアでごちそうに調理された鹿の骨を舐めたことが頭を離れない。パーティの様子を想像してみたかったが、それは次善の策だったかもしれない。

カホキアの民主化

ネットや本でカホキアを再現した図版を見ると、ほとんど共通しているまちがいに気がつくはずだ。カホキアのマウンドや沼地は、まるでゴルフコースのような緑の芝生に覆われている。しかし、これほど真実味のないことはない。考古学者のグループは、『カホキアを心に描く』という画期的な本の中で、都市とその記念碑は、剥げかかった黒い泥で造られていただろうと説明している。多くの家屋は、豆やカボチャなどの主食を育てるための庭に囲まれていたが、都市の範囲内には草も生えていなかっただろう。

カホキア人の家屋は、暗く湿った泥、木の枠組みと茅葺きでできていたが、マットや彫刻、漆喰などでカラフルに飾られていた。カホキア人は公共の場に木の柱を立て、毛皮や羽毛、穀物籠など象徴的なもので装飾し、彩色していたと思われる。これらの柱が儀式用だったのか、それとも標識のようなものだったのかは定かではない。もしかしたら、その両方かもしれない。考古学者は、墳墓、広場、家の前庭などの地面に開けられた、円筒形の深い穴の位置を図にすることで、それらがどこに置かれていたかを知ることができる。木はとっくの昔に朽ち果てているが、穴の形は残っており、時には柱の底に儀式用の雲母や黄土が隠れていて、それが穴の底に残っていることもある。

考古学者は、住居の向きから都市の時代を推定している。ローマン期（一〇五〇―一一〇〇）には、まずカホキアのグランド・プラザやモンクス・マウンドが建設され、次に小さな中央広場に面して、中庭を備えたいくつかの住居が配置された。スターリング期（一一〇〇―一二〇〇）は、古典期と呼ばれ、家屋や墳丘を南北に配置した厳格な碁盤目状の建築が行われた。この時期がカホキアの最盛期で、最も人口が多かった時期だ。ムーアヘッド期（一二〇〇―一三五〇）になると、中庭を持つローマン期のプランに戻った。

しかし、このような都市の時期による相異は、単なる建築的な流行ではなかった。考古学者のスーザン・アルトは、この変化は「社会の変化を示すもの」だと主張している。変化が顕著に見られるのが、ダウンタウン地区だ。そこではグランド・プラザの上にモンクス・マウンドがそびえている。その中心となる集会場は、工学的な驚異だった。そこでは公共行事の際に水が排水されるように、都市建設時に慎重に傾斜が施されている。この建築のすべてが、カリスマ的な人物が率いる高度な階層社会の存在を示唆していた。一般市民は、マウンドを築くために、長い時間をかけてボロー・ピットから粘土を籠で運ぶ儀式を行った。指導者たちは、彼らに知恵を授け、盛大な祝宴を催したが、いつしかそれだけでは物足りなくなった。

スターリング期後期には、相当な都市不安があったのだろう。モンクス・マウンドのエリートたちは、グランド・プラザを囲むように巨大な木製の柵壁を建て、事実上自分たちを壁で囲い込み、プラザという公共空間をよりプライベートなもの、あるいは排他的なものに変えてしまった。これが、かえって問題を大きくしたのかもしれない。バルタスが言うように、文字通り巨大な壁によって人々が繁華街から締め出されたら、「彼らは権利を奪われたと感じたかもしれない」。その後間もなく、グランド・プラザは荒廃していった。アルトは、「家庭用の建物とゴミで満たされた穴は、広場の周囲に移動されたようだ。おそらく、新しく建設された冊壁と連動して、カホキアのダウンタウンが全体的に再設計されたのだろう」と書いている。一三〇〇年頃までには、この聖域にはおそらくほとんどまったく住民は残っていなかっただろう。つまり、非エリートは周辺に移り住み、ゴミさえもそこで捨てたのだ。この時期、人々は夏至を示す円形に並んだ木の柱であるウッドヘンジも壊してしまった。

ムーアヘッド期に街が新しく生まれ変わるにつれて、カホキアの人々は、かつて重要だったダウンタウンの人々やシンボルを激しく拒絶するようになった。人口の約半数は市外に移り住み、残った人々は、自分たちの住む地域に引きこもり、小さな公的儀式や行事を行うようになった。スプリング・レイク・トラクトの中庭や公共施設は、このような新しい社会組織のあり方を反映している。地域のコミュニティが、中央の権力に取って代わるようになった。

権威主義的なデザインから、より民主的な都市になったという見方もできるかもしれない。今日のメキシコ、オアハカにある先住民の都市の発展を研究している考古学者レイン・ファーガーは、トラクスカランという都市について述べている。この都市はカホキアが大きな復興と転換期を迎えていた一二五〇年代に建設された。ファーガーの仕事について『サイエンス』誌に寄稿したジャーナリストのリジー・ウェイドは、次のように説明している。

メソアメリカの都市の多くは、ピラミッドと広場を中心としたモニュメンタルな核を形成していた。トラクスカランでは、広場はすべての地域に点在しており、明確な中心や階層はなかった。ファーガーの考えでは、トラクスカランの議会は、王のように都市の中心から統治するのではなく、市域から一キロメートルほど離れた場所にぽつんと建っていた壮大な建物で、会議を行っていたのではないかという。この分散配置は……政治権力の共有の証しである。(2)

トラクスカランの配置は、ムーアヘッド期のカホキアとよく似ている。人々はグランド・プラザから離れ、近隣の中庭コミュニティに独自の小さな広場を建設した。複数の広場は、カホキアの公共文化の流れを民主化するものでもあるのだろう。

「崩壊」に抗して

本書で紹介したすべての都市と同様、カホキアも静的な存在ではなく、その遺跡は、数世紀にわたっていくつかの段階をダイナミックに行き来した文化の物語を語っている。だからこそ、多くの考古学者が、文明には「古典期」や「絶頂期」があり、それを「崩壊期」と対比させるという考え方に疑問を投げかけているのである。崩壊という考え方は、一九世紀から二〇世紀初頭の植民地時代の伝統から生まれたものだ。それがわれわれに、ヨーロッパの考古学者によって奇跡的に「発見」された「失われた都市」という考えをもたらした。この伝統の中にいた思想家たちは、すべての社会はヨーロッパ文明と同じ道を歩み、時間とともに大きくなって階層化され、工業化されると考えている。市場経済を受け入れない社会は「未発達」と呼ばれ、拡大を止めた都市は文化が崩壊した失敗作とみなされる。しかし、このような見方は証拠と一致しない。

一九七〇年代になると、考古学者や都市史研究者は、都市文明には一定の発展パターンがないことを示す証拠を積み重ねてきた。アンコールやカホキアなど、多くの都市は非市場原理に基づいて組織化されていた。大都市圏は、長い年月をかけて移民の波によって拡大し、縮小していく。都市の人口が小さな村に分散しても、それは失敗ではない。単なる変化であり、多くの場合、健全な生存戦略に基づいている。都市の文化は、そこに先祖を持つ人々の伝統の中に生き続け、その多くは、その都市に似せて新しい都市を建設することになる。文明は、何世紀にもわたって、高密度な都市段階と分散段階を繰り返すのかもしれない。

二〇〇五年にジャレド・ダイアモンドが『文明崩壊』を出版し、人気を博したとき、崩壊仮説はすでにほぼ消滅していた。彼は、主にマヤ人やイースター島のポリネシア人などの文化から得た逸話的証拠に基づいて、社会が環境的に不健全な慣行に従事すると「崩壊」、すなわち破綻すると主張している。彼の主張は、高密度の居住地が消滅したときに文化が一掃されるという考えを含む、都市の仕組みに関する多くの神話を利用したものである。本書で取り上げた都市で見たように、都市の放棄はある種の文化の死を意味しない。それは都市に住む人々が、都市の価値観、芸術、技術を携えて新しい土地に移住したことを意味する。ダイアモンドが、都市解体の要因として環境を強調するのは正しいが、それは物語の一部分に過ぎない。放棄は政治的なプロセスであることが最も重要なのだ。

『文明崩壊』が発表された直後から、多くの考古学者や人類学者がダイアモンドの記述の誤解や誤りを正そうと躍起になった。人類学者のパトリシア・マクアナニーとノーマン・ヨフィーは、『崩壊への疑問』という本を出版した。この本は、ダイアモンドの「崩壊」という考えが、科学的に根拠のないものであることを示すデータを集めたアンソロジーである。彼らは、イースター島のような文明は植民地主義の政治的プロセスによって滅ぼされたのであって、劣悪な環境保護活動によって滅ぼされたのではないと主張している。また、マヤ人の「崩壊」については、メキシコにまだ何百万ものマヤ人が住んでいることを指摘している。今なお繁栄している文化は、本当に崩壊したと言えるのだろうか？　人類学者で、社会の変容を研究してきたガイ・D・ミドルトンは、『崩壊の理解』という本で、「放棄の理由は決してひとつではない」と主張した。そしてさらに、社会はその集落よりもはるかに弾力的《レジリエント》な傾向がある。

今日、古代都市を研究する考古学者たちは、そのほとんどが「崩壊」という言葉を一切使わず、代わりに「社会変化」について書くことを好む。多くの人は、ダイアモンドの研究が、文明の真の営みについて一般の人々を惑わせたと考えている。ほとんどの人は修正措置として反証を提供することを好むが、他の人はうんざりしていた。アメリカ研究者のデビッド・コレイアは、ダイアモンドについて、単に『くたばれ、ジャレド・ダイアモンド』[3]と呼ばれるエッセイを発表している。コレイアはダイアモンドの「環境決定論」を非難し、都市の変容の重要な政治的側面を省いているとした。一方、人類学者のデヴィッド・グレーバーとデビッド・ウィングロウは、ダイアモンドが、ピーク時の文明は常に階層的であり、その階層は環境の破局と、それに続く崩壊によってのみくずされる、と示唆している点を問題視している。彼らはこう書いていた。

ジャレド・ダイアモンドに関して言うと、トップダウンの支配構造が大規模組織の必然的な帰結であるという証拠はまったくない。……支配階級がいったん確立されると、大災害を除いては取り除くことができないというのは、単に真実ではない。紀元二〇〇年頃、メキシコの谷にある人口一二万（当時は世界最大級）の都市テオティワカンは、ピラミッド神殿と人身御供に背を向け、ほぼ同じ大きさの快適な別荘の集合体として再建され、大きな変革を遂げたようだ。(4)

ここで彼らが言及しているのは、ムーアヘッド期のカホキアや、現在のメキシコにあったトラクスカランで見られるような民主的な構造だ。結局のところ、グレーバーや他の反崩壊の学者が言いたいのは、都会主義や社会の複雑さへの道はひとつではないということである。さらに重要なことは、都市の放棄が社会の崩壊につながるわけではないということだ。人々は弾力的《レジリエント》であり、都市がそうでなくても、文化は火山や洪水を生き延びることができる。

このような、時に辛辣な議論は、結局のところ、公共空間とそれを利用する社会をどのように定義するかということだ。すべての都市は、建築を使って公共圏を作り出す実験場であり、ダイアモンドの環境決定論的な視点は、人々が天然資源の管理を誤るとこの公共圏が崩壊することを示唆している。彼が理解し損なっているのは、公共圏が多様であり、常に変化しているということだ。そして、その変化は都市のレイアウトにはっきりと現れることが多い。この変化する能力を無視することによって、ダイアモンドは都市建設に関する物語に大衆的なニヒリズムを注入してしまった。ダイアモンドは、ある文明は失敗する運命にあり、ある文明は必然的に成功すると言っている。だが、都市は常に変化し、その境界線が自然に拡大・縮小する生態系として、とらえるのがよいのかもしれない。あるいは、宇宙的な視点で考えれば、都市は人類の公共の歴史という長い道のりの、一時的な停留所に過ぎないのかもしれない。

12 故意の放棄

カホキアで発掘調査をしていると、一〇〇〇年前、ここにマウンドを作るのがどんな感じだったのかが理解できる。バケツに粘土をかき集め、汗をかき、水分を補給し、その繰り返しだ。手はゴミや土で汚れていた。頭上の太陽の通り道を見て時間を計り、迫りくる雨雲を常に警戒した。もちろん、完全に中世に戻ったわけではない。バルタスは、携帯電話の気象衛星のアプリをいくつか使って、われわれの個人的な観測を補った。たとえ雲がないように見えても、アメリカンボトムは一時間足らずで嵐を巻き起こす。

ある日の午後、みんなの携帯電話に危険な雹《ひょう》の警報が鳴り響いた。天候と戦いながら、われわれはシャベルやバッグを手際よく詰め込んだ。ミシシッピ川に濃い灰色の雲がかかると、数分後には土砂降りの雨になる。雷が窓を鳴らし、風がイーストセントルイスの木を根こそぎ倒していく中、われわれはバンに乗り込むと、近くのメキシカン・レストランへ避難した。

エンチラーダ〔メキシコ料理のひとつ。フィリングと呼ばれる具材をトルティーヤで巻き、スパイスのきいたソースやチーズと一緒にオーブンで焼いたもの〕を蒸し焼きにして食べ、凍らせたマルガリータ〔テキーラをベースにしたカクテル〕をピッチャーで飲みながら、私は考古学者たちから情報を聞き出した。はるか昔のカホキアでは、何万もの人々がどのような社会構造の下で結束していたのだろうか。灼熱の湿気の中で、これほど多くの人々が過酷な労働を強いられたのはなぜだろう？　私は、カホキアのリバイバル運動を率いたカリスマ的指導者たちに思いを馳せた。「モンクス・マウンドの頂上に立ったのは誰だろう？」と、私は尋ねた。「族長か宗教家でしょうか？」。考古学者たちが顔を見合わせたので、この質問が引き金になったことがわかった。バルタスは笑いながら、「これは熱く議論されているテーマです」と言った。

このリバイバル運動が、たとえ一人の人間の教えによるものだと想像しても、一人の「族長」が、みんなの家をある方法で建てたり、ボロー・ピットにカラフルな粘土を並べたりしているわけではないだろうと、バイレスは注意を促した。「私は『族長』という考えは好きではありません」と彼女は説明する。「権力はもっと多様だったと思います。ヘテラルキー〔ヒエラルキーという階層固定性に相対する概念。各要素・各層が多重的に並列的に、入れ子構造をとるネットワーク〕だったんです」。

私はその聞き慣れない言葉を舌の上で転がした。「ヘテラルキー――多くの人が権力を握っている点を除けば、君主制のようなものですか？」。

答えはイエスでもありノーでもあることがわかった。カホキアのヘテラルキーは、多くの異なるグループが意思決定を行い、自分たちを統治していたのかもしれない。おそらく、工芸品のギルドや町内会などがあったのだろう。すでに、スプリング・レイク・トラクトには、儀式用のアイテムがたくさんあることがわかっていた。もしかしたら、指導者会議もあったかもしれない。「カホキアが宗教運動をしていたのなら、人々は自分たちのやり方で宗教運動をしていたかもしれません」とバルタスは言う。「彼らの精神性は、マウンドの頂上ではなく、家庭から生まれていたのかもしれません」。つまり、普通のカホキア人は、この都市の霊的な力について、自分なりの解釈を持っていたのかもしれない。そして、その地域のリーダーや習慣に従うと同時に、モンクス・マウンドの人々にも目を向けていたのである。

モンクス・マウンドを否定する

一九六〇年代、科学者たちがまだネイティブ・アメリカンの祖先を勝手に掘り起こしていた頃、メルビン・L・ファウラーという考古学者があるマウンドを掘り返した。彼はそこでいくつかの公的儀式の跡、そして二五〇体以上の人体を発見し、スターリング期のカホキアの政治と精神性を垣間見ることができた。

ファウラーは、古典的なカホキアのグリッドは、ほとんどが南北軸に整列していることを知っていた。しかし、ひとつだけ、それに当てはまらない奇妙な形のマウンドがあった。マウンド72は、カホキアでは数少ない「リッジトップ・マウンド」と呼ばれるもので、長方形のマウンドの上部が屋根のように尖っているのが特徴的だ。しかも、モンクス・マウンドの真南にありながら、東西軸から三〇度の角度を持ち、まさに夏至と冬至の方角を指している。ファウラーは、このマウンドは何か特別なものなのかもしれないと疑った。

ファウラーらが掘ったところ、マウンド72の尾根の上には、実は三つの貴重なマウンドがあり、それぞれが一〇―一一世紀の都市の歴史の中で重要な位置を占めていることがわかった。そのうちのひとつのマウンドには、五二人の若い女性の遺体が納められていた。遺体は粘土の台の上に整然と二段に積み上げられ、儀式のように土で覆われていて、骨に傷が残らないような何らかの方法で生け贄にされている。もうひとつのマウンドは、同じように並べられた男性の遺体を載せた台があった。何世紀もの間、何千ポンドもの粘土の下に埋められた彼らの骨格は、本のページの間にある花のように平らに押されていた。歯の安定同位体分析から、その人がどこで生まれたかを特定することができ、これらの人々がすべてアメリカンボトムに住んでいたことがわかった。

マウンド72で最も有名なのは、二人の遺体が重なった「ビーズ埋葬」と呼ばれる埋葬方法だろう。上の遺体はおびただしい数の貴重な青い貝殻ビーズの上に置かれ、鷹を模したマントを羽織っていたと思われる。ともに埋葬されていたのは、数百個の豪華な儀式用尖頭器で、その他の貴重な供物も山積みされていた。ビーズで飾られた遺体と一緒に、頭のない遺体も含めて、数人の遺体が発見された。この発見は、カホキア人の精神的、政治的信念を研究する科学者たちにとって、興味深い絵画《タブロー》のようなものだった。

このビーズ埋葬の意味をめぐっては、何十年にもわたって考古学界で論争が続いている。当初、ビーズで飾られた骸骨は男性とされ、一番上の遺骨は「バードマン」（鳥男）と呼ばれた。ファウラーや他の考古学者たちは、バードマンは有名な支配者か戦士で、おそらく現代のスー族のスーパーヒーロー、レッドホーンの話の元になっているのだろうと考えた。しかし、この解釈は、マウンド72の遺体を初めて包括的に骨格分析してそれを記録した、イリノイ州考古学調査所長トム・エマーソンらによる二〇一六年の画期的な研究をきっかけに、脇へと追いやられてしまった。彼らは、タブローの中心に描かれている二人が、実際には若い男性と女性であることを発見し、それが豊穣の儀式であることを示唆した。この解釈は、一緒に埋葬されていた他の男女ペアの遺骨や、同じく生殖の恵みを象徴していたと思われる五二人の若い女性の遺骨によって補強された。

今となっては、ビーズの埋葬は偉大な戦士やカホキアの創始者の墓を示すものではなかったと思われている。その代わりにそこでは、神話上の人物を演じる人々が、生け贄として捧げられた公的なパフォーマンスの跡が残っているのだろう、とエマーソンは主張している。同時代のヨーロッパで行われた公開処刑や十字軍のように、都市のエリートが政治的・精神的な力を示すために、このパフォーマンスを主導したのかもしれない。「この場面は、埋葬というより、むしろ演劇的な生け贄のように見える」とエマーソンらは書いていた。それは都市が創造と再生を祝うためのページェント（歴史ショー）であったのかもしれない、と彼らは示唆している。貝殻のような供え物の多くは、地元のネイティブ・アメリカンの信仰体系では下界と関連していた。そして下界は、今度は農業や土地の豊穣と関連している。

マウンド72で見られたような生け贄は、カホキアの権力の絶頂期に、創造物語を楽しく語り継ぐために行われたのかもしれない。おそらく、カホキアの指導者たちは、実りある収穫を記念して、都市の畏敬の念を込めた宴会の中に生け贄を取り入れたのだろう。しかし、生と死に関する決定が、高いところから支配する少数の人々の手に委ねられていたとすれば、こうした大量死はやがて恨みを買うようになったかもしれない。政治的な反乱があったかもしれない。グランド・プラザが衰退していったことも、この考えを後押ししているように思われる。人々がダウンタウンを利用しなくなった後、人身御供に従事することもなくなった。カホキアの市民は、モンクス・マウンドを占拠していた政権を倒し、新しい社会モデルを作り上げたのかもしれない。

タイムマシンでもなければ、カホキア人の政治闘争がどのようなものだったのか、正確にはわからない。しかし、彼らが世界をどのように見ていたかについては、いくつかのヒントがある。彼らが残したシンボルから、宇宙を精霊や祖先のいる「上の世界」、大地や動物のいる「下の世界」、その中間の「人間の世界」に分けて考えていたことがわかる。こうした世界は完全に分離されていたわけではなく、それらが混在するリミナルな（閾域《しきいき》の）空間は大きな力を持つ場所だった。ミシシッピの芸術には、世界をひとつにまとめるイメージがよく見られる。そこでは雷と精霊に代表される「上界」と、水と農耕に代表される「下界」が絡み合っている。バイレスとバルタスは、カホキア人が日常の儀式で水と火を使い、上界と下界を結びつけていたと考えている。

カホキアの地形には、水の力を利用したレイアウトが見られる。都市のマウンドは目を引くが、都市住民にとって深いボロー・ピットも重要だった。それは風雨にさらされながら、季節ごとに水をたたえていた。モンクス・マウンドに粘土を提供した穴は、現在でも水が溜まっているほど不朽のものだ。ラミーの儀式用陶器には水や魚の絵が描かれているものも多く、ミシシッピの世界では貝殻がマウンドを満たしていた。

スプリング・レイク・トラクトの発掘調査では、ある地域がどのように水を日常生活の中に取り入れているかを見ることができた。バイレスが、ＥＢ３で学生たちが掘った深い穴を指差すと、黄色い土で舗装された一メートルほどのスロープが現れた。この黄色い層が自然なものでないことは明らかだった。スロープには地元の土が使われているわけではなく、それは三〇度の傾斜に沿って下っている。バイレス、バルタス、ワッツの三人は、このスロープがかつては、この近辺に泥を供給していた浅いボロー・ピットの入り口だったと推測した。その土砂の層から、この穴の歴史が見えてきた。当初、地元の人々はこの穴を季節的な池にしようとした。だがその後彼らは、逆さのマウンドを作るように丁寧に粘土を積み重ねて埋め戻した。「われわれは、わざわざ埋めた穴の端っこを捕まえたんです」と、バイレスはにっこり笑った。これは非常に珍しい発見で、カホキア人にとって穴は墳墓と同じくらい重要であったことを示す証拠となった。

特に都市の歴史の後半では、火は水にもまして重要だった。地上で燃やされたものは煙となって上界に昇るので、火は世界をつなぐことができた。考古学者たちがカホキアを掘ると、いたるところで炭化した生け贄が見つかった。二〇一三年、イーストセントルイスで高速道路を建設中の建設作業員が、カホキア後期の、完全に儀式のために焼かれた地域の遺跡を発見した。トウモロコシやその他の貴重品でいっぱいの何十もの小さな家が、あわただしく建設され、その後、燃やされた。それらの家には誰も住んだことがなかった。それはこの地区全体が、基本的に火葬されたようなのである。

スプリング・レイク・トラクトでは、すべての発掘ブロックに定期的な火入れが重ねられていた。EB1のグループは、バイレスとバルタスが、重なり合う構造物の位置を把握するのに十分な地面を掘った。最下層は、カホキアの最盛期であるスターリング期の粘土の床だった。その床はある時点で焼かれ、さらに粘土の層で覆われ、後の構造物の床となっていた。この後、人々は床に穴を掘り、慎重にマットを敷いて、ビーカーの柄や古代ウッドランドの尖頭器のような貴重品を詰め込んだ。そして彼らは、最初の焼失を記念してだろうか、穴とその中身も燃やした。

バイレスとバルタスはこてをきわめて慎重に使って、かつて供物の穴に敷き詰められていた、マットの炭化した跡を見せてくれた。マットの端は粘土に巻きついていて、まるで炭に刻まれた十字の模様のようだった。私たちが見たのはマットそのものではなく、マットが燃えて土に残った跡なのである。「これはすごいですよ」とバイレスが言った。「こんなものは二度と見つかりませんよ」。

EB2には、儀式のために焼かれた精巧な層はなかったが、構造自体が異常に大きな長方形で、家というよりはむしろ公共の空間を思わせるものだった。また、内部には焼かれた鹿の骨や割れたラミー製の壺があり、ここで何らかの祭典が行われたことはまちがいないだろう。EB1やEB2で発見された儀式用の建造物が、儀式用に掘られたトレンチの隣にあり、その床は淡い黄色の粘土で覆われていたことは容易に想像がつく。

少しずつだが、この辺りのレイアウトが見えてきた。ここは普通の家庭のエリアではない。ここに住む人々は、この街の政治的、精神的な生活に深く関わり、定期的に儀式を行なっていた。しかし、この場所は古典期後期のカホキア文化の流れを示すものでもあった。都市に住む人々は、モンクス・マウンドやグランド・プラザを公的なパフォーマンスで使うことをやめ、自宅で小規模な儀式を行うようになった。ローカル・アイデンティティは都市のアイデンティティを消し去り、硬直した都市のグリッドは、カホキア以前の中庭の配置に戻ったのである。

この洞察は、EB3のボロー・ピットの重要性にも光を当てている。それは、モンクス・マウンドに粘土を供給していた巨大なボロー・ピットの地域版であり、近隣の人々に地下世界がいかに自分たちの世界に入り込んでいるかを、常に思い起こさせるものだった。

没落する前の活性化

バイレスとバルタスは、二人の専門分野が街の歴史にまたがっているため、今回の調査チームとしてはふさわしい。バイレスは古典的なスターリング期を、バルタスは後期ムーアヘッド期を研究している。しかし、二人はともに、バルタスが「若返りの時代」と呼ぶ、この都市の後期に魅了されていた。一四〇〇年に完全に放棄される前に、カホキアは最後の再活性化運動を経験した。この運動は、新しい生き方、新しい同盟者との接触、農業や地下世界との新しい関係などを示唆する人物やグループから始まったのかもしれない。その結果、カホキアは、信念に燃えた人々によって急速に再建された。

彼らは、カホキア初期の中庭のある街並みを利用して家を建て直した。バルタスは、彼らが歴史を見直し、違った角度から見ていたのだと考えている。カホキア人が掘ると、都市が建設される以前にこの地域に住んでいたウッドランドの人々の、古い尖頭器やその他の品物が見つかることがよくあったにちがいない。現代人がカホキアの古い品々を大切にするのと同じように、カホキア人たちはこれらの品々を大切にしていた。イアン・ホダーがチャタルヒュユクで述べたような「歴史の中の歴史」をカホキアの人々は謳歌していたようである。バルタスとバイレスは、EB1の層に埋められた儀式用の火の跡から、ラミー製陶器と同じように敬意をもって扱われたウッドランド製の尖頭器を発見した。それはまるで、カホキア人がレトロなスタイルや伝統的な価値観を受け入れているかのようだった。

最後の復興期には、人々は過去へのこだわりを新しいタイプの社会運動に変えていった。バルタスは「分散化された宗教的実践を含む、古い慣習への回帰が見られます」と述べた。しかし、この分散化は都市の境界線にとどまらなかった。氾濫原や高地に点在するミシシッピ人の遺跡では、カホキアの慣習が徐々にカホキア本体から解き放たれていった様子が見て取れる。BBBモーター・サイトのような農地は、再び森に飲み込まれた。考古学者は今でも床で行われた儀式用の火の跡を発見しているが、都市の象徴であったラミー製の陶器は見つかっていない。都市の人口は流出し、人々はカホキアの文化の一部を持ち去り、他の部分を残して去っていったのである。

スターリング期には、カホキア人たちは大きな広場を作り、彼らの信仰体系を土地に根付かせた。しかし、最後の都市再生が行われたときには、その信仰は都市から切り離された。おそらく、古いやり方に幻滅したのか、あるいは、小さなコミュニティに再び焦点を当てたのであろう。やがて、市街地の各区画は、もはや統一された都市とは言い難いほど、互いに離れてしまった。公共の場がバラバラになりつつあったのである。バルタスは、「場所と結びついたアイデンティティのもとに人々を団結させ、人々を結びつける習慣を持たなければ、分断が起こる可能性がありました」と説明する。

また、環境要因も都市の分断に一役買っていた。考古学者の中には、ミシシッピ川の大洪水で街が浸水し、その被害があまりにも大きかったために、生存者がここに留まることを望まなかったのではないかと考える人もいる。[1] バイレスとバルタスは、この考えに長い間懐疑的で[2]、夏の間、この考えを否定することに専念していた。彼らは地形学者マイケル・コルブを招き、発掘現場の端で土壌コアを採取した。トラックに搭載された装置を使って、深さ三メートルのコアを打ち抜き、洪水を示唆する川の土砂が埋まった厚い層を探した。しかし、そのようなものは全く見つからなかった。

ただし、カホキアは何度も干ばつに見舞われ、多くの人口を養うことが困難だったのだろう。カホキア人の信仰は景観と結びついていたため、環境の変化は文化的にも影響を及ぼしたにちがいない。「周期があるんです」とバルタスは説明した。「干ばつで土地との関係が変わり、精神的な習慣も変わり、土地利用が変わり、ふたたび精神的な習慣が変わり、気がついたら分断されて、放棄されていたんです」。このプロセスは、チャタルヒュユクで起こったことの早回し版のようだ。小さな放棄が大きな放棄につながり、街は相対的に空っぽになってしまった。やがてカホキアもまた、人々が先祖を埋葬する場所になった。

カホキアがこれほどまでに巨大化したのは、都市の構造そのものが住民の精神的、政治的世界観の一部であったからだ。しかし、時が経つにつれ、その中央集権的な信念体系が崩れ始めた。最後の活性化が街を席巻した時、人々は古いやり方に戻った。彼らは、アイデンティティとコミュニティの感覚を、広場ではなく、家に求めたのである。かつて統一されていた都市は、多くの人々に分断され、その人々はマウンドを残して去っていった。

サヴァイヴァンス

カホキアでの密集した都市生活の放棄は、ジャレド・ダイアモンドが言うように、社会崩壊の証拠ではない。むしろそれは、先住民の移動の新たな段階を示す劇的な出来事だった。オーセージ族の人類学者アンドレア・ハンターは、ミシシッピ人の生活の次の段階として、カホキアの住民が中西部に散らばって、多くのスー族の部族に加わった事実を研究している。[3] オーセージ族の口承史は、オハイオ州から始まった大移動が、ミシシッピ州からミズーリ川が分岐する場所、かつてカホキアが建っていた土地で何世紀も休止したことを伝えている。やがてこの移動は再び続き、オーセージ族となった人々は西へと向かった。ハンターは、オーセージ族や他のスー族の部族を、カホキア地域に結びつける強力な言語学的証拠があると指摘する。中西部に散在する部族は、「トウモロコシ、ウリ類、カボチャ、豆、栽培、植物加工、調理、弓」を表す言葉を共有していると、彼女は書いている。このことは、こうした作物を最初に栽培し始めたウッドランドの人々の時代とほぼ同じ時期に、このようなグループが共通の起源を持っていたことを示唆している。ウッドランドの人々は大リバイバルの呼びかけに応じて、カホキアに定住し、都市農業社会を築いて、やがて再び移動していった。

カホキアとスー族の関係を示す他の証拠は、カホキアから発見された美術品にある。多くの小像や絵画には、スー族の英雄レッドホーンに似た人物が描かれている。この人物は、編んだ髪を赤く染め、後頭部から角のようにそれを突き出していることから、レッドホーンと名付けられた。スー族の間で今も語り継がれている多くの伝説は、レッドホーンの戦士としての腕前と狩人としての能力、そして様々な精霊との激しい敵対と友好関係を讃えている。ある話では、レッドホーンは自分の耳たぶを人間の頭に変えて勝利を祝い、「人間の顔を耳につけている男」というニックネームが付けられた。また、ある話では、彼はいくつかの精霊と巧妙な交渉をして、死から蘇った。ただしレッドホーンは、カホキア人が語る物語の中で称えられる数多くの英雄の一人に過ぎない。レッドホーンはカホキアで初めて登場したのかもしれないし、カホキアに移住してきたウッドランド地方の人々が語った、さらに古い物語の一部であったのかもしれない。

今日、オーセージ族は、カホキアを捨てた人々によって文化や理想が形成された多くの部族のひとつだ。そして、カホキアは今でも、ヨーロッパ人が北アメリカとカナダと名付けた大陸の、多くの部族の人々を鼓舞するシンボルとなっている。ミシシッピの文化は、その見事なマウンド建築とともに、先住民の文明の長寿と複雑さを思い起こさせるものだ。コウシャッタ・チャヤモロ族のアーティスト、サンティアゴ・エックスは、数年前からマウンドを作品に取り入れている。[4]「ニュー・カホキア」と名付けられたプロジェクトでは、頂上が平坦な巨大なマウンドをスクリーンで覆い、そこで自然や抽象作品、先住民のパフォーマンスなどのイメージを踊らせた。また、シカゴ・ブラックホークスのジャージで「埋葬塚」を作り、ヨーロッパ人が部族のアイデンティティを流用したことに対する抗議として燃やしたこともある。先住民の文化は人類の未来の一部であり、遠い過去に崩壊したものではないことを強調するために、サンティアゴ・エックスは自身の作品を「先住民の未来主義」と呼んでいる。

オーケー・オウィンゲ族の作家レベッカ・ローンホースは、先住民の歴史や文化を取り入れた

『稲妻の軌跡』などのファンタジー小説で人気を博している。最近の小説では、カホキアの一部が舞台となっていた。それを執筆中の彼女に話を聞いた。ニューメキシコの自宅から次のように話してくれた。カホキアが彼女にとって重要なのは、「ヨーロッパ人の侵略以前に、アメリカ大陸には広大で洗練された都市と貿易ルートがあった」ことを読者に知ってもらいたいからだという。鉄器時代の技術、賑やかな通り、動物がたくさんいる囲い、南のチャコ・キャニオンに住む都会人との競争など、カホキアは、非常にコスモポリタンな都市であると彼女は想像している。ローンホースは、他の多くの考古学者と違って、カホキアに住んでいた人々の精神性には特にこだわっていないという。「私にとっては、政府があり、階層があり、貿易と技術があったということが重要なのです」と彼女はつぶやいた。「こうしたものは、われわれが持っていたことを（ヨーロッパ人が）否定したものであり、われわれの欠如とされるものは、大量虐殺とわれわれの土地を奪うことを正当化するために使用されました」。

二〇世紀後半、アニシナアベ族の作家であり学者のジェラルド・ヴィゼナーは、今日のアメリカの先住民文化を表す言葉として「サヴァイヴァンス」という言葉を作った。この言葉は曖昧さを意図したものだが、彼はその著書『マニフェスト・マナーズ』の中でその意味の一部を要約している。「サヴァイヴァンスとは、単なる反応や生き残りのための名前ではなく、積極的な存在意識、先住民の物語の継続である。ネイティブのサヴァイヴァンス・ストーリーは、支配、悲劇、被害者意識を放棄することだ」。サンティアゴ・エックスのように、ヴィゼナーもまた、常に変容し続ける生きた文化に満ちた先住民の未来を見つめている。カホキアがそこに住んでいた人々にとってどのような意味をもっていたのか、われわれはそれを正確に知ることができないかもしれない。しかし、彼らの伝統は、ヨーロッパ植民地主義という政治的災厄の後に再構築され、再生したコミュニティで息づいている。ローンホースや他の先住民族のアーティストが指摘するように、今日の部族文化は黙示録を生き延び、新しいものを築きつつある。カホキアは、アメリカ先住民の社会運動の歴史の一部であり、最近ではスタンディングロック・スー族の土地にある石油パイプラインを阻止するための抗議行動という形をとっていた。古代都市の政治的精神は、人間が地球をどのように形成すべきかということに焦点を当てた、この種の運動の中に生き続けている。

つまり、カホキア人の公共生活は、この土地に忘れがたい足跡を残したのである。彼らがいなくなった中庭には他の部族が住み、その上にヨーロッパからの入植者が農園や郊外を建設していった。しかし、ミシシッピ文明の記念碑は今も残っている。カホキアの物語は、現代のアメリカにおいて、かつてないほどの重要性を帯びているように感じられる。人々は物質的な豊かさを求めてマウンド・シティに移住してきたのではない。彼らはその広場で、精神的にも政治的にも新しい考えを求めていた。しかし、その考えをどのように実行に移すかについては、カホキアの誰もがみんな同意していたわけではない。ミシシッピ文化圏が生き残るためには、人々は自分たちの都市が変化することを受け入れなければならなかった。その時、彼らは都市を捨てて、他のものを求めた。

ある日の夕暮れ時、私はかつてこの街の支配者たちが眺めた景色を確認するため、モンクス・マウンドに登ってみた。コンクリート製の長い階段を登り、途中から平らなテラスを横切った。かつてここには、シャーマンやエリートが使用する特別な建物があった。空は高い雷雲に覆われ、夕日が暗い雲の合間で血のような赤色を帯びて、稲妻がまばらに光っていた。足下の草むらにはホタルが飛び交い、空気はひんやりとしている。眼下には、古代の公共物を排除した大広場のきれいな地面が見える。川向こうにはセントルイスの街灯が見えた。最近、「ブラック・ライヴズ・マター」(BLM)運動が誕生した時期に、ファーガソンでは、市民が警察の横暴に抗議して立ちあがった。その抗議者たちは、一〇〇年以上前にグレート・マウンドが取り壊された、カホキア人の土地の上を歩いていたが、権威に疑問を呈するミシシッピ州の伝統はここでも受け継がれている。

湿った土と農地の匂いがする濃い空気。古代の巨大都市の上に足を置き、遠くの高層ビルに目をやると、都市はこの土地から自然に生まれたもののように感じられる。セントルイス周辺の土地は、非常に長い間都市であった。私はニューエイジの人間ではないが、何か否定できない不思議な感じがした。平らになった頂上に立つと、混沌とした天空に触れそうな大地の上で、私はバランスをとっていた。カホキア人が、雷の下と、人間の歴史によって永遠に形を変えた粘土の上を、下界と上界が出会う場所と信じていたのも十分に納得がいく。

エピローグ――警告・進行形の社会実験

私がサンフランシスコに移住したのは二〇〇〇年、テクノロジー市場の大暴落の年だった。無茶なビジネスプランを持った第一世代のデジタル企業が消えていく中、私は街が廃墟と化していくさまを目の当たりにした。毎日、何百人もの人が解雇され、大挙して街を出て行った。ウェブデザイナーやコーダー向けのファンシーな店は、営業が続けられなくなった。商店街は、何度も顔を殴られた人の笑顔のようになり、暗くなった店のひとつひとつが歯の抜けたような状態になっていた。その年の〔感謝祭から年末にかけての〕ホリデーシーズンには、ユニオン・スクエア周辺のダウンタウンの商店街は、まるでゴミ捨て場のようだった。いつもなら、巨大なツリーやメノーラ〔七本枝の燭台〕が飾られるきれいな広場が、延々と続く地下工事のせいで、ぽっかりと穴の開いた泥だらけの場所になってしまった。

技術者でないわれわれにも、その荒涼とした空気は伝わってきた。目の前の街が変わっていくのを感じずにはいられなかった。前年まで豊かだった隣人たちは、デスクトップ・パソコンとＤＶＤコレクションを車の荷台に積んで、小さな町へと戻っていった。ソーマ地区の街角には、新品のイケアの机や高価なオフィス家具が置かれ、引き取られるか壊されるのを待っている。サンフランシスコの家賃は、ここ数年来、右肩上がりではなく、横ばいで推移していた。私は『サンフランシスコ・ベイ・ガーディアン』という無料週刊紙に勤めていたが、人員整理を始めなければならなくなった。われわれの生活の糧は広告だったが、街のビジネスは縮小の一途をたどっていた。しかし、私は自分のアイデンティティをこの街の丘や沼地に結びつけていたので、それを失うことは手足を失うようなものだった。だが、私は運が良かった。流行遅れの地域で家賃制限のある家の、安い部屋を手に入れることができた。私は、この街が生き残ることを願って、ひとまず我慢をすることにした。

それはその通りなのだが、実際のところ、今日のサンフランシスコは逆の危機にも瀕している。人口が爆発的に増加し、市政府はそれを支えるために、インフラを作り直すのに苦労していた。第二世代のハイテク企業は、大儲けをしている。COVID-19（新型コロナウイルス感染症）の大流行がこの計算を少し変えたとはいえ、裕福な技術者たちは街を高級化し、労働者階級や他の長年の住民を追い出しつつある。かつては工場や倉庫ばかりだったが、今では職人技の光るアイスクリーム屋やデジタル制作のスタジオが立ち並ぶ、ミッションベイのような地区では、開発業者が街並みを一変させていた。

未来の考古学者がここで発掘調査を行い、どのような社会運動が人々を動かし、工業生産施設をタベルナに変えたのかを解明しようとする姿は容易に想像できる。もちろん、そのような考古学者はウェットスーツやスイミングロボットを使って発掘しなければならないだろう。気候変動により、サンフランシスコの多くの地域が五〇〇年後には水没することが確実視されているからだ。そして、この地の集落が沿岸海域に屈したのは、これが初めてではない。水没した都市からコアを抽出する勇敢な科学者は、ヨーロッパ人が到着する何千年も前に、人類の居住が始まっていたことを発見するだろう。古代の環境の変化は、川の岸辺に建てられた多くの先住民の村を溺れさせ、それが徐々に拡大し、現在のサンフランシスコとオークランドを隔てる湾に成長したのである。

チャタルヒュユク、ポンペイ、アンコール、カホキアなどの都市の劇的な歴史を振り返ると、何世紀にもわたって拡張と放棄のパターンが繰り返されてきたことがわかる。しかし、人間の一生という時間の中でさえ、都市の廃墟が再生に変わることもあれば、その逆もある。都市の再生プロジェクトが数メートルの高熱の灰に阻まれることもあれば、精巧に作られた新しい水インフラが洪水の危険性をはらむものに変わることもある。パンデミック（世界的大流行）は経済を破壊する。このように、最近の歴史から都市の将来を予測するのは難しい。もし、次の世紀に太平洋戦争が起こったり、カリフォルニアの人々が「ビッグワン」と呼ぶ地震が起こったりしたら、私がサンフランシスコで経験した不況と好況のサイクルは、後から振り返ると、何でもないことのように思えるかもしれない。同じ理由で、デトロイトやニューオリンズのようなアメリカの都市が最終的に見捨てられると考えることはできない。二〇〇年後、両都市は現在とは似ても似つかぬ巨大都市として繁栄しているかもしれない。その運命は政治的な意思と、再建に必要な人間の労働力にかかっている。

個々の都市の将来は不透明でも、都市史の証拠から、人々が都市を放棄する可能性を予測することは可能だ。新石器時代のトルコのコンヤ平原では、散在していた村々から人々が集まり、チャタルヒュユクを形成し、そこで一〇〇〇年以上にわたって生活していた。そして、その都市はタンポポのように再び分裂し、その文化の種子は小さな村や他の大きな集落に受け継がれて、骨にまみれて大地に姿を変えたのである。ポンペイ、アンコール、カホキアでも同じようなパターンが見られる。都市の人口減少の原因や影響はそれぞれに異なるが、絶えず変化する環境の中で、人間が作り上げた巨大なインフラを管理するという茨の道のような問題が、それぞれの都市の人口減少を引き起こした。しかし、それにも増して、さらに大きな問題だったのは人間の管理だ。都市は人間の労働力の具体的な形であり、壁や貯水池、広場の崩壊に公共性の消滅を読み取ることができる。

今日、沿岸部や島嶼部の都市は、気候変動によって起こりやすい混沌とした天候に脅かされている。二〇一九年、ミシシッピ川沿いの都市はかつてない規模で洪水に見舞われ、[1]農場だけでなくコミュニティにも被害が及んだ。一方、熱波は世界中で増加していて、[2]都市では、緑豊かな地域よりも気温が数度高くなる都市ヒートアイランド効果によって、熱波がさらに拡大する。また、うだるような気温の上昇は、アンコールのような水インフラに大きなストレスをかける。山火事がより多くの都市を襲い、七九年にポンペイを破壊したヴェスヴィオ火山のような速さで都市を灰燼に帰させるだろう。ロサンゼルスは、二〇一八年のウールジー火災で辛うじて被害を免れ、西部の都市は二〇二〇年の夏から秋にかけて、山火事の煙に覆われた。地球の反対側のオーストラリアでは、火災の季節がさらに長期にわたるようになってきた。また、感染症の流行は世界中でより一般的になりつつあり、中には致命的なパンデミックに爆発的に発展するものもある。今日、都市に住む人々はその多くが、インフラや住宅の維持がより困難になる気候や、健康の危機に直面しているということが言えるだろう。

とはいえ、歴史上、都市が悪環境下で生き残ることができるという証拠は十分にある。チャタルヒュユクの人々は、食生活を変えることで干ばつを乗り切った。アンコールは干上がり、洪水に見舞われたが、多くの人々が何世紀にもわたってそこに留まり、インフラを修復した。ポンペイからの難民は新しい都市に移り住み、かつての隣人と共存しながら繁栄を謳歌した。カホキアは何度も干ばつに見舞われ、都市網は拡大・縮小したが、それは人口を永久に追いやるには至らなかった。

しかし、今日の都市は火災や洪水以上のものにも対処している。世界的に見ればわれわれは、政情不安と権威主義的なナショナリズムの時代にいる。残念ながら、歴史的な証拠によると、これは都市にとって致命傷となる可能性がある。強力な指導者は大規模なインフラプロジェクトに労働力を動員することができるが、このようなトップダウン式の都市開発システムが長く安定的に続くことはほとんどない。虐待された労働力は不幸な労働力となり、それが遺棄の始まりとなる。特に、賢明なエンジニアリングではなく、政治が都市設計を主導する場合はそうである。問題のある都市のリーダーシップは、ディアスポラの引き金となりうる。しかし、その反例をポンペイで見ることができる。ポンペイの政府は難民の人道的支援と災害救助に乗り出した。人々はポンペイを放棄せざるを得なかったが、ローマの都市生活から足を洗ったわけではない。

気候変動と、現代の多くの都市が直面している政治的な不安定さの組み合わせは、われわれが世界的に都市放棄の時代に向かっていることを示唆している。都市がより住みにくくなるにつれて、人々は死んでいくだろう。洪水や火災、パンデミックによって命を落とす人の数はかつて経験したことのないほど膨れ上がり、壊れた都市に死体が散乱する光景が、当たり前のように見られるようになるだろう。ハリケーンで破壊された都市が疫病の餌食になるのは時間の問題であり、政府が救助活動に資金を使うことを拒否したために、それを阻止することはできない(3)。市民不安と階層間格差の拡大は、これらの問題をさらに悪化させるだろう。政治システムが気候と貧困という二つの問題に対処できなければ、食料と水の暴動がさらに起こり、天然資源をめぐる世界的な戦争が起こるだろう。都市生活のコストは利益をはるかに上回り、新しい住処を求める人々の大量の移住を引き起こし、国際紛争がさらに増えるだろう。やがて、今日の巨大都市のいくつかは、遠い未来のSF映画に出てくるような都市へと変貌するだろう。そこで見られるのは、おびただしい溺れかけた金属の骸骨が、もはや作ることも買うこともできない製品の理解しがたい広告で埋め尽くされている姿だ。

しかし、歴史から何かを学んだとすれば、都市の中には死滅するものがあっても、世界がディストピアとなって崩壊するわけではないことだ。チャタルヒュユク、ポンペイ、アンコール、カホキアを放棄した多くの人々がそうであったように、われわれは都市の終末期を生き延びるだろう。問題は、われわれが次に何をするかということだ。

人類は九〇〇〇年以上前から都市を建設してきたが、われわれの大半が都市部に住むようになったのは、ここ数十年のことだ。多くの人々が現代版カホキアに集まってきているため、都市は必然のように思えるが、そうではない。

アンコールやチャタルヒュユクの人々がそうであったように、未来の都市を放棄した後、小さな町の生活に戻る人々がいるかもしれない。このようなコミュニティでは農業が中心であることが多いので、明日の村人たちは地元で食事をし、非電化電源を設置して農作業に励むかもしれない。また、もうひとつの可能性もある。カホキアやチャタルヒュユクを出て、半遊牧民となった人々がたくさんいた。二一世紀、二二世紀のポスト都市生活者は、自動車などの乗り物の中で生活し、安全のためにキャラバンを形成して遊牧民となるかもしれない。地球は小さな人間の居住地がたくさんある惑星となり、都市はむしろ例外となるかもしれない。あなたが生まれた場所によっては、これは比較的良い生活かもしれない。しかしそれは、新石器時代の農民や遊牧民が経験したような苦難に悩まされ、さらに地球規模の気候危機と資源の枯渇によって、より困難な状況に陥る可能性が高い。

また、危機に瀕した都市を救済する方法が見つかる可能性もある。ポンペイの人々のように、われわれは救援活動を行い、人々が新しい場所で再建するのを助けるかもしれない。ドムズテペのように、これまでの伝統を受け継ぎながら新しいアイデアを取り入れた、根本的に異なるメトロポリスの設計を試みるかもしれない。そうすることで、気候変動の影響に負けない、より持続可能な都市が生まれるかもしれない。それはユートピア的な不可能性のように聞こえるかもしれないが、都市の失敗から学べば、不可能ではない。チャタルヒュユク、ポンペイ、アンコール、カホキアなどを振り返ってみると、何が都市の活力を維持しているのかを理解するのは難しくない。そこには、良い貯水池や道路などの弾力性《レジリエント》のあるインフラ、アクセスしやすい公共広場、誰もが使える家庭空間、社会の流動性、都市の労働者を尊厳を持って扱う指導者などがあった。数千年前、われわれの祖先が何世紀にもわたって健全な都市を維持してきたことを思えば、これはそれほど高い注文ではないだろう。

都市放棄の歴史から学べる最も貴重な教訓は、人間のコミュニティは驚くほど回復力《レジリエント》が高いということだろう。都市は滅びるかもしれないが、われわれの文化や伝統は生き残る。都市に住む人々は、数え切れないほどの災害の後に再建を果たし、元の場所とはかけ離れた場所に、自分たちの住む地域を再構築してきた。長期間の都市離散の後でも、人類は再び都市づくりに戻ってきた。ほぼすべての世代が終わりの時を生きていると信じているが、文明が大きく崩壊し、そこからわれわれが戻らなかったことは一度もない。その代わりに、各世代が未完成のプロジェクトを次の世代に引き継ぎ、変革の長い道のりを歩んできただけなのである。

都市は現在進行形の社会実験であり、古代の住居やモニュメントの遺跡は、われわれの祖先が残した半分消された実験ノートのようなものだ。それらは、人々がどのようにして、多様な集団を共通の目的を示しながらまとめようとしたか、互いに支え合って、楽しもうとしたか、そして、政治的対立や気候の大混乱を乗り越えようとしたかについて述べている。またそこには、権威主義的に奴隷を駆り立てるリーダーシップ、劣悪な土木工事、多くの人々の資源利用を制限する法律など、われわれの失敗についても書かれている。先人たちの損なわれた宮殿や別荘は、コミュニティがいかにうまくいかないかについて警告を発しているが、彼らが作った通りや広場は、われわれが共に意味のあるものを築いてきたことを証言していた。

われわれが都市の先人たちの物語を語る限り、都市が失われることはない。われわれの想像の中で、われわれの公共の土地で、都市は生き続けている。どんなにひどい状況になっても、人間は常に再挑戦するという約束の下に。一〇〇〇年後もなおわれわれは、都市の実験に取り組んでいることだろう。もちろん、再び失敗もするだろう。しかし、われわれはまた、物事を正しく行う方法も学んでいるにちがいない。

謝辞

このプロジェクトは何年もかけて調査をして、完成させたものだ。その過程で私は友人を作り、見知らぬ人と素晴らしい会話をし、世界中の場所を旅した。そのすべてに感謝している。特に、時間を割いて自分の考えを話してくれたり、発掘現場や職場に私を迎え入れてくれた研究者の方々にはお礼の言葉もない。この本のページには、彼らの名前が掲載されている。彼らの知識の幅とユーモアを正当に評価できていれば幸いだ。言うまでもないが、誤字脱字はすべて私個人の責任である。また、ノートンの敏腕編集者Matt Weilandと編集アシスタントのZarina Patwaに感謝する。私の超強力なエージェントLaurie Foxのおかげですべてが可能になった。Jason Thompsonは、本書の随所に見られる豪華な地図〔省略〕を作成してくれた。Jasonありがとう！

そして、この本の一部を読んで貴重な意見を聞かせてくれ、私と長い間苦楽を共にしてきた執筆仲間や様々な被害者たちがいる。Charlie Jane Anders, Benjamin Rosenbaum, Mary Anne Mohanraj, David Moles, Anthony Ha, Jackie Monkiewicz. 特にArs Technicaの編集者であるKen Fisher, Eric BangemanそれにJohn Timmerには、最終的に本書の骨格となる記事を書くよう、私を励ましてくれたことに感謝の意を表したい。広範囲に及ぶインスピレーションを提供してくれ、良いロール（役割）モデルとなってくれたCarlZimmer, Charles Mann, RoseEveleth, Amy Harmon, Seth Mnookin, Deb Blum, Veronique Greenwood, Alondra Nelson, Maia Szalavitz, Maryn McKenna, Maggie Koerth, Jennifer Ouellette, Thomas Levensonには感謝している。

そして何よりChris Palmer, Jesse Burns, Charlie JaneAndersの三人には、長く、熱く、汚い旅に付き合ってくれたことに、都市生活に関する、私の果てしないオタク話に付き合ってくれたことに、そして二〇年に及ぶわれわれの歴史に感謝している。あなた方を私は心から愛している。

原注

はじめに——どのようにして都市は失われるのか？

（1） Brendan M. Buckley et al., "Climate as a Contributing Factor in the Demise of Angkor, Cambodia," *Proceedings of the National Academy of Sciences* 107, no.15 (April 2010): 6748-52.

（2） "68% of the World Population Projected to Live in Urban Areas by 2050, Says UN," Department of Economic and Social Affairs, United Nations, last modified May 16, 2018, https://www.un.org/development /desa/en/news/population/2018-revision-of-world-urbanization-prospects.html.

Ｉ　チャタルヒュユク——出入り口

1　定住生活の衝撃

（1） Ian Hodder, ed., *The Archaeology of Contextual Meanings* (Cambridge: Cambridge University Press, 1987).

（2） C. Tornero et al., "Seasonal reproductive Patterns of Early Domestic Sheep at Tell Halula (PPNB, Middle Euphrates Valley): Evidence from Sequential Oxygen Isotope Analyses of Tooth Enamel," *Journal of Archaeological Science: Reports* 6(2016): 810-18.

（3） A. Nigel Goring-Morris and Anna Belfer-Cohen "Neolithization Processes in the Levant: The Outer Envelop," *Current Anthropology* 52, no. S4(2011): S195-S208.

（4） D. E. Blasi et al., "Human Sound Systems Are Shaped by Post-Neolithic Changes in Bite Configuration," Science 363, no, 6432 (March 15, 2019): 205-30.

（5） Carolyn Nakamura and Lynn Meskell, "Articulate Bodies: Forms and Figures at Çatalhöyük," *Journal of Archaeological Method and Theory* 16 (2009): 205-30.

（6） Ian Hodder, *The Leopard's Tale: Revealing the Mysteries of Çatalhöyük* (New York: Thames and Hudson, 2006).

（7） Peter Wilson, *The Domestication of the Human Species* (New Haven, CT: Yale University Press, 1991).

（8） Wilson, *The Domestication of the Human Species*, 98.

（9） Julia Gresky, Juliane Haelm, and Lee Clare, "Modified Human Crania from Göbekli Tepe Provide Evidence for a New Form of

Neolithic Skull Cult," *Science Advances* 3, 6 (June 28, 2017): e1700564.

(10) K. Schmidt, "Göbekli Tepe — the Stone Age Sanctuaries. New Results of Ongoing Excavations with a Special Focus on Sculptures and High Reliefs," *Documenta Praehistorica* 37 (2010):239-56.

(11) Marion Benz and Joachim Bauer, "Symbols of Power — Symbols of Crisis? A Psycho-Social Approach to Early Neolithic Symbols Systems," *Neo-Lithics Special Issue* (2013): 11-24.

(12) Janet Carston and Stephen Hugh-Jones, *About the House: Lévi-Strauss and Beyond* (Cambridge: Cambridge University Press, 1995).

(13) Çigdem Atakuman, "Deciphering Later Neolithic Stamp Seal Imagery of Northern Mesopotamia," *Documenta Praehistorica* 40 (2013): 247-64.

(14) Hodder, *Leopard's Tale*, 63.

2　女神たちの真実

(1) Kamilla Pawłowska, "The Smells of Neolithic Çatalhöyük, Turkey: Time and Space of Human Activity," *Journal of Anthropological Archaeology* 36 (2014); 1-11.

(2) Ian Hodder and Arkadiusz Marciniak, eds., *Assembling Çatalhöyük* (Leeds: Maney, 2015).

(3) Ruth Tringham, "Dido and the Basket: Fragments toward a Non-Linear History," in *Object Stories: Artifacts and Archaeologists*, ed. A. Clarke, U. Frederik, and S. Brown (Walnut Creek, CA: Left Coast Press, 2015).

(4) Michael Marshall, "Family Ties Doubted in Stone-Age Farmers," *New Scientist* (july 1, 2011), https://www.newscientist.com/article/dn20646-family-ties-doubted-in-stone-age-farmers/.

(5) Nerissa Russell, "Mammals from the BACH Area," chap.8 in *Last house on the Hill: BACH Area Reports from Çatalhöyük, Turkey*, ed. Ruth Tringham and Mirjana Stevanović, Monumenta Archaeologica, vol. 27 (Los Angeles: Cotsen Institute of Archaeology Press, 2012).

(6) Michael Balter, *The Goddess and the Bull: Çatalhöyük, an Archaeological Journey to the Dawn of Civilization* (New York: Free Press, 2010).

(7) Balter, *Goddess and the Bull* 39.

(8) Carolyn Nakamura, "Figurines of the BACH Area," chap. 17 in *Last house on the Hill: BACH Area Reports from Çatalhöyük, Turkey*, ed. Ruth Tringham and Mirjana Stevanović, Monumenta Archaeologica, vol. 27 (Los Angeles: Cotsen Institute of Archaeology Press, 2012).

(9) Lynn M. Meskell et al., "Figured Lifeworlds and Depositional Practices at Çatalhöyük," *Cambridge Archaeological Journal* 18 (2008): 139-61; Carolyn Nakamura and Lynn Meskell, "Articulate Bodies: Forms and Figures at Çatalhöyük," *Journal of Archaeological Method and Theory* 16

(2009): 205 も見よ。

(10) Meskell et al., "Figured Lifeworlds and Depositional Practices at Çatalhöyük," 144.

(11) Ian Hodder, *The Leopard's Tale: Revealing the Mysteries of Çatalhöyük* (New York: Thames and Hudson, 2006).

(12) Rosemary Joyce, Ancient Bodies, *Ancient Lives: Sex, Gender and Archaeology* (London: Thames and Hudson, 2008), 10.

(13) Wendy Matthews, "Household Life Histories and Boundaries: Microstratigraphy and Micromorphology of Architectural Surfaces in Building 3 (BACH)," chap. 7 in *Last House on the Hill: BACH Area Reports from Çatalhöyük, Turkey*, ed. Ruth Tringham and Mirjana Stevanvić, Monumenta Archaeologica, vol. 27 (Los Angeles: Cotsen Institure of Archaeology Press, 2012).

(14) Burcum Hanzade Arkun, "Neolithic Plasters of the Near East: Catal Hoyuk Building 5, a Case Sturdy" (master's thesis, University of Pennsylvania, 2003).

(15) Daphne E. Gallagher and Roderick J. McIntosh, "Agriculture and Urbanism," chap. 7 in the *The Cambridge World History*, ed. Graeme Barker and Candice Goucher (Cambridge: Cambridge University Press, 2015), 186-209.

(16) Hodder, *The Leopard's Tale,* chap. 6.

(17) Jeremy Nobel, "Finding Connection through 'Chosen Family,'" *Psychology Today*, last modified June 14, 2019, https://www.psychology today, com/us/blog/being-unlonely/201906/finding-connection-through-chosen-family.

3　歴史の中の歴史

(1) Sophie Moore,"burials and Identities at Historic Period Çatalhöyük," *Heritage Turkey* 4 (2014): 29.

(2) Patricia McAnany and Norman Yoffee, *Questioning Collapse: Human Resilience, Ecological Vulnerability, and the Aftermath of Empire* (Cambridge: Cambridge University Press, 2009).

(3) Melody Warnick, "Why you're Miserable after a Move," *Psychology Today* (July 13, 2016), https://www.psychologytoday.com/us/blog/is-where-you-belong/20167/why-youre-miserable-after-move.

(4) "Immigration," American Psychological Association, accessed November 12, 2019, https://www.apa.org/topics/immigration/index.

(5) Pascal Flohr et al., "Evidence of Resilience to Past Climate Change in Southwest Asia: Early Farming Communities and the 9.2 and 8.2 Ka Events," *Quaternary Science Review* 136 (2016): 23-39.

(6) Peter Schwartz and Doug Randall, "An Abrupt Climate Change Scenario and Its Implications for United States National Security" (October 2003), accessed November 11, 2019, https://web.archive.org/web/20090320054750/http://www.climate.org/PDF/clim_

change_scenario.pdf.
（7）Daniel Glick, "The Big Thaw," *National Geographic* (September 2004).
（8）Ofer Bar-Yosef, "Facing Climatic Hazards: Paleolithic Foragers and Neolithic Farmers," *Quaternary International* pt. B, 428 (2017): 64-72.
（9）Flohr et al., "Evidence of Resilience to Pst Climate Change in Southweat Asia."
（10）Michael Price, "Animal Fat on Ancient Pottery Reveals a Nearly Catastrophic Period of Human Prehistory," *Science* (August 13, 2018), https://www.sciencemag.org/news/2018/08/animal-fat-ancient-pottery-shards-reveals-nearly-catastrophic-period-human-prehistory.
（11）David Orton et al., "A Tale of Two Tells: Dating the Çatalhöyük West Mound," *Antiquity* 92, no. 363 (2018): 620-39.
（12）Ian Kuijt, "People and Space in Early Agricultural Villages: Exploring Daily Lives, Community Size, and Architecture in the Late Pre-Pottery Neolithic," *Journal of Anthropological Archaeology* 19, no. 1 (2000): 75-102.
（13）Monica Smith, Cities: *The First 6,000 Years* (New York: Viking, 2019), 9.
（14）Joseph Tainter, *The Collapse of Complex Societies* (Cambridge: Cambridge University Press, 1988).
（15）William Cronon, *Nature's Metropolis: Chicago and the Great West* (New York: W.W. Norton, 1991).
（16）Stuart Campbell, "The Dead and the Living in Late Neolithic Mesopotamia," in *Sepolti tra i vivi. Evidenza ed interpretazione di contesti funerari in abitato. Atti del Convegno Internazionale* [Buried among the Living], ed. Gilda Bartoloni and M. Gilda Benedettini (Università degli Studi di Roma "La Sapienza," April 26-29, 2006), https://www.academia.edu/3390086/The_Dead_and_the_Living_in_Late_Neolithic_Mesopotamia.

Ⅱ　ポンペイ――街路

4　アボンダンツァ通りの暴動

（1）Marco Merola, "Pompeii before the Romans," *Archaeology Magazine* (January/February 2016).
（2）Mary Beard, *Pompeii: The Life of a Roman Town* (London: Profile Books, 2008).
（3）"Samnite Culture in Pompeii Survived Roman Conquest," *Italy Magazine*, last modified July 6, 2005, https://www.italymagazine.com/italy/campania/samite-culture-pompeii-survived-roman-conquest.
（4）Andrew Wallace-Hadrill, *Houses and Society in Pompeii and Herculaneum* (Princeton, NJ: Princeton University Press, 1994).
（5）Alison E. Cooley and M. G. L. Cooley, Pompeii and Herculaneum: A sourcebook (New York: Routledge, 2013) に翻訳が掲載されている。

(6) Eve D'Ambria, *Roman Women* (Cambridge: Cambridge University Press, 2007).
(7) Eve D'Ambria, *Roman Women.*
(8) Pliny the Elder, Book 7 Letter 24, accessed November 12, 2019, http://www.vroma.org/~hwalker/Pliny/Pliny07-24-E.html.
(9) "Via Consolare Project," San Francisco State University, accessed November 11, 2019, http://www.sfsu.edu/~pompeii/.
(10) Henrik Mouritsen, *The Freedman in the Roman World* (Cambridge: Cambridge University Press, 2011).
(11) Mouritsen, *The Freedman in the Roman World,* 121, 140.
(12) Heather Pringle, "How Ancient Rome's 1% Hijacked the Beach," *Hakai Magazine* (April 5, 2016), https://www.hakaimagazine.com/features/how-ancient-romes-1-hijacked-beach/.

5　公の場で行うこと

(1) Ilaria Battiloro and Marcello Mogetta, "New Investigation at the Sanctuary of Venus in Pompeii: Interim Report on the 2017 Season of the Venus Pompeiana Project," accessed November 1, 2019, http://www.fastionline.org/docs/FOLDER-it-2018-425.pdf.
(2) Steven Ellis, *The Roman Retail Revolution: The Socio-Economic World of the Taberna* (Oxford: Oxford University Press, 2018).
(3) Miko Flohr, "Reconsidering the Atrium House: Domestic Fullonicae at Pompeii," in *Pompeii: Art, Industry and Infrastructure*, ed. Eric Poehler, Miko Flohr, and Kevin Cole (Barnsley, UK: oxbow Books, 2011).
(4) Lei Dong, Carlo Ratti, and Siqi Zheng, "Prediction Neighborhoods' Socioeconomic Attributes Using Restaurant Data," *Proceedings of the National Academy of Sciences* 116, no, 31 (july 2019): 15,447-52.
(5) Eric Poehler, *The Traffic Systems of Pompeii* (Oxford: Oxford University Press, 2017).
(6) Mouritsen, *The Freedman in the Roman World*, 122.
(7) 古典主義者のベス・セヴリー＝ホーヴェンは、邸宅内の絵画の中にも、兄弟の階級的地位に対する不安の表れがあったと指摘する。 Beth Severy-Hoven, "Master Narratives and the Wall Painting of the house of the Vettii, Pompeii," *Gender & History* 24 (2012): 540-80.
(8) Sara Levin-Richardson, "Fututa Sum Hic: Female Subjectivity and Agency in Pompeian Sexual Graffiti," *Classical Journal* 108, no. 3 (2013): 319-45.
(9) Sara Levin-Richardson, *The Brothel of Pompeii: Sex, Class, and Gender at the Margins of Roman Society* (Cambridge: Cambridge University Press, 2019).

（10）Levin-Richardson, "Fututa Sum Hic."
（11）Ann Olga Koloski-Ostrow, *The Archaeology of Sanitation in Roman Italy: Toilets, Sewers, and Water Systems* (Chapel Hill: University of North Carolina Press, 2015).

6　山が燃えてから

（1）最近の証拠によると、噴火はこれまで考えられていた夏の終わり頃ではなく、秋頃にあったようだ。"Pompeii: Vesuvius Eruption May Have Been Later than Thought," BBC World News, last modified October 16, 2018, https://www.bbc.com/news/world/europe-45874858.
（2）William Melmouth, trans., *Letters of Pliny*, Project Gutenberg, last updated May 13, 2016, https://www.gutenberg.org/files/2811/2811-h/2811-h.htm#link2H_4_0065.
（3）Brandon Thomas Luke, "Roman Pompeii, Geography of Death and Escape: The Deaths of Vesuvius" (master's thesis, Kent State, 2013).
（4）Nancy K. Bristow, "'It's as Bad as Anything Can Be': Patients, Identity, and the Influenza Pandemic," supplement 3, *Public HealthReports* 125(2010): 134-44.
（5）J. Andrew Dufton, "The Architectural and Social Dynamics of Gentrification in Roman North Africa," *American Journal of Archaeology* 123, no.2 (2019): 263-90.
（6）Andrew Zissos, ed., *A Companion to the Flavian Age of Imperial Rome* (Malden, MA: Wiley & Sons, 2016).

Ⅲ　アンコール——貯水池

7　農業のもうひとつの歴史

（1）"Ancient Aliens," History Channel (May 4, 2012), https://www.history.com/shows/ancient-aliens/season-4/episode-10.
（2）Patric Roberts, *Tropical Forests in Prehistory, History, and Modernity* (Oxford: Oxford University Press, 2019).
（3）Patrick Roberts et al., "The Deep Human Prehistory of Global Tropical Forests and Its Relevance for Modern Conservation," *Nature Plants* 3, no.8 (2007).
（4）Spiro Kostof, *The City Shaped: Urban Patterns and Meanings through History* (London: Thames and Hudson, 1999).

8　水の帝国

（1）Miriam T/ Stark. "From Funan to Angkor: Collapse and Regeneration in Ancient Cambodia," chap. 10 in *After Collapse: The regeneration of Complex Societies*, ed. Glenn M. Schwartz and John J. Nichols (Tucson: University of Arizona Press, 2006), 144-67.

（2）Eileen Lustig, Damian Evans, and Ngaire Richards, "Words across Space and Time: An Analysis of Lexical Items in Khmer Inscriptions, Sixth-Fourteenth Centuries CE," *Journal of Southeast Asian Studies* 38, no.1 (2007): 1-26.

（3）Zhou Daguan, *A Record of Cambodia: A Land and Its People*, trans. Peter Harris (Chiang Mai, Thailand: Silkworm Books, 2007).

（4）David Eltis and Stanley L. Engerman, eds., *The Cambridge World History of Slavery*, vol.3 (Cambridge: Cambridge University Press, 2011).

（5）Lustig et al., "Words across Space and Time."

（6）Miriam Stark, "Universal Rule and Precarious Empire: Power and Fragility in the Angkorian State," chap.9 in *The Evolution of Fragility: Setting the Terms*, ed. Norman Yoffee (Cambridge: McDonald Institute for Archaeological Research, 2019).

（7）Matthew Desmond, "In Order to Understand the Brutality of American Capitalism, You Have to Start on the Plantation," *New York Times Magazine*, August 14, 2019, https://www.nytimes.com/interactive/2019/08/14/magazine /slavery-capitalism.html.

（8）Stark, "Universal Rule and Precarious Empire."

（9）Stark, "Universal Rule and Precarious Empire."

（10）Kenneth R. Hall, "Khmer Commercial Development and Foreign Contacts under Sūryavarman I," *Journal of the Economic and Social History of the Orient* 18, no. 3 (1975): 318-36.

（11）Dan Penny et al., "Hydrological History of the West Baray, Angkor, Revealed through Palynological Analysis of Sediments from the West Mebon," in *Bulletin de l'École française d'Extrême-Orient* 92 (2005): 497-521.

（12）Christophe Pottier, "Under the Western Bray Waters," chap. 28 in *Uncovering Southeast Asia's Past*, ed. Elisabeth A. Bacus, Ian Glover, and Vincent Piggot (Singapore: National University of Singapore Press, 2006), 298-309.

（13）Penny et al., "Hydrological History of the West Baray, Angkor."

（14）Monic Smith, *Cities; The First 6,000 Years* (New York: Viking, 2019).

（15）Saskia Sassen, "Global Cities as Today's Frontiers," Leuphana Digital School, https://www.youtube.com/watch?v=Iu-p31RkCXI. 彼女はまた、これらの考えを著書 *The Global Cities: New York, London Tokyo* (Princeton, NJ: Princeton University Press, 1991) で詳しく説明している。

（16）Geoffrey West, Scale: *The Universal Laws of Life, Growth, and Death in Organisms, Cities, and Companies* (New York: Penguin, 2018).

（17）Lustig et al., "Words across Space and Time"; Eileen Lustig and Terry Lustig, "New Insights into 'les interminables listes nominatives des esclaves' from Numerical Analyses of the Personnel in Angkorian Inscriptions," *Aséanie* 31 (2013): 55-83 もまた見よ。

（18） Kunthea Chhom, Inscriptions of Koh Ker 1 (Budapest: Hungarian Southeast Asian Research Institute, 2011), https://www.academia.edu/14872809/Inscriptions_of_Koh_Ker_n_1.

（19） Terry Leslie Lustig and Eileen Joan Lustig, "Following the Non-Money Trail: Reconciling Some Angkorian Temple Accounts," *Journal of Indo-Pacific Archaeology* 39 (August 2015):26-37.

（20） "Household Archaeology at Angkor Wat," Khmer Times, July 7, 2016m https://www,khmertimeskh.com/25557/household-archaeology-at-angkor-wat/.

（21） Lustig and Lustig, "Following the Non-Money Trail."

（22） Eileen Lustig, "Money Doesn't Make the World Go Round: Angkor's Non-Monetization," in *Economic Development, Integration, and Morality in Asia and the Americas*, ed. D. Wood, Research in Economic Anthropology, vol. 29 (2009), 165-99.

（23） Lustig, "Money Doesn't Make the World Go Round."

（24） Mitch Hendrickson et al., "Industries of Angkor Project: Preliminary Investigation of Iron Production at Boeng Kroam, Preah Khan of Kompong Svay," *Journal of Indo-Pacific Archaeology* 42 (2018): 32-42, https://ournals.lib.washington.edu/index.php/JIPA/article/view/15257/12812.

（25） Damian Evans and Roland Fletcher, "The Landscape of Angkor Wat Redefined," *Antiquity* 89, no.348 (2015): 1402-19.

9　帝国主義の残滓

（1） Henri Mouhot, *Travels in the Central Parts of Indo-China (Siam), Cambodia, and Laos during the Years 1858, 1859, and 1860*, 2 vols., Gutenberg Project, last modified August 11, 2014, http://www.gutenberg.org/files/46559/46559-h/46559-h.htm.

（2） Alison Carter, "Stop Saying the French Discovered Angkor," *Alison in Cambodia* (blog), accessed November 12, 2019, https://alisonincambodia.wordpress.com/2014/10/05/stio0saying-the french-discovered-angkor/.

（3） Terry Lustig et al., "Evidence for the Breakdown of an Angkorian Hydraulic System, and Its Historical Implications for Understanding the Khmer Empire," *Journal of Archaeological Science: Reports* 17 (2018): 195-211.

（4） Keo Duong, "Jayavarman IV: King Usurper?" (master's thesis, Chulalongkorn University, 2012).

（5） Tegan Hall, Dan Penny, and Rebecca Hamilton, "Re-Evanluating the Occupation History of Koh Ker, Cambodia, during the Angkor Period: A Palaeo-Ecological Approach," *PLoSONE*13, no.10 (2018):e0203962,https://doi.org/10.1371/journal.pone.0203962.

(6) Kunthea Chhom, *Inscriptions of Koh Ker 1* (Budapest: Hungarian Southeast Asian Research Institute, 2011), https://www.academia..edu/14872809/Inscriptions_of_Koh_Ker_n_I, 12.
(7) Eileen Lustig and Terry Lustig, "New Insights into 'les interminables listes nominatives des esclaves' from Numerical Analyses of the Personnel in Angkorian Inscriptions," *Aséanie* 31 (2013): 55-83.
(8) Lustig et al., "Evidence for the Breakdown of an Angkorian Hydraulic System."
(9) Wensheng Lan et al., "Microbial Community Analysis of Fresh and Old Microbial Biofilms on Bayon Temple Sandstone of Angkor Thom, Cambodia," *Microbial Ecology* 60, no.1 (2010: 105-15, doi:10.1007/s00248-010-9707-5.
(10) Peter D. Sharrock, "Garuḍa, Vajrapāṅi and Religious Change in Jayavarman VII's Angkor," *Journal of Southeast Asian Studies* 40, no.1 (2009): 111-51.
(11) Roland Fletcher et al., "The Development of the Water Management System of Angkor: A Provisional Model," *Bulletin of the Indo-Pacific Prehistory Association* 28 (2008): 57-66.
(12) Dan Penny et al., "The Demise of Angkor: Systemic Vulnerability of Urban Infrastructure to Climatic Variations," *Science Advances* 4, no.10 (October 17, 2018): eaau4029.
(13) Solomon M. Hsiang and Amir S. Jina, "Geography, Depreciation, and Growth," *American Economic Review* 105, no.5 (2015):252-56.
(14) Alison K. Carter et al., "Temple Occupation and the Tempo of Collapse at Angkor Wat, Cambodia," *Proceedings of the National Academy of Sciences* 116, no.25 (June 2019): 12226-31.
(15) Dan Penny et al., "Geoarchaeological Evidence from Angkor, Cambodia, Reveals a Gradual Decline Rather than a Catastrophic 15th-Century Collapse," *Proceedings of the National Academy of Sciences* 116, no.11 (March 2019): 4871-76.
(16) Miriam Stark, "Universal Rule and Precarious Empire: Power and Fragility in the Angkorian State," chap.9 in *The Evolution of Fragility: Setting the Terms*, ed. Norman Yoffee (Cambridge: McDonald Institute for Archaeological Research, 2019), 174.

Ⅳ　カホキア——広場

10　アメリカの古代ピラミッド

(1) Sarah E. Baires, *Land of Water, City of the Dead: Religion and Cahokia's Emergence* (Tuscaloosa: University of Alabama Press, 2017).
(2) Michael Hittman, *Wovoka and the Ghost Dance* (Lincoln: University of Nebraska Press, 1997), および Alice Beck Kehoe, *The Ghost Dance: Ethnohistory and revitalization* (New York: Holt, Rinehart and Winston, 1989) を見よ。

（3） John Noble Wilford, "Ancient Indian Site Challenges Ideas on Early American Life," *New York Times*, September 19, 1997, https://www.nytimes .com/1997/09/19/us/ancient-indian-site-challenges-ideas-on-early-american-life.html.
（4） Timothy Pauketat, *Cahokia: Ancient America's Great City on the Mississippi* (New York: Viking, 2009).
（5） Rinita A. Dalan et al., *Envisioning Cahokia: A Landscape perspective* (DeKalb: Northern Illinois University Press, 2003).
（6） V. Gordon Childe, "The Urban Revolution," *Town Planning Review* 21, no.1 (1950): 3-17.
（7） Dalan et al., *Envisioning Cahokia,* 129.
（8） Timothy Pauketat, "America's First Pastime," *Archaeology* 6, no.5 (September/October 2009), https://archive.archaeology.org/0909/abstracts/pastime.hitml.
（9） 画家のジョージ・カトリンは、一八三〇年代にスー語を話すマンダン族がこのゲームをしているのを見たことを手紙に書いている。George Catlin, *Letters and Notes on the Manners, Customs, and Conditions of North American Indians*, no. 19, retrieved November 12, 2019, https://user.xmission.com/~drudy/mtman/html/catlin/leter 19.html より。
（10） Margaret Gaca and Emma Wink, "Archaeoacoustics: Relative Soundscapes between Monks Mound and the Grand Plaza" (poster presented at the 60th Annual Midwest Archaeological Conference, Iowa City, Iowa, October 4-6, 2016).
（11） Thomas E. Emerson et al., "Paradigms Lost: Reconfiguring Cahokia's Mound 72 Beaded Burial," *American Antiquity* 81, no.3 (2016): 405-25.
（12） Baires, *Land of Water, City of the Dead*, 92-93.
（13） Andrew M. Munro, "Timothy R. Pauketat, *An Archaeology of the Cosmos: Rethinking Agency and Religion in Ancient America*," *Journal of Skyscape Archaeology* 4, no.2 (2019): 252-56.
（14） Gayle Fritz, *Feeding Cahokia: Early Agriculture in the North American Heartland* (Tuscaloosa: University of Alabama Press, 2019), 89.
（15） Fritz, *Feeding Cahokia*,150.
（16） Natalie G. Mueller et al., "Growing the Lost Crops of Eastern North America's Original Agricultural System," *Nature Plants 3* (2017).
（17） Fritz, *Feeding Cahokia*,146.
（18） Fritz, *Feeding Cahokia*,143.

11 大復活

（1） Sarah E. Baires, Melissa R. Baltus, and Elizabeth Watts Malouchos, "Exploring New Cahokian Neighborhoods: Structure Density

Estimates from the Spring Lake Tract, Cahokia," *American Antiquity* 82, no.4 (2017): 742-60.
(2) Lizzie Wade, "It Wasn't Just Greece — Archaeologists and Early Democracy in the Americas," *Science* (March 15, 2017), https://www.sciencemag.org/news/2017/03/it-wasnt-just-greece-archaeologists-find-early-democratic-societies-americas.
(3) David Correia, "F**k Jared Diamond," *Capitalism Nature Socialism* 24, no.4 (2013): 1-6.
(4) David Graeber and David Wingrow, "How to Change the Course of Human History," *Eurozine* (March 2, 2018), https://www.eurozine.com/change-course-human-history/.

12　故意の放棄

(1) Samuel E. Munoz et al., "Cahokia's Emergence and Decline Coincided with Shifts of Flood Frequency on the Mississippi River," *Proceedings of the National Academy of Sciences* 112, no.20 (May 2015): 6319-24.
(2) Sarah E. Baires, Melissa R. Baltus, and Meghan E. Buchanan, "Correlation Does Not Equal Causation: Questioning the Great Cahokia Flood," *Proceedings of the National Academy of Sciences* 112, no.29 (July 2015): E3753.
(3) Andrea Hunter, "Ancestral Osage Geography," in Andrea A. Hunter, James Munkres, and Barker Fariss, *Osage Nation* NAGPRA *Claim for Human Remains Removed from the Clarksville Mound Group (23PI6), Pike County, Missouri* (Pauhuska, OK: Osage Nation Historic Preservation Office, 2013), 1-60, https://www.osagenation-nsn.gov/who-we-are/historic-preservation/osage-cultural-history.
(4) Margaret Carrigan, "One Mound at a Time: Native American Artist Santiago X on Rebuilding Indigenous Cities," *Art Newspaper*, September 29, 2019, https://www.theartnewspaper.com/amp/interview/native-american-artist-santiago-x-on-rebuilding-indigenous-cities-one-mound-at-a-time.

エピローグ――警告・進行形の社会実験

(1) Sarah Almukhtar et al., "The Great Flood of 2019," *New York Times*, September 11, 2019, https://www.nytimes.com/interactive/2019/09/11/us/midwest-flooding.html.
(2) Kendra Pierre-Lewis, "Heatwaves in the Age of Climate Change," *New York Times*, July 18, 2019, https://www.nytimes.com/2019/07/18/climate/heatwave-climate-change.html.
(3) Annalee Newitz, *Scatter, Adapt, and Remember: How Humans Will Survive a Mass Extinction* (New York: Doubleday, 2013).

訳者あとがき

今から九〇〇〇年も前のこと、チャタルヒュユクという集落が、現在のトルコの中央部、アナトリア地方にできたのだが、これは人類がこれまでに見たこともなかったような都市だった。この都市は、曲がりくねった川によって分けられた二つの低い丘の上に、泥レンガでできた家屋のスカイラインを見せていた。何百もの屋根から煙が立ち昇り、香ばしいもやがかかっている。各家は蜂の巣のように密集し、道路はほとんどない。城壁を取り囲むようにして、樹木や穀物畑、ヤギの群れなどの農地が広がっていた。

当時、この都市を訪れた人が最も驚いたのは、おそらく、そこに住む人々の姿を目の当たりにした時だったろう。何千人という人々が、どこまでも続く集落の中で、ともに暮らしていたからだ。その集落には普通の人が一生のうちでさえ、とても目にすることができないほど多くの家々が立ち並んでいる。チャタルヒュユクに住む人々は、高いモニュメントを建設することはしなかったが、その広大な居住区は、近隣の遊牧民キャンプや小さな村と比較しても、はるかに潤沢な富と広い地域を持つメトロポリスを形成していた。それは、人類が初めて試みた都市生活の実験ともいうべきものだった。が、それもやがては失敗に終わる。

チャタルヒュユクは一〇〇〇年にわたって繁栄した後、約八〇〇〇年前に放棄された。住人は、なぜ都市生活に背を向けたのか、その説明を残していない。何世紀もかけて集落は崩壊し、農地は荒れ果て、川は干上がった。人々は小さな村へと戻っていったが、その後、レバント地方に都市ができた例はなく、二〇〇〇年以上後にようやく、メソポタミアの大文明が誕生した。迷路のようなチャタルヒュユクに住んでいた人々については、多くの謎が残る。最大の謎は、なぜ彼らが突然いなくなったのかということだ。

この都市で何が起こったのか、そしてそれが人類の都市史上どのような意味を持つのか、考古学者たちは今ようやくそれを理解し始めている。最近開発された科学技術によって、研究者は人口規模から農業生産高に至るまで、あらゆるものを測定し、古代集落のライフサイクルを追跡することができるようになった。その結果、チャタルヒュユクを破滅に追いやったのが、環境の変化、社会の変容、政治的混乱だったことが明らかになった。

この本では、著名な科学ジャーナリストであるアナリー・ニューイッツが、長年の研究と自身の現場での経験をもとに、人類史上最も壮大な都市放棄の例から四つを選んで、その原因を探っている。四つの都市とは、トルコの新石器時代の遺跡チャタルヒュユク（紀元前七〇〇〇年頃）、イタリア南海岸のローマ時代の保養地ポンペイ（紀元一世紀）、カンボジアの中世の巨大都市アンコール（九世紀―一三世紀）、ミシシッピ川沿いの、イーストセントルイスにあった先住民の大都市カホキア（一一世紀―一四世紀）だ。

たがいに数千年の時を隔てていた上に、大陸をたがえていたが、四つの都市には、いくつかの基本的な共通点がある。各都市では、社会が劇的に変化し、テクノロジーが加速度的に進化した。以前は別々に分かれていた集団が一緒に暮らすようになって、その結果、四つの都市は干ばつや洪水、火山噴火などの被害をまともに受けた。環境問題が政治的な対立を生み、それが食料やインフラに影響を与えるという、より大きな危機を引き起こすようになると、四つの都市は終末を迎えた。

ニューイッツは『人類史にかがやく古代都市はなぜ消滅したのか』で、四つの古代都市に生命を吹き込み、富と文化交流がピークに達した時期の日常生活をいきいきと描いている。その一方で、四つの都市が悲劇的に放棄されるに至った暴力、災害、政治的崩壊を探っていき、各都市の最も華やかな時期と暗い時期を明らかにしてみせた。

都市は生き物である。たしかに都市は滅びはする。しかし、アーバニズム（都市に特徴的な生活様式）はしっかりと残り、都市は必ず再生する。

一九世紀、フランスの探検家アンリ・ムーオは、カンボジアで「失われた都市」のアンコールを発見したと主張した。ムーオは、失われた文明に初めて遭遇した顚末を旅行記に記して、たいへんな人気を得た。「失われた都市」は、西洋のファンタジーの中で繰り返し使われる表現だが、古代都市を研究する考古学者たちは、「失われた都市」や「文明の崩壊」という言葉を一切使わない。代わりに彼らが使うのが「都市が変遷していった」という表現である。その方がより正確だからだ。都市は動的な存在なので、時間が経つにつれて変化するが、それは突然、無に帰するような静的な存在ではない。

ニューイッツも書いているように、「都市放棄の歴史から学べる最も貴重な教訓は、人間のコミュニティは驚くほど回復力《レジリエント》が高いということだろう。都市は滅びるかもしれないが、われわれの文化や伝統は生き残る。都市に住む人々は、数え切れないほどの災害の後に再建を果たし、元の場所とはかけ離れた場所に、自分たちの住む地域を再構築してきた。長期間の都市離散の後でも、人類は再び都市づくりに戻ってきた。

さらに続けて著者は「文明が大きく崩壊し、そこからわれわれが戻らなかったことは一度もない。その代わりに、各世代が未完成のプロジェクトを次の世代に引き継ぎ、変革の長い道のりを歩んできただけなのである。都市は現在進行形の社会実験であり、古代の住居やモニュメントの遺跡は、われわれの祖先が残した半分消された実験ノートのようなものだ」と書いている。

本書は最終的には、現代の都市に対する警告の書として読むことができるのかもしれない。現在、地球人口の半分以上が都市に住み、歴史上初めて一五〇〇万人から三五〇〇万人のメガシティと呼ばれる都市が建設されつつある。この新しいメトロポリスは、はたして何千年も生き残ることができるのだろうか？　それとも半ば忘れ去られた廃墟と化してしまうのだろうか？

＊

この本の翻訳を勧めてくださったのは、青土社編集部の菱沼達也さんだ。菱沼さんにはゲラの段階でこまかくチェックをしていただき、貴重な指摘を数多くいただいた。ここに記して感謝の意を伝えたい。ありがとうございました。

二〇二二年九月

森　夏樹

索引

か行

さ行

た行

な行

は行

ま行

や行

ら行

わ行

FOUR LOST CITIES
A Secret History of the Urban Age by Annalee Newitz
Copyright © 2021 by Annalee Newitz

Japanese translation rights arranged with
W. W. NORTON & COMPANY, INC.
through Japan UNI Agency, Inc., Tokyo

人類史にかがやく古代都市はなぜ消滅したのか

チャタルヒュユク、ポンペイ、アンコール、カホキア

2022年 9月26日　第1刷印刷
2022年10月12日　第1刷発行

著者――アナリー・ニューイッツ
訳者――森夏樹

発行人――清水一人
発行所――青土社
〒101-0051　東京都千代田区神田神保町1-29　市瀬ビル
［電話］03-3291-9831（編集）　03-3294-7829（営業）
［振替］00190-7-192955

印刷・製本――シナノ印刷

装幀――國枝達也

Printed in Japan
ISBN978-4-7917-7501-9